ELKE DAG IS ER EEN

DANIELLE STEEL

ELKE DAG
IS
ER EEN

SIJTHOFF

Oorspronkelijke titel: *One Day at a Time*
Vertaling: Mariëtte van Gelder
Omslagontwerp: Anton Feddema
Omslagfotografie: Getty Images BV
Foto auteur: Brigitte Lacombe

ISBN 978 90 218 0356 2
NUR 343

www.boekenwereld.com
www.uitgeverijsijthoff.nl
www.watleesjij.nu

Voor mijn geliefde kinderen
Beatrix, Trevor, Todd, Nick, Sam,
Victoria, Vanessa, Maxx en Zara,
die de Hoop, Liefde en Vreugde
van mijn leven zijn!

Met heel mijn hart en liefde,
mam/d.s.

Wat er ook gebeurt, is gebeurd of zal gebeuren,
ik blijf geloven in de liefde, in welke traditionele,
vernieuwende, gewone of bijzondere vorm dan ook.
Geef de Hoop nooit op.
d.s.

HOOFDSTUK 1

*H*et was een heerlijke ochtend in juni, en Coco Barrington keek vanaf haar terras naar de zonsopkomst boven Bolinas. Terwijl ze naar de roze en oranje strepen in de lucht keek, dronk ze een kop dampende Chinese thee, uitgestrekt op een stokoude, verschoten ligstoel die ze tweedehands had gekocht. Een verweerd houten beeldje van Guanyin keek sereen toe. Guanyin is de godin van de genade, en het beeldje was een gekoesterd geschenk. De gulden gloed van de opkomende zon toverde koperen lokken in Coco's golvende, kastanjebruine haar, dat bijna tot haar middel reikte. Ze had een oude flanellen nachtpon aan met nog amper te onderscheiden hartjes erop, en haar voeten waren bloot. Haar huis, dat op een bergplateau in Bolinas stond, bood uitzicht op de zee en het smalle strand in de diepte. Coco woonde er nu vier jaar, en ze wilde nergens liever zijn. Ze was achtentwintig en het kleine, vergeten kuststadje op nog geen uur rijden ten noorden van San Francisco was ideaal voor haar.

Haar onderkomen een huis noemen was iets te complimenteus. Het was een schamel optrekje, en haar moeder en zus noemden het een krot of, als ze gunstiger gezind waren, een keet. Ze konden er met hun hoofd niet bij waarom Coco daar wilde wonen, of hoe ze het zelfs maar volhield. Voor hen was het de belichaming van hun ergste nachtmerrie, zelfs al was het Coco die er moest wonen. Haar moeder had geprobeerd haar met vleiende woorden, beledigingen, kritiek en zelfs steekpenningen terug te lokken naar wat ze de 'beschaving' van Los Angeles noemde, maar niets aan het leven van haar moeder, of de manier waarop ze was opgegroeid, leek Coco 'beschaafd'. Zij vond het één grote schijnvertoning. De mensen, hoe ze leefden, de doelen die ze nastreefden, de huizen waarin ze woonden en het feit dat iedere vrouw die ze er kende een facelift had gehad, leken haar allemaal gekunsteld. Haar leven in Bolinas was eenvoudig en echt, zo ongecompliceerd en eerlijk als Coco zelf. Ze gruwde van alles wat onecht was. Niet dat haar moeder nep was, overigens. Die was gepolijst en waakte zorgvuldig over haar imago. Ze schreef al dertig jaar liefdesromans die de bestsellerlijsten haalden. Wat ze schreef was geen bedrog, het ging gewoon niet zo diep, maar er was een groot publiek voor haar boeken. Ze schreef onder de naam Florence Flowers, een pseudoniem dat was afgeleid van de meisjesnaam van haar eigen moeder, en ze had ongekende successen beleefd. Ze was nu tweeënzestig, en ze had een sprookjesleven geleid als echtgenote van Coco's vader, Bernard 'Buzz' Barrington, de belangrijkste literair agent en impresario van Los Angeles tot aan zijn dood, nu vier jaar geleden. Hij was zestien jaar ouder geweest dan haar moeder, maar was nog heel actief geweest tot hij plotseling door een beroerte werd geveld. Hij was een van de machtigste mannen in zijn branche geweest, en hij had zijn vrouw tijdens de volle zesendertig jaar van hun huwelijk vertroeteld en beschermd. Hij had haar aangemoedigd en haar carrière begeleid. Coco vroeg zich altijd af of haar moeder het destijds zonder de hulp van haar vader wel zou hebben gered als schrijfster. Het was een vraag die haar moeder zich nooit zou stellen, want die twijfelde geen seconde aan haar eigen werk of haar talloze meningen over van alles en nog wat. Ze wond er geen doekjes om dat Coco haar had teleurgesteld en aarzelde niet haar voor drop-out, hippie en malloot uit te maken.

Coco's zus Jane, die net zo geslaagd was als hun moeder, beoordeelde Coco in duurdere woorden, maar niet milder: Jane noemde haar een 'chronische onderpresteerder'. Ze wees haar jongere zusje erop dat ze het allemaal voor het grijpen had gehad in haar jeugd, dat niets haar in de weg had gestaan om een succes van haar leven te maken, maar dat ze tot nog toe al haar kansen had vergooid. Ze herinnerde haar er regelmatig aan dat het nog niet te laat was om het tij te keren, maar dat haar leven een puinhoop zou blijven zolang ze als een werkloze surfer in die keet in Bolinas bleef wonen.

Coco vond haar leven zelf geen puinhoop. Ze verdiende zelf de kost, was fatsoenlijk, gebruikte geen drugs en had dat ook nooit gedaan, afgezien van soms een jointje toen ze nog studeerde, en zelfs dat was een zeldzaamheid geweest, wat opmerkelijk mocht heten op die leeftijd. Ze was geen last voor haar familie en ze was nooit uit haar huis gezet, losbandig geweest, ongewenst zwanger geraakt of in de gevangenis beland. Ze uitte geen kritiek op de levenswijze van haar zus en had daar ook geen behoefte aan, zoals ze haar moeder ook niet vertelde dat haar kleren bespottelijk jeugdig waren voor haar leeftijd of dat haar gezicht te strak was na de laatste facelift. Ze wilde alleen maar zichzelf zijn en haar eigen leven leiden, op de manier die zij verkoos. Het luxeleventje in Bel-Air had haar nooit lekker gezeten en ze had het altijd vreselijk gevonden eruit te springen als het kind van twee beroemde ouders en later ook de veel jongere zus van een beroemdheid. Ze wilde alleen haar eigen leven leiden, niet het hunne. De strijd was pas goed begonnen nadat ze cum laude was afgestudeerd aan Princeton, een jaar later rechten ging studeren aan Stanford en er in het tweede jaar de brui aan gaf. Dat was nu drie jaar geleden.

11

Ze had haar vader beloofd te proberen de rechtenstudie af te maken, en hij had haar verzekerd dat er plaats voor haar was op zijn bureau. Als je een succesvol agent wilde worden, kwam een rechtenstudie goed van pas, zei hij. Het probleem was dat ze dat niet wilde worden, en zeker niet op het kantoor van haar vader. Ze had er totaal geen behoefte aan om bestsellerauteurs, scenarioschrijvers of slechtgemanierde filmsterren te vertegenwoordigen, terwijl dat niet alleen de bron van inkomsten, maar ook de grote passie van haar vader was, het enige wat hem interesseerde. Alle grote namen van Hollywood waren bij hen over de vloer gekomen toen ze nog klein was. Ze kon zich niet voorstellen dat ze de rest van haar leven met die mensen zou moeten doorbrengen, zoals haar vader had gedaan. Stiekem geloofde ze dat de stress van het bijna vijftig jaar lang vertegenwoordigen en vertroetelen van verwende, onredelijke en krankzinnig veeleisende mensen haar vader de das om had gedaan. Agent worden klonk haar als een doodvonnis in de oren. Hij was overleden toen ze eerstejaars rechten was, en ze had het nog een jaar volgehouden voordat ze het voor gezien hield. Haar moeder was maanden in tranen geweest, verweet het haar nu nog en zei tegen haar dat ze een zwerversleven leidde in die keet in Bolinas. Ze had het huis maar één keer gezien, en sindsdien foeterde ze erop. Toen Coco haar studie had afgebroken, had ze besloten in de buurt van San Francisco te blijven. Het noorden van Californië paste beter bij haar dan Los Angeles. Haar zus Jane was er jaren eerder naartoe verhuisd, maar ging nog regelmatig voor haar werk naar Los Angeles. Hun moeder kon het nog steeds niet verkroppen dat haar dochters allebei naar het noorden waren getrokken, al zag ze Jane nog vaak. Coco ging zelden naar huis.

Coco's zus Jane was rond haar dertigste een van de belangrijkste filmproducers van Hollywood geworden. Ze was inmiddels negenendertig, haar carrière was tot nog toe duizelingwekkend en ze had elf kaskrakers op haar naam staan. Door haar enorme succes leek Coco een nog grotere mislukking. Haar moeder hield niet op haar te vertellen hoe trots hun vader op Jane was geweest, en dan barstte ze weer in tranen uit bij de gedachte aan het verspilde leven van haar jongste dochter. Haar tranen kwamen makkelijk, en ze had ze gebruikt om in alles haar zin te krijgen van Coco's vader. Buzz had zijn vrouw altijd door en door verwend, en hij aanbad zijn dochters. Coco wilde graag geloven dat ze hem haar keuzes had kunnen uitleggen, en haar redenen ervoor, maar in haar hart wist ze dat het niet waar was. Hij had er niet meer begrip voor kunnen opbrengen dan haar moeder en Jane, en haar huidige leven zou hem alleen maar hebben verbaasd en teleurgesteld. Hij was in de wolken geweest toen ze op Stanford was toegelaten, en hij had gehoopt dat ze daar genezen zou worden van haar extreem liberale ideeën. Hij vond het best om goedhartig te zijn en je druk te maken over de planeet en je medemens, maar je moest niet te ver gaan. Zij had het overdreven, vond hij, maar hij had haar moeder verzekerd dat de rechtenstudie haar wel tot inkeer zou brengen. Dat was kennelijk niet gebeurd, want ze had haar studie afgebroken.

Haar vader had haar meer dan genoeg geld nagelaten om van te leven, maar Coco kwam er niet aan. Ze gaf alleen uit wat ze zelf had verdiend en schonk vaak geld aan zaken die belangrijk voor haar waren, zoals het milieu, bedreigde diersoorten en arme kinderen in de Derde Wereld. Haar zus Jane noemde haar sentimenteel. Haar moeder en zij hadden wel duizend onflatteuze benamingen voor haar, en ze deden allemaal pijn, maar Coco gaf grif toe dat ze 'sentimenteel' was. Daarom was ze ook zo dol op het beeldje van Guanyin. De godin van het medeleven en de genade raakte haar tot in haar ziel. Coco was zo integer als het maar kon en ze had een groot hart, dus wilde ze altijd goed voor anderen zijn, wat haar geen slechte zaak leek, laat staan een misdaad.

Jane had tegen het eind van haar tienertijd zelf ook voor beroering in het gezin gezorgd. Op haar zeventiende, in haar eindexamenjaar, had ze haar ouders verteld dat ze lesbisch was. Coco, die toen zes was, had niets gemerkt van de consternatie. Jane was filmkunde gaan studeren aan de Universiteit van Californië in Los Angeles, en daar was ze een militante activiste voor de rechten van lesbiennes geworden. Haar moeder was ontroostbaar geweest toen ze Jane een debutantenbal had aangeboden en Jane had bedankt met de woorden dat ze liever doodging, maar ondanks haar andere seksuele voorkeur en jeugdige activisme had ze in wezen dezelfde materiële doelen als haar ouders. Toen haar vader zag hoe ze naar roem streefde, vergaf hij haar, en toen ze die roem verwierf, was alles weer koek en ei. Jane woonde nu tien jaar samen met een bekende scenarioschrijfster, een zachtaardige vrouw die haar eigen roem genoot. Ze waren naar San Francisco verhuisd vanwege de grote homogemeenschap daar. De hele wereld had hun films gezien en ervan genoten. Jane was vier keer voor een Oscar genomineerd, maar had er nog geen gewonnen. Haar moeder vond het geen probleem meer dat ze samenwoonde met Elizabeth. Coco was degene die hen allemaal van streek maakte, om wie ze zich dodelijk ongerust maakten, die hen ergerde met haar belachelijke keuzes, haar hippiebestaan en haar onverschilligheid ten opzichte van wat zij belangrijk vonden. Zíj maakte haar moeder aan het huilen.

Uiteindelijk weten ze Coco's instelling niet aan het effect dat zijzelf jarenlang op haar hadden gehad, maar aan de man met wie ze had samengewoond toen ze haar studie staakte, iemand die zelf zijn rechtenstudie evenmin had voltooid. Ian White was alles wat haar ouders niet voor haar wilden. Hij was intelligent, capabel en goed opgeleid, volgens Jane, maar net zo'n 'onderpresteerder' als Coco. Na zijn opleiding in Australië was Ian naar San Francisco gekomen, waar hij een duik- en surfschool was begonnen. Hij was opgewekt, liefdevol, grappig en makkelijk in de omgang geweest, en hij had haar fantastisch behandeld. Hij was een ruwe diamant, een onafhankelijke man die deed wat hij wilde, en Coco had vanaf hun eerste ontmoeting geweten dat ze haar zielsverwant had gevonden. Twee maanden later, toen zij vierentwintig was, waren ze gaan samenwonen, en twee jaar daarna was hij gestorven. Het waren de mooiste jaren van haar leven geweest en ze had nergens spijt van, behalve dan van zijn dood en dat hij er al twee jaar niet meer was. Hij was omgekomen toen hij tijdens het hanggliden door een windvlaag tegen de rotsen was geslagen en in de diepte was gestort. Hij was op slag dood, en hun dromen met hem. Ze hadden het huisje in Bolinas samen gekocht, en hij had het aan haar nagelaten. Zijn wetsuits en duikuitrusting lagen er nog. Het eerste jaar na zijn dood was zwaar geweest. Coco's moeder en zus hadden in het begin met haar meegeleefd, maar daar was een eind aan gekomen. Wat hun betrof was hij weg en moest ze zich eroverheen zetten, een leven opbouwen, volwassen worden. Dat had ze gedaan, maar niet op de manier die zij verkozen. In hun ogen was dat een doodzonde.

Coco wist zelf ook dat ze de herinnering aan Ian moest loslaten en verdergaan. Het afgelopen jaar had ze een paar dates gehad, maar geen man kon tippen aan Ian. Ze kende niemand met zoveel leven, energie, warmte en charme in zich. Het viel niet mee om hem op te volgen, maar ze hoopte dat er op een dag iemand op haar pad zou komen. Het was gewoon nog niet gebeurd. Zelfs Ian zou niet hebben gewild dat ze alleen bleef. Maar ze had geen haast. Ze was tevreden met haar leven in Bolinas, waar ze de dagen nam zoals ze kwamen. Ze had geen carrièreplannen. Ze wilde geen roem en had die niet nodig om zichzelf de moeite waard te vinden, zoals de rest van haar familie. Ze wilde geen groot huis in Bel-Air. Ze wilde niets meer dan wat ze met Ian had gehad, schitterende dagen, gelukkige tijden en nachten vol liefde, en ze wist dat ze dat alles altijd bij zich zou dragen. Ze hoefde niet te weten waar haar volgende stappen naartoe zouden leiden, of met wie. Elke dag was een zegen op zich. Haar leven met Ian was absoluut volmaakt geweest, exact wat ze wilden, maar in de twee jaar sinds zijn overlijden had ze zich ermee verzoend dat ze alleen was. Ze miste hem, maar had zich er uiteindelijk bij neergelegd dat hij er niet meer was. Ze popelde niet om een nieuwe man te leren kennen, te trouwen en kinderen te krijgen. Het leek allemaal niet dringend voor een vrouw van achtentwintig, en met de stroom meedrijven in Bolinas was meer dan genoeg voor haar.

Het leven hier was haar, en Ian, in het begin vreemd voorgekomen. Bolinas was een aparte gemeenschap. De inwoners hadden er jaren geleden voor gekozen niet alleen niet op te vallen, maar zelfs vrijwel te verdwijnen, net als Brigadoon. Er waren geen borden die aangaven hoe je in Bolinas kwam, of zelfs maar dat het bestond. Je moest het zelf zien te vinden. Het was een tijdlus waar ze samen om hadden gelachen en van hadden gehouden. In de jaren zestig had het er gewemeld van de hippies en bloemenkinderen, van wie er veel waren blijven hangen, alleen waren ze nu verweerd, gerimpeld en grijs. Mannen van in de vijftig of nog ouder die met hun surfplank onder de arm naar het strand togen. De enige zaken in het centrum waren een kledingwinkel die nog steeds gebloemde kaftans verkocht, plus alles wat maar geknoopverfd was, een restaurant vol grijze surfers, een supermarkt die voornamelijk biologische producten verkocht en een winkel met alle mogelijke drugsparafernalia en hasjpijpen in alle kleuren, vormen en maten. Het stadje zelf lag op een plateau boven een smal strand, en het werd door een baai gescheiden van de lange vlakte van Stinson Beach en de dure huizen daar. In Bolinas stonden ook prachtige huizen, maar er woonden toch vooral gezinnen, drop-outs, surfers op leeftijd en mensen die er om wat voor reden dan ook voor hadden gekozen zich onzichtbaar te maken. Het was een elitaire gemeenschap, op geheel eigen wijze, en het tegendeel van alles waar Coco mee was opgegroeid en de invloedrijke familie in het Australische Sydney die Ian was ontvlucht. In dat opzicht waren ze voor elkaar in de wieg gelegd. Hij was er niet meer, maar zij nog wel, en ze was niet van plan op korte termijn te verhuizen. Misschien deed ze het wel nooit, wat haar moeder en zus ook zeiden. De therapeut die ze tot voor kort had bezocht, had gezegd dat ze op haar achtentwintigste nog steeds opstandig was. Wie weet, maar Coco vond dat het goed uitpakte. Ze was tevreden met het leven dat ze had gekozen en de plek waar ze woonde, en als ze iets zeker wist, was het wel dat ze nooit, maar dan ook nooit terug zou gaan naar Los Angeles.

De zon klom hoger en Coco liep naar binnen om nog een kop thee te halen. Ians Australische herder Sallie, die op Coco's bed had geslapen, drentelde op haar gemak het huis uit. Ze kwispelde zwakjes voordat ze een ochtendwandeling langs het strand ging maken. Ze was uitzonderlijk zelfstandig, en ze hielp Coco bij haar werk. Ian had haar verteld dat Australische herders fantastische reddingshonden waren, en van nature veehoeders, maar Sallie ging haar eigen gang. Ze was wel aan Coco gehecht, maar niet meer dan ze zelf wilde, en ze had altijd haar eigen plannen en ideeën. Ze was onberispelijk afgericht door Ian en reageerde op bevelen.

Terwijl Sallie wegliep, schonk Coco haar tweede kop thee in en wierp een blik op de klok. Het was net zeven uur geweest, en ze moest douchen en aan het werk gaan. Ze was graag om acht uur bij de Golden Gate Bridge en om halfnegen bij haar eerste adres. Ze was altijd op tijd en gedroeg zich uiterst verantwoordelijk ten opzichte van haar cliënten. Alles wat ze had afgekeken over hard werken en succes kwam haar nu van pas. Ze had een mal bedrijfje, maar het leverde verrassend veel op. Al sinds Ian haar had geholpen het op te zetten, drie jaar geleden, was er veel vraag naar haar diensten, en in de twee jaar sinds zijn dood was het enorm gegroeid, al zorgde Coco er nauwgezet voor dat ze niet te veel cliënten kreeg. Ze vond het prettig om elke dag om vier uur thuis te zijn, want dan kon ze nog een strandwandeling met Sallie maken voordat het donker werd.

Links en rechts van Coco woonden een aromatherapeute en een acupuncturist, die beiden praktijk hielden in de stad. De acupuncturist was getrouwd met een lerares van de plaatselijke school en de aromatherapeute woonde samen met een brandweerman uit de kazerne van Stinson Beach. Het waren allemaal fatsoenlijke, hardwerkende mensen die voor elkaar klaarstonden. Coco's buren waren ongelooflijk lief voor haar geweest na Ians overlijden en ze was een paar keer uit geweest met een vriend van de lerares, maar er was geen vonk overgesprongen. Uiteindelijk waren ze bevriend geraakt, wat ze ook leuk vond. Haar familie deed al die mensen natuurlijk af als 'hippies'. Haar moeder noemde hen klaplopers, wat ze geen van allen waren. Coco kon goed alleen zijn en was dat meestal ook.

Om halfacht, na een dampend hete douche, liep ze naar haar stokoude busje. Ian had het voor haar gevonden bij een handelaar in Inverness, en het bracht haar elke dag naar de stad. Het gehavende busje was precies wat ze nodig had, al had het meer dan honderdvijftigduizend kilometer op de teller staan. Het mocht dan gruwelijk lelijk zijn, met grotendeels afgebladderde lak, het liep als een zonnetje. Ian had een motor gehad waarmee ze in de weekends door de heuvels toerden als ze niet op zijn boot zaten. Hij had haar leren duiken. Ze had sinds zijn overlijden niet meer op de motor gereden, maar hij stond nog in de garage achter hun huis. Ze kon het niet opbrengen er afscheid van te nemen, hoewel ze Ians boot wel had verkocht en de duikschool was gesloten omdat er geen opvolger was. Coco had het niet gekund, en ze had haar eigen bedrijfje.

Ze schoof de achterdeur van de bestelbus open en Sallie sprong er opgewonden in. Ze was klaarwakker na het rennen langs het strand en ze wilde aan de slag, net als Coco, die naar de grote, goedmoedige zwart met witte hond glimlachte. Wie het ras niet kende, zou Sallie voor een vuilnisbakje aanzien, maar ze was een raszuivere Australische herder, met ernstige blauwe ogen. Coco sloot de achterdeur, klom achter het stuur en wuifde naar haar buurman, die net terugkwam van zijn dienst in de kazerne. Het was een slaapstadje, en vrijwel niemand deed 's avonds de deur op slot.

Ze volgde de kronkelende weg langs de rand van het klif met uitzicht over de zee naar de stad, die in de verte zinderde in de ochtendzon. Het werd een stralende dag, wat haar werk vergemakkelijkte. En tot haar genoegen was ze om acht uur bij de brug. Ze zou stipt op tijd aankomen bij haar eerste cliënt, al maakte het niet veel uit. Hij had het haar wel vergeven als ze te laat was, maar dat was ze vrijwel nooit. Ze was niet de malloot voor wie haar familie haar uitmaakte, ze was alleen al haar hele leven anders.

Ze nam de afslag naar Pacific Heights en reed in zuidelijke richting over Divisadero Street de steile helling op. Net toen ze de top bij Broadway Street bereikte, ging haar mobieltje. Het was haar zus Jane.

'Waar zit je?' vroeg Jane kortaf. Ze klonk altijd alsof er een nationale ramp was en haar huis net door terroristen werd bestormd. Ze was continu gestrest, wat hoorde bij haar werk en volmaakt paste bij haar persoonlijkheid. Elizabeth, haar levensgezel, was veel relaxter en toomde haar flink in. Coco mocht Liz graag. Liz was drieënveertig en minstens zo talentvol en intelligent als Jane, maar ze schreeuwde het niet zo van de daken. Liz, die summa cum laude was afgestudeerd aan Harvard, was doctorandus in de Engelse literatuur. Voordat ze naar Hollywood ging om scenario's te schrijven, had ze een obscure, maar boeiende roman geschreven. Van de vele scenario's die ze inmiddels op haar naam had staan, hadden er twee een Oscar gewonnen. Jane en zij hadden elkaar tien jaar geleden ontmoet toen ze samen aan een film werkten, en sindsdien waren ze onafscheidelijk. Hun relatie was solide, en ze hadden er beiden baat bij. Ze gingen ervan uit dat ze samen oud zouden worden.

'Ik zit op Divisadero. Hoezo?' vroeg Coco vermoeid. Ze baalde ervan dat Jane nooit eerst vroeg hoe het met haar ging voordat ze ter zake kwam. Zo gingen ze al sinds Coco's kindertijd met elkaar om. Ze was al haar hele leven Janes loopjongen, iets wat ze uitgebreid had besproken met haar therapeut, toen ze die nog bezocht. Het viel niet mee er nu nog iets aan te veranderen, al deed ze haar best. Sallie, die naast Coco zat, keek geboeid naar haar gezicht, alsof ze aanvoelde dat Coco gespannen was en zich afvroeg waarom.

'Mooi zo. Ik heb je nu meteen nodig,' zei Jane opgelucht en gejaagd tegelijk. Coco wist dat ze binnenkort met Liz naar New York zou gaan voor de opnames van een film die ze samen produceerden.

'Waarvoor?' vroeg Coco wantrouwig. Sallie hield haar kop schuin.

'Ik kan geen kant op. Mijn huisoppas heeft net afgezegd en ik vertrek over een uur.' Er was wanhoop in haar stem geslopen.

'Ik dacht dat je pas volgende week vertrok,' zei Coco argwanend terwijl ze langs Broadway Street reed, waar haar zus een spectaculair huis met uitzicht op de baai bewoonde. Het stond aan de zogenaamde Goudkust, waar de indrukwekkendste huizen te vinden waren. Het leed geen twijfel dat Janes huis een van de mooiste was, al was het net zomin Coco's stijl als het huisje in Bolinas die van Jane. Het was alsof de zussen ieder op een andere planeet waren geboren.

'We zitten met een staking op de set, de geluidstechnici. Liz is gisteravond al vertrokken. Ik moet er vanavond zijn voor een bespreking met de vakbond, en ik heb geen oppas voor Jack. De moeder van mijn oppas is overleden en nu moet ze voor onbepaalde tijd bij haar zieke vader in Seattle blijven. Ze heeft net afgebeld, en mijn vliegtuig vertrekt over twee uur.' Coco hoorde het met gefronst voorhoofd aan. Ze had geen zin om te begrijpen wat haar zus bedoelde. Het was niet de eerste keer. Coco was op de een af andere manier altijd de achtervanger als er iets spaak liep in het leven van haar zus. Jane dacht dat Coco zelf geen leven had en dus op stel en sprong oproepbaar was, en Coco kon geen nee zeggen tegen de zus die haar al haar hele leven intimideerde. Jane daarentegen had er geen moeite mee anderen nee te verkopen, wat een deel was van haar succes. Coco had echter moeite gehad het woord in haar eigen boek te vinden, iets wat Jane heel goed wist en ten volle uitbuitte zodra ze daar de kans toe kreeg.

'Ik wil Jack wel uitlaten als je wilt,' bood Coco voorzichtig aan.

'Je weet best dat dat niet werkt,' zei Jane geërgerd. 'Hij wordt depressief als er 's avonds niemand thuiskomt. Dan jankt hij de hele nacht en drijft de buren tot waanzin. En iemand moet een oogje op het huis houden.' De hond was bijna zo groot als Coco's huis in Bolinas, maar desnoods kon ze hem daar onderbrengen.

'Wil je dat hij bij mij komt logeren tot je iemand anders hebt gevonden?'

'Nee,' zei Jane gedecideerd, 'jij moet bij míj komen logeren.'

Jij moet, hoorde Coco voor de zoveelste keer in haar leven. Niet *kun je alsjeblieft... zou je... ben je bereid... alsjeblieft, ik smeek je. Je moet.* Shit. Het was weer een kans om nee te zeggen. Coco opende haar mond om het woord uit te spreken, maar er kwam geen geluid uit. Ze wierp een blik op Sallie, die haar ongelovig aan leek te staren.

'Kijk me niet zo aan,' zei Coco tegen Sallie.

'Hè? Tegen wie heb je het?' vroeg Jane gehaast.

'Laat maar. Waarom kan Jack niet bij mij komen?'

'Hij slaapt graag thuis in zijn eigen bed,' zei Jane resoluut. Coco wendde de blik hemelwaarts. Ze was op een steenworp afstand van haar cliënt en ze wilde niet te laat komen, maar iets zei haar dat het er dik in zat. Haar zus had een magnetische aantrekkingskracht op haar, als eb en vloed, een kracht waar Coco niet tegen opgewassen leek te zijn.

'Ik slaap ook graag in mijn eigen bed,' zei Coco zo vastberaden als ze kon, maar ze hield er niemand mee voor de gek, laat staan Jane. Elizabeth en zij zouden vijf maanden in New York blijven. 'Ik ga geen vijf maanden op je huis passen,' vervolgde Coco koppig. Soms liepen de opnamen uit. Het zouden zes of zeven maanden kunnen worden.

'Ook goed. Ik zoek wel een ander,' zei Jane afkeurend, alsof Coco een ondeugend kind was. Het raakte haar altijd, hoe vaak ze zichzelf er ook aan herinnerde dat ze volwassen was. 'Maar dat lukt me niet in het uur voordat ik vertrek. Ik regel het wel vanuit New York. Maar mijn hemel, ik vraag je toch niet in een crackpand in het getto te logeren? Je zou het een stuk slechter kunnen treffen. Het zou je goed kunnen doen, een maand of vijf, zes hier, en je hoeft niet op en neer te rijden.' Jane was heel overtuigend, maar Coco trapte er niet in. Ze vervloekte het huis van haar zus, dat mooi was, onberispelijk en kil. Het was gefotografeerd voor alle interieurtijdschriften, en Coco had zich er nooit op haar gemak gevoeld. Je kon je nergens opkrullen om je knus te voelen, 's avonds. En het was zo smetteloos dat Coco bang was om iets te eten of zelfs maar adem te halen. Zij was niet zo'n goede huishoudster als haar zus, of desnoods Liz, die allebei ziekelijk netjes waren. Coco hield van een gezellig rommeltje en had niets tegen een redelijke portie wanorde in haar leven, iets waar Jane gek van werd.

'Ik wil wel een paar dagen inspringen, maar je moet binnen een week een ander hebben. Ik ga geen maanden in jouw huis wonen,' zei Coco onvermurwbaar in een poging grenzen te stellen.

'Ik begrijp het. Ik zal mijn best doen, als je me nu maar even uit de brand helpt. Hoe snel kun je de sleutels komen halen?

En ik wil de alarminstallatie nog eens met je doornemen, we hebben een paar nieuwe, ingewikkelde uitbreidingen. Ik wil niet dat je het alarm laat afgaan. Je kunt Jacks maaltijden op maandag en donderdag afhalen bij Canine Cuisine. En vergeet niet dat we een nieuwe dierenarts hebben, dokter Hajimoto aan Sacramento Street. Jack moet volgende week opnieuw ingeënt worden.'

'Het is maar goed dat je geen kinderen hebt,' merkte Coco droog op terwijl ze het busje keerde. Ze zou te laat bij haar cliënt komen, maar ze kon dit maar beter eerst afwerken, anders zou haar zus haar gek maken. 'Dan zou je de stad helemaal niet meer uit kunnen.' De Engelse dog, die een surrogaatkind voor Jane en Liz was geworden, had het beter dan de meeste mensen, met speciaal voor hem bereide maaltijden, een trainer, een verzorger die hem thuis in bad kwam doen en meer aandacht dan menig kind van zijn ouders krijgt.

Toen Coco bij het huis van haar zus aankwam, stond daar al een limousine te wachten om Jane naar de luchthaven te brengen. Coco draaide de contactsleutel om en sprong uit het busje. Sallie, die achterin bleef zitten, keek geboeid door het raam. Ze zou zich de komende dagen wel vermaken met Jack, die drie keer zo groot was als zij, en waarschijnlijk zouden ze alles kapot gooien tijdens hun woeste achtervolgingen door het huis. Misschien kon Coco ze zelfs in het zwembad van haar zus loslaten. Het enige wat haar aan het huis beviel, was het gigantische projectiescherm in de slaapkamer waarop ze films kon bekijken. Het was een immense kamer, en het scherm besloeg een hele wand.

Coco belde aan en Jane rukte de deur open met een mobieltje tegen haar oor gedrukt. Ze brak haar tirade over de vakbonden af en gaapte Coco aan. De zussen leken verbazend veel op elkaar. Ze waren allebei rijzig en hadden een mooi gezicht. Ze hadden allebei modellenwerk gedaan in hun tienertijd. Het opvallendste verschil was dat Jane uit een en al scherpe hoeken leek te bestaan en dat ze lang, steil blond haar had, dat ze in een paardenstaart droeg. Coco leek warmer door haar lange, loshangende kastanjebruine haar en iets zachtere rondingen, en haar ogen glimlachten. Alles aan Jane schreeuwde dat ze gestrest was. Ze had altijd scherpe kantjes gehad, als kind al, maar wie haar goed kende, wist dat ze ondanks haar messcherpe tong een fatsoenlijk mens was, met een goed hart. Toch was het niet te ontkennen dat ze een harde was, zoals Coco maar al te goed wist.

Jane droeg een zwarte spijkerbroek, een zwart t-shirt, een zwart leren jasje en diamantjes in haar oren. Coco had een wit t-shirt aan, een spijkerbroek die haar lange, sierlijke benen goed liet uitkomen, de sportschoenen die ze voor haar werk moest dragen en een verwassen sweatshirt dat ze om haar nek had geknoopt. En Coco zag er een stuk jonger uit. Jane leek iets ouder door haar mondainere stijl, maar ze waren allebei markant en leken opvallend veel op hun beroemde vader. Hun moeder was blond, net als Jane, maar kleiner en ronder. Coco's koperkleurige haar moest van een andere generatie overgeërfd zijn, want Buzz Barrington had gitzwart haar gehad. 'Goddank!' zei Jane. Haar gigantische Engelse dog kwam aangerend en ging op zijn achterpoten staan om zijn voorpoten op Coco's schouders te leggen. Hij wist dat hij van haar kliekjes kreeg die hij anders nooit zou krijgen, en dat hij op het enorme bed in de grote slaapkamer mocht slapen, wat Jane nooit zou toestaan. Hoewel ze haar hond op handen droeg, geloofde ze heilig in regels. Zelfs Jack wist dat Coco een watje was en dat ze hem op het bed zou laten slapen. Hij kwispelde en likte haar gezicht, wat een veel hartelijker begroeting was dan die van Jane. Liz was veruit de hartelijkste van het stel, maar die zat al in New York, en de verhouding tussen de zussen was altijd gespannen. Hoe goed Janes bedoelingen ook waren en hoeveel ze ook van haar kleine zusje hield, Jane zei altijd waar het op stond.

Jane gaf Coco de sleutels en een vel met informatie over de nieuwe alarminstallatie. Ze herhaalde wat ze al had gezegd over de dierenarts, de inentingen en Jacks dure maaltijden en voegde er nog een spervuur van aanwijzingen aan toe.

'En als er iets met Jack is, moet je ons onmiddellijk bellen,' besloot ze.

En als er iets met míj is, wilde Coco vragen, maar Jane had er toch niet om kunnen lachen. 'We zullen proberen een keer een weekend terug te komen om je af te lossen, maar ik weet niet wanneer we weg kunnen, zeker niet als de bonden lastig blijven doen.' Ze klonk al opgejaagd en uitgeput voordat ze aan haar reis was begonnen. Coco wist dat ze op de kleinste details lette en briljant was in wat ze deed.

'Wacht even,' zei Coco zwakjes, 'ik zou toch maar een paar dagen oppassen? Hooguit een week. Ik blijf hier niet de hele tijd,' herhaalde ze voor de duidelijkheid.

'Ja, ik weet het. Je zou denken dat je blij mocht zijn dat je eens in een echt huis mocht wonen.' Haar zus keek haar kwaad aan in plaats van haar uitbundig te bedanken.

'Het is jóúw "echte" huis,' merkte Coco op. 'Ik woon in Bolinas,' voegde ze eraan toe met een ingehouden waardigheid waar Jane geen aandacht aan besteedde.

'Laten we daar maar niet over beginnen,' zei Jane met een veelbetekenend gezicht, en toen keek ze haar zus onwillig aan en glimlachte. 'Bedankt dat je me uit de brand wilt helpen, meid. Ik stel het echt op prijs. Je bent een schat van een kleine zus.' Ze gunde Coco een van die zeldzame waarderende glimlachjes waarvoor Coco al haar hele leven haar best deed, maar om er een te krijgen, moest je wel doen wat Jane zei.

Coco wilde vragen waarom ze zo'n schat van een kleine zus was. Omdat ze zelf geen leven had? Ze hield haar mond echter en knikte, zichzelf vervloekend omdat ze zo snel ja had gezegd op de vraag of ze op het huis wilde passen. Zoals altijd was ze zonder slag of stoot bezweken. Waarom zou ze zich ook verzetten? Jane won toch altijd. Ze zou altijd de grote zus blijven die voor Coco onverslaanbaar was, tegen wie ze geen nee kon zeggen en die groter dan levensgroot voor haar opdoemde, soms zelfs groter dan hun ouders.

'Als je me hier maar niet voorgoed laat blijven,' zei Coco smekend. ·

'Ik bel je nog wel,' zei Jane cryptisch, waarop ze wegrende om twee tegelijk rinkelende telefoons op te nemen. Toen begon haar mobieltje ook. 'Nogmaals bedankt,' riep ze over haar schouder naar Coco, die een zucht slaakte, de hond een klopje gaf en terugliep naar haar busje. Ze was inmiddels twintig minuten te laat voor haar eerste afspraak.

'Tot straks, Jack,' zei ze zacht voordat ze het portier sloot. Toen ze wegreed, kreeg ze het akelige gevoel dat Jane haar maanden in dat huis zou laten zitten. Ze kende haar zus te goed.

Vijf minuten later was ze bij het huis van haar eerste cliënt. Ze pakte een kluisje uit het handschoenenvak, draaide de combinatie en pakte een stel sleutels met een label eraan waarop een cijfercode stond. Ze had de sleutels van al haar cliënten. Ze vertrouwden haar volledig tijdens hun afwezigheid. Dit was een bakstenen huis, bijna net zo groot als dat van Jane, met keurig gesnoeide heggen. Coco maakte de achterdeur open, schakelde het alarm uit en floot snerpend. Binnen een paar seconden kwam er een reusachtige, zilverblauwe Deense dog op haar af die verwoed kwispelde van verrukking toen hij haar zag.

'Hallo, Henry, hoe is het met jou?' Ze lijnde de hond aan, schakelde het alarm weer in, sloot de deur achter zich af en liep met de hond naar het bestelbusje, waar Sallie haar vriend blij begroette. De honden blaften naar elkaar en stoeiden kameraadschappelijk achter in het busje.

Coco ging nog vier net zulke weelderige huizen af, waar ze een verbazend zachtaardige dobermann, een Rhodesische pronkrug, een Ierse wolfshond en een dalmatiër ophaalde. Ze begon de dag altijd met de grootste honden, die de beweging het hardst nodig hadden. Ze reed naar Ocean Beach, waar ze kilometers kon rennen met de honden. Ze ging ook wel eens met ze naar Golden Gate Park. Zo nodig hielp Sallie haar ze weer bijeen te drijven. Ze liet nu drie jaar de honden van de rijke elite van Pacific Heights uit zonder ongelukken of incidenten, en ze was nog nooit een hond kwijtgeraakt. Ze had een gouden reputatie in de branche, en al vond haar familie het een erbarmelijke verspilling van haar opleiding en tijd, ze kwam veel buiten, ze was gek op de honden en ze kon er goed van leven. Ze wilde het niet de rest van haar leven blijven doen, maar voorlopig beviel het haar uitstekend.

Net toen ze de laatste hond weer thuis afzette, ging haar mobieltje. Hierna zou ze een groep middenslag honden halen, en voor de lunch ging ze met de kleine honden wandelen, want die werden meestal voor het werk nog door hun baasje uitgelaten. 's Middags ging ze nog een keer met de grote honden lopen, en dan ging ze terug naar Marin. Jane belde haar. Ze zat al in het vliegtuig en praatte gehaast voordat ze haar toestel moest uitzetten.

'Ik heb het nog even nagekeken voor ik wegging, en Jack hoeft pas over twee weken te worden ingeënt.' Soms vroeg Coco zich af waarom Janes hoofd niet ontplofte van al die kleinigheden die ze wilde onthouden. Geen detail was te onbenullig voor Jane, die alles en iedereen in haar leven op microniveau bestierde, tot de hond aan toe.

'Maak je maar niet druk, we redden ons wel,' stelde Coco haar ontspannen gerust. Het rennen langs het strand had niet alleen de honden, maar ook haar lekker moe gemaakt. 'Veel plezier in New York.'

'Niet zolang die staking duurt.' Jane klonk als een veer die op knappen stond, maar Coco wist dat ze zou kalmeren zodra ze weer bij Liz was. Haar levensgezel had altijd een sussende invloed op haar. Die twee vulden elkaar perfect aan.

'Probeer er toch maar van te genieten. Als je maar niet vergeet iemand anders te zoeken om op het huis te passen,' zei Coco weer, en ze meende het, of Jane zich er iets van aantrok of niet. 'Ja, ja,' zei Jane met een zucht. 'En nogmaals bedankt. Het betekent veel voor me dat het huis en Jack in goede handen zijn.' Ze had de hele ochtend nog niet zo vriendelijk geklonken. Ze mochten dan een vreemde relatie hebben, ze bleven toch zusjes.

'Dank je,' zei Coco. Er trok een glimlach over haar gezicht en ze vroeg zich af waarom ze zoveel waarde hechtte aan de waardering van haar zus, en waarom het zo stak als ze die niet kreeg. Ze wist dat ze er een dezer dagen van los moest zien te komen, dat ze het lef moest hebben om nee te zeggen, maar zover was ze nog niet.

Coco wist dat honden uitlaten voor haar moeder en Jane niet telde. In het grote geheel der dingen, en in vergelijking met hun prestaties als bestsellerschrijfster en filmproducer met een Oscarnominatie vonden ze Coco's bedrijfje gênant. In hun ogen was het alsof ze helemaal geen werk hád. En zelfs Coco was zich ervan bewust dat ze volgens de eisen die ze had geleerd aan zichzelf te stellen, geen enkel gewicht in de schaal legde, maar of de anderen het nu goedkeurden of niet, ze had een makkelijk, simpel en aangenaam leven. Wat Coco betrof, was dat voorlopig voldoende.

HOOFDSTUK 2

*O*m zes uur reed Coco weer naar de stad, nadat ze thuis een paar sweatshirts, spijkerbroeken, een reservepaar sportschoenen, schoon ondergoed en een stapeltje van haar lievelingsdvd's had ingepakt om op het gigantische scherm van haar zus te bekijken. Ze was net de tolweg op gereden toen haar mobieltje ging. Het was Jane, die was aangekomen in het appartement in New York dat Liz en zij voor een halfjaar hadden gehuurd.

'Gaat het goed?' vroeg Jane tobberig.

'Ik ben op weg naar je huis,' zei Coco geruststellend. 'Jack en ik gaan dineren bij kaarslicht terwijl Sallie naar haar favoriete tv-programma kijkt.' Coco stond zichzelf niet toe terug te denken aan de tijd, nu meer dan twee jaar geleden, toen Ian en zij samen kookten, 's avonds een strandwandeling maakten en in het weekend met zijn boot uit vissen gingen. De tijd toen ze nog een leven had en geen luxemaaltijden bereidde voor de hond van haar zus. Het had geen zin eraan te denken. Die tijd was voorbij.

Ze zouden in de zomer van zijn dood gaan trouwen, en ze hadden gekozen voor een simpele dienst aan het strand, gevolgd door een barbecue voor hun vrienden. Ze had het nog niet aan haar moeder verteld, die het bestorven zou hebben. Ze waren ook van plan geweest uiteindelijk naar Australië terug te gaan en daar een duikschool te openen. Ian was in zijn jeugd surfkampioen geweest. De gedachte maakte haar weemoedig.

Liz nam het toestel van Jane over en bedankte Coco uitgebreid voor het op de hond en het huis passen. Haar toon en stijl waren oneindig veel warmer dan die van Jane.

'Het geeft niet, ik doe het graag, als het maar niet te lang duurt,' zei Coco, die wilde dat Liz het ook hoorde.

'We vinden wel iemand, ik beloof het,' zei Liz, die oprecht dankbaar leek voor Coco's hulp, die zij, in tegenstelling tot Jane, nooit als een vanzelfsprekendheid beschouwde.

'Dank je,' zei Coco opgelucht. 'Hoe bevalt het in New York?'

'Het zou beter gaan als we die staking konden vermijden. Ik hoop dat we vanavond tot een akkoord kunnen komen.' Liz, die in haar hart een vredestichtster was, klonk hoopvol. Jane was de strijdlustige van het stel.

Coco wenste ze veel succes en stopte bij het huis. Soms benijdde ze Liz en Jane om hun relatie. Ze gingen met elkaar om zoals het een getrouwd stel betaamde, maar echtelieden konden het vaak minder goed met elkaar vinden. Coco had al jong geweten dat haar grote zus lesbisch was en accepteerde haar manier van leven onvoorwaardelijk, al wist ze dat anderen er soms van opkeken. Waar Coco meer moeite mee had, was dat Jane over iedereen heen walste om haar zin te krijgen. Alleen Liz leek haar menselijk te kunnen maken, en zelfs haar lukte het niet altijd. Jane was van kinds af aan verwend door haar ouders, en eraan gewend lof te oogsten voor haar prestaties, waardoor ze het gewoon was gaan vinden dat ze altijd kreeg wat ze wilde. Coco had altijd het gevoel gehad dat ze op de tweede plaats kwam, in Janes schaduw stond, en dat was nog steeds zo. Het had alleen anders gevoeld toen ze met Ian samenwoonde, misschien omdat het haar toen niet zoveel kon schelen wat haar zus van haar dacht, of omdat Ian haar op een raadselachtige, onzichtbare wijze beschermde. Het had haar fantastisch geleken om met hem naar Australië te emigreren. In plaats daarvan logeerde ze nu in het huis van haar zus om weer eens op haar hond te passen. Hoe zou het zijn gegaan als Ian nog leefde en ze haar eigen leven had gehad? Dan had Jane een ander moeten zoeken in plaats van haar zusje keer op keer als een soort Assepoester te laten opdraven om haar uit de brand te helpen. Maar hoe zou het voelen om niet voor haar klaar te staan? Zou ze zich dan een zelfstandige volwassene voelen, of het stoute meisje dat ze vroeger volgens Jane was geweest wanneer ze niet wilde doen wat die zei? Het was een boeiende vraag, maar ze had het antwoord nog niet gevonden, misschien omdat ze dat niet wilde. Het was makkelijker om gewoon te doen wat er van haar werd gevraagd, helemaal nu Ian haar niet meer in bescherming nam.

Coco gaf beide honden te eten en zette de tv aan. Ze zakte onderuit op de witte mohair bank en legde haar voeten op de wit laqué salontafel. De vloerbedekking was ook wit, en gemaakt van de wol van een zeldzaam dier uit Zuid-Amerika, herinnerde Coco zich vaag. Liz en Jane hadden een beroemde binnenhuisarchitect uit Mexico City in de arm genomen, en het was een prachtig huis, maar je kon er alleen in wonen met perfect gekamd haar, schone handen en fonkelnieuwe schoenen. Coco was soms bang dat ze maar hoefde te ademen om een vlek op iets te maken, die prompt zou worden opgemerkt door Jane. Hier wonen gaf veel stress, en het was hier stukken minder knus en gezellig dan in haar 'keet' in Bolinas.

Na een tijdje stond ze op om iets te eten te zoeken in de keuken. Doordat Liz en Jane eerder waren vertrokken dan gepland, hadden ze geen tijd gehad voorraden in te slaan voor de oppas. Coco vond alleen een krop sla, twee citroenen en een fles witte wijn in de koelkast. In de kast stonden nog pasta en olijfolie, dus maakte Coco pasta met niets en salade, en tijdens het koken dronk ze een glas witte wijn. Toen ze de salade husselde, renden de honden opeens allebei naar het raam en begonnen te blaffen, en toen ze ging kijken, zag ze twee wasbeertjes door de tuin drentelen. Het duurde een kwartier voordat de wasberen eindelijk vertrokken en ze de honden tot bedaren had gebracht, en tegen die tijd rook ze een schroeilucht. Het kon een brand door kortsluiting zijn. Coco rende trap op en trap af op zoek naar de oorzaak, maar vond niets. Ten slotte volgde ze haar neus terug naar de keuken, waar de pasta was drooggekookt. De pasta was een dikke, zwarte korst op de bodem van de pan en het handvat was gedeeltelijk gesmolten, wat de stank verklaarde.

'Shit!' pruttelde Coco terwijl ze de pan vol water liet lopen. Ergens ging een alarm op. Het moest een rookmelder zijn, en voordat ze het beveiligingsbedrijf kon bellen, hoorde ze al sirenes en stopten er twee brandweerauto's voor het huis. Terwijl ze een beetje schaapachtig uitlegde hoe de vork in de steel zat, blaften de honden naar de brandweermannen, en toen ging haar mobieltje ook nog. Het was Jane.

'Wat is er gebeurd? Ik ben net door het beveiligingsbedrijf gebeld. Is er brand?' vroeg ze panisch.

'Welnee,' zei Coco. Ze bedankte de brandweermannen, die naar hun auto's terugliepen, en deed de voordeur dicht. Ze moest de alarminstallatie opnieuw inschakelen en wist niet precies hoe dat moest, maar dat wilde ze Jane niet bekennen. 'Niets aan de hand. Ik heb de pasta laten aanbranden. De honden waren finaal hysterisch vanwege een paar wasberen in de tuin. Ik vergat dat ik een pan op het vuur had staan.'

'Jezus, je had het hele huis kunnen laten afbranden.' Het was na middernacht in New York en de staking was van de baan, maar Jane klonk uitgeput.

'Ik kan altijd teruggaan naar Bolinas, hoor,' bood Coco aan.

'Nee, nee. Als je maar probeert heel te blijven en het huis niet in de fik te steken.' Jane legde Coco uit hoe ze de alarminstallatie weer kon inschakelen, en een paar minuten later ging Coco aan het werkeiland in het midden van de maagdelijke keuken van zwart graniet zitten om de salade op te eten. Ze was hongerig en moe, en ze had heimwee naar haar eigen huis. Ze zette de slakom in de afwasmachine, gooide de pan met het gesmolten handvat weg en deed de lampen uit. Pas toen ze met de honden in haar kielzog de trap op liep naar de slaapkamer, zag ze dat er een blaadje sla aan de zool van haar ene sport-schoen plakte. In de slaapkamer aangekomen ging ze op de vloer liggen. Ze voelde zich een olifant in een porseleinkast, zo-als altijd hier, onbeholpen in de wereld van haar zus. Ze hoor-de hier niet. Uiteindelijk kwam ze overeind, trok haar schoe-nen uit en liet zich op het bed vallen. De honden volgden haar voorbeeld meteen, en Coco schoot in de lach. Haar zus zou haar hebben gevild, maar die was er niet, dus stond ze toe dat de honden zich bij haar op het bed nestelden, zoals altijd.

Ze stopte een dvd van een van haar lievelingsfilms in de spe-ler en keek er vanuit het bed naar. Het huis stonk nog naar de onherkenbaar verbrande pan. Ze zou een nieuwe moeten ko-pen. Dromend van Bolinas en Ian viel ze halverwege de film in slaap. Ze werd de volgende ochtend pas wakker, en toen moest ze haastig douchen en zich aankleden om op tijd bij haar eerste cliënt te zijn. Op weg naar buiten zeilde ze door de keuken en besloot geen poging te doen thee te zetten, maar meteen met beide honden te vertrekken. Het was een gelukje dat haar zus die ene keer eens niet belde.

Nadat ze met haar groepen honden in het Presidio, Golden Gate Park en op Krissy Field had gelopen, kwam ze om vier uur terug in het huis aan Broadway Street, waar ze zich in het bubbelbad liet zakken. Ze had al besloten die avond niet te koken, maar Chinees te bestellen. Net toen ze een loempia achter de kiezen had en aan het pittige rundvlees begon, bel-de haar moeder uit Los Angeles. Jack zat met zijn kop ter hoog-te van de keukentafel te kwijlen, en Sallie zat aan zijn zij.

'Ha, mam,' zei Coco met volle mond. 'Alles goed?'

'Ja, en ik voel me een stuk beter nu ik weet dat jij in een fatsoenlijk huis zit en niet in die brandgevaarlijke keet in Bolinas. Je mag van geluk spreken dat je zus je daar laat logeren.'

'Mijn zus mag van geluk spreken dat ik alles aan de kant heb gezet om op haar huis te passen,' kaatste Coco terug voordat ze zich kon inhouden. Jack snaaide een loempia van de tafel en Coco trok het bord weg terwijl hij hem in één hap verslond. Daarvoor had haar zus haar óók gevild.

'Doe niet zo gek,' zei haar moeder vermanend. 'Je hebt niets anders te doen, en je mag blij zijn dat je daar zit. Het is een schitterend huis.' Het viel niet te ontkennen, maar het was alsof je in een decor woonde. 'Je zou zelf iets in de stad moeten zoeken. En een fatsoenlijke baan, en een vent, en je studie afmaken.' Coco had het allemaal al vaker gehoord. Haar moeder en haar zus hadden wel een miljoen meningen over haar leven, en aarzelden nooit die uit te spreken. Zij wisten wat goed was, en Coco was de belichaming van al het foute.

'Hoe is het met je, mam? Alles goed?' Het was altijd makkelijker als ze haar moeder over zichzelf kon laten vertellen. Dat vond ze boeiender, en ze had er veel meer over te zeggen.

'Ik ben net aan een nieuw boek begonnen,' zei ze enthousiast. 'Het onderwerp spreekt me erg aan. Het gaat over een noordelijke generaal en een zuidelijke vrouw tijdens de Burgeroorlog. Ze worden verliefd, raken van elkaar gescheiden, zij wordt weduwe, en haar favoriete slaaf helpt haar te vluchten en brengt haar naar het noorden om hem te zoeken. Ze heeft geen geld meer, de generaal zoekt wanhopig naar haar, maar kan haar niet vinden, en zij op haar beurt vindt de vrouw van de slaaf voor hem. Het zijn eigenlijk twee verhalen door elkaar heen, en het is leuk om te schrijven,' zei ze vrolijk. Coco, die zulke verhalen al haar hele leven hoorde, glimlachte. Ze hield van de boeken van haar moeder en ze was trots op haar, al had ze zich van jongs af aan gegeneerd voor haar succes. Als kind had ze alleen maar een gewone moeder gewild die koekjes bakte en samen met de andere moeders de kinderen naar school bracht, geen beroemdheid, maar in de loop der jaren was ze eraan gewend geraakt. Ze had gefantaseerd over een moeder die gewoon huisvrouw was, en haar moeder was verre van dat. Als ze niet zat te schrijven, gaf ze wel interviews. Toen Coco werd geboren, was haar moeder al een grote ster geweest. Coco was altijd jaloers geweest op mensen die geen beroemde ouders hadden.

'Ik zag dat je nieuwste boek al op nummer één stond,' zei Coco trots. 'Het lukt je elke keer weer, hè?' Het klonk bijna spijtig.

'Ik doe mijn best, lieverd. Geef mij maar successen,' zei haar moeder met een lach. De hele familie was dol op succes; niet alleen Coco's moeder, maar ook Jane en hun vader. Coco vroeg zich vaak af hoe het was geweest als ze was opgegroeid bij 'normale' ouders, mensen die arts waren, of docent, of als haar vader verzekeringsagent was geweest. Als kind in Los Angeles had ze niet veel van zulke mensen gekend. De meeste van haar vriendinnen hadden minstens één beroemde ouder. De ouders van haar klasgenootjes waren vaak producer, regisseur, acteur of studiobaas. Ze had op Harvard-Westlake gezeten, een van de beste scholen van Los Angeles, en veel van de kinderen met wie ze was opgegroeid, waren nu zelf beroemd. Het was alsof je tussen de legendes leefde, en het was moeilijk om daartegen op te boksen. Die kinderen waren bijna allemaal net zulke strebers geweest als haar zus, al waren er inmiddels ook een paar overleden door drugsgebruik, een auto-ongeluk waarbij alcohol in het spel was of zelfmoord. Die dingen konden arme mensen ook overkomen, maar ze leken de rijken en beroemden toch vaker te treffen. Die leefden snel en betaalden een hoge tol voor hun manier van leven. Het was nooit in Coco's ouders opgekomen dat zij zou weigeren het spelletje mee te spelen. Ze begrepen er niets van, maar Coco vond het logisch.

'Nu je in de stad zit, kun je misschien wat lessen volgen om weer aan het studeren te wennen,' opperde haar moeder zogenaamd langs haar neus weg. Ook dat had Coco vaker gehoord, en ze ging er niet meteen op in.

'Wat voor lessen, mam?' vroeg ze uiteindelijk gespannen.

'Piano? Gitaar? Macramé? Koken? Bloemschikken? Ik ben tevreden met wat ik doe.'

'Als je op je vijftigste nog honden uitlaat, maakt dat een rare indruk,' zei haar moeder zacht. 'Je bent niet getrouwd, je hebt geen kinderen. Je kunt niet de rest van je leven je tijd uitzitten. Je moet iets substantieels doen. Misschien iets artistieks. Dat vond je vroeger leuk.' Het was bijna zielig. Waarom konden ze haar niet gewoon met rust laten? En waarom moest Ian... Maar het had geen zin om daaraan te denken.

'Ik heb jouw talent niet, mam. Of dat van Jane. Ik kan geen boeken schrijven of films maken. En misschien krijg ik nog eens kinderen. Intussen kan ik goed rondkomen van wat ik doe.'

'Je hoeft niet "rond te komen". En je kunt je voldoening niet laten afhangen van kinderen. Die worden groot en gaan hun eigen leven leiden. Je moet zelf iets doen wat je bevrediging schenkt. Kinderen zijn maar tijdelijk handenbindertjes, en een man kan sterven of bij je weggaan. Je moet zelf iemand zijn, Coco. Als je dat eenmaal inziet, zul je een stuk gelukkiger worden.'

'Ik ben al gelukkig. Daarom woon ik in Bolinas. Ik zou me ellendig voelen in de ratrace in Los Angeles.' Haar moeder hoorde het met een zucht aan. Het was alsof ze over de Grand Canyon naar elkaar fluisterden: ze hoorden elkaar niet en wilden het ook niet. Het was bijna komisch dat zowel Coco's moeder als haar zus er onzeker van werd dat ze maar honden uitliet. Coco dacht er heel anders over. Soms had ze medelijden met hen.

Het gesprek met haar moeder maakte haar somber. Het gaf

haar het gevoel dat ze nooit goed genoeg was geweest en dat ook nooit zou worden. Ze trok het zich tegenwoordig minder aan, maar het kon haar nog dwarszitten. Nadat ze hadden opgehangen, dacht ze erover na terwijl ze nog een loempia at. In Bolinas leefde ze op salades, en daar kocht ze verse vis op de markt. Ze was te lui om naar de supermarkt in San Francisco te gaan, en de geavanceerde keuken van haar zus, die op het binnenste van een ruimteschip leek, imponeerde haar. Het was makkelijker om eten te laten bezorgen. Nog steeds over haar moeder piekerend ging ze naar de slaapkamer boven en zette een film op. Jack sprong blij naast haar op het bed, zonder op een uitnodiging te wachten, en legde zijn kop op het kussen. Sallie nestelde zich met een tevreden kreungeluidje aan haar voeten. Tegen de tijd dat de film begon, snurkten de honden allebei. Coco kroop in het gerieflijke bed weg om naar haar favoriete romantische komedie te kijken, met haar favoriete acteur en actrice in de hoofdrollen. Ze had de film al wel vijf keer gezien, maar kreeg er geen genoeg van.

Pas toen de film was afgelopen, merkte ze dat ze een sms'je had gekregen. Het was van Jane, en Coco vermoedde dat het weer over de hond ging. Ze had de afgelopen dagen meer sms'jes van Jane gekregen met instructies aangaande het huis, de hond, de tuinman, de alarminstallatie en de schoonmaakster. Coco wist dat als Jane het drukker kreeg met de film, ze niet meer elke vijf minuten zou sms'en. Dit bericht was iets hartelijker dan de andere. Het ging over een kennis die het weekend in het huis zou komen logeren. Coco vroeg zich vluchtig af of ze haar zou kunnen vragen op de hond te passen, zodat ze zelf naar haar eigen huis kon, maar ze had zo'n gevoel dat Jane kwaad zou worden als ze de logee lastigviel en er zelf vandoor ging.

Ze las: 'Onze kennis Leslie duikt onder voor gestoorde, moordlustige ex-vriendin. Komt waarschijnlijk morgen of zondag een paar dagen logeren. Weet waar verstopte sleutel ligt en heeft code alarm. Bedankt. Liefs, Jane en Lizzie.' Ze kon zich niet herinneren dat ze ooit een Leslie had gezien, en vroeg zich af of het een vriendin uit Los Angeles was. Ze klonk exotischer dan hun meeste andere vriendinnen, die intelligent en creatief waren, maar door de bank genomen bezadigde vrouwen van middelbare leeftijd waren met een langdurige relatie, net als Liz en Jane, die niet ten prooi vielen aan gestoorde, moordlustige geliefden. Aangezien de onderduikende Leslie de code van het alarm en de sleutel had, hoefde Coco er niet over in te zitten. Ze zette nog een film op en viel om een uur of drie 's nachts in slaap. Ze hoefde de volgende dag maar twee honden uit te laten en ze begon pas om twaalf uur, dus ze wilde lekker uitslapen.

Ze werd 's ochtends om tien uur wakker. Het was een stralende, zonnige dag, en toen ze naar buiten keek zag ze een zwerm zeilboten in de baai die zich opmaakten voor een regatta, maar het enige wat ze dacht, was hoe ze naar Bolinas verlangde. Ze overwoog er met de honden heen te rijden om daar met ze langs het strand te rennen en haar post te halen. Ze rekte zich loom uit, liet de honden de tuin in en zette de deur open, zodat ze weer binnen konden komen. Toen ging ze naar de keuken om te ontbijten. In de twee dagen dat ze hier nu was, had ze nog geen kans gezien boodschappen te doen. Toen ze probeerde te kiezen tussen het Chinese eten van de vorige avond en de diepvrieswafels die ze in de vriezer had gevonden, drong het tot haar door dat ze het Chinese eten niet in de koelkast had gezet. De bakjes stonden nog op het aanrecht, dus moest ze de wafels wel in de magnetron stoppen. Ze pakte de stroop uit de koelkast en toen ze zich omdraaide om de pot op tafel te zetten, zag ze Jack, die met zijn voorpoten op het aanrecht van het Chinese eten stond te smullen. Toen ze hem in de gaten kreeg, had hij het meeste al op, en ze had het vermoeden dat het pikante rundvlees hem niet goed zou bekomen. Toen ze hem wegjoeg, blafte hij naar haar en ging bij de keukentafel zitten om haar te zien eten. Sallie kwam naast hem zitten, met net zo'n hoopvolle blik in haar ogen. 'Weet je, jullie zijn zwijnen,' zei ze tegen de honden. Haar lange, koperkleurige haar hing los op haar rug, en ze had haar lievelingspon aan, die met de hartjes, en roze wollen sokken omdat ze 's nachts altijd koude voeten had. Ze leek wel een kind zoals ze daar wafels zat te eten, gadegeslagen door de honden. 'Jummie!' zei ze plagerig, en ze lachte toen Jack met zijn kop schudde. 'Wat? Had je niet genoeg aan dat Chinese eten? Je maakt jezelf nog misselijk,' waarschuwde ze hem. Toen ze had ontbeten, liep ze naar de koelkast om de stroop terug te zetten. Er liep iets langs de rand en ze overwoog de pot af te vegen, wat Jane waarschijnlijk zou hebben gedaan, maar ze nam zich voor het een andere keer te doen. Jane kwam haar niet controleren, en ze wilde douchen en de honden van haar twee cliënten uitlaten. Toen ze bijna met de druipende pot bij de koelkast was, werd de geur van stroop Jack te machtig. Voor ze iets kon doen, sprong hij tegen haar op. De pot viel uit haar hand op de granieten vloer en brak. De zoete stroop vloog alle kanten op. Jack stortte zich erop en likte de stroop tussen de glasscherven vandaan. Net toen ze hem weg wilde trekken, kwam Sallies herdersinstinct plotseling boven en begon ze blaffend in kringetjes om hen heen te rennen. Toen Coco Jack aan zijn halsband wegtrok, gleed ze uit en viel op haar achterste in een plas stroop, gelukkig zonder scherven erin. Jack, die de stroop wilde, blafte als een razende naar haar, maar ze was vastbesloten hem bij het gevaarlijke glas weg te houden. Haar nachtpon en sokken waren doorweekt, en ze had zelfs stroop in haar haar. Terwijl de honden tekeergingen, kwam ze lachend overeind en trok de Engelse dog weg. Toen drong het opeens tot haar door dat er een man naar hen stond te kijken. Zelfs de honden hadden hem niet opgemerkt in de commotie om de stroop, maar toen hij een pas achteruit zette, begonnen ze nog harder te blaffen. Coco riep dat ze moesten blijven. Het was één grote chaos, en de man leek doodsbang voor de honden te zijn en zich af te vragen wie zij was.

Coco keek hem aan. 'Wat doe jij hier?' vroeg ze streng. Hij had een spijkerbroek, een coltrui en een zwartleren jack aan. Hij zag er niet uit als een inbreker, maar ze had geen idee hoe hij binnen was gekomen.

Met haar voeten nog in de stroop keek ze hem aan, en hij probeerde niet te glimlachen om het spektakel en het gejongleer dat hij net had gezien. Ze leek wel een leeuwentemster met die woeste krans rood haar om haar hoofd, haar van stroop doorweekte nachtpon en sokken en de grote Engelse dog die blafte terwijl de Australische herder verwoed keffend kringetjes om hen heen draaide. Hij rook de stroop, die glinsterend als gesponnen glas in haar haar kleefde. Het kon hem niet ontgaan dat ze bijzonder aantrekkelijk was en niet ouder dan achttien leek.

'Hebben jullie een voedselgevecht gehouden?' vroeg hij met ondeugend twinkelende ogen. 'Jammer dat ik het heb gemist. Ik ben gek op dat soort dingen. Ik geloof dat ik hier een paar dagen als logé ben, of als onderduiker.' Terwijl Coco op adem stond te komen, hield hij de sleutel in de lucht om te laten zien dat hij op legale wijze was binnengekomen. Het kon niet waar zijn. Haar zus had toch geschreven dat er een vrouw zou komen logeren? Ze had niets over een man gezegd. Of had ze nog iemand uitgenodigd? Toen hoorde ze het Britse accent en werd het opeens allemaal duidelijk. Ze kon wel gillen. Dit was onmogelijk. Ze droomde. Ze had die man twee avonden achter elkaar op het enorme scherm van haar zus gezien.

'O, shit... O mijn god... Je bent toch niet...' zei ze, maar het was allemaal op zijn plaats gevallen. Leslie. Geen vrouw. Leslie Baxter, de wereldberoemde Britse hartenbreker en filmster. Hoe had haar zus haar niet kunnen waarschuwen wie hij was? Ze keek hem blozend aan en zijn ogen deden mee als hij glimlachte, net als op het scherm. Ze had zijn films wel duizend keer gezien, en nu stond hij hier.

'Ik vrees dat ik het echt ben,' zei hij verontschuldigend, en toen keek hij naar de rommel op de keukenvloer. 'Laten we dat maar eens opruimen.' Ze knikte sprakeloos en keek weer naar hem op.

'Zou jij met de honden naar buiten willen gaan,' vroeg ze, wijzend naar de open tuindeur, 'zodat ik dit kan schoonmaken?' 'Dat zou ik wel willen,' zei hij aarzelend, 'maar ik ben eigenlijk doodsbang voor honden. Als jij de honden voor je rekening neemt, zoek ik wel ergens een Hoover om dit schoon te maken.' Ze lachte niet alleen om zijn voorstel, maar ook om zijn woordgebruik. Ian had hun stofzuiger ook een Hoover genoemd. Leslie Baxter was Brits, en geen stofzuiger slurpte stroop.

'Laat maar,' zei ze. Ze gebood de honden haar te volgen, wat ze met frisse tegenzin deden, terwijl Leslie achteruitdeinsde. Een minuut later kwam Coco zonder de honden terug. Ze raapte de glasscherven met keukenpapier op en trok haar sokken uit, zodat ze niet nog eens kon uitglijden. Het was een wonder dat er geen ongelukken waren gebeurd met het glas. Ze nam de kleverige troep op met de maagdelijke, smetteloos witte, schijnbaar gloednieuwe keukendoeken van haar zus, en hij hielp. Hij kreeg stroop op zijn mooie bruine suède schoenen en zij zat al onder. Hij glimlachte en deed zijn best om niet te schateren.

'Ik geloof niet dat jij de huishoudster bent,' zei hij terloops terwijl ze ijverig werkten en de berg plakkerige handdoeken groeide. 'Ben je een vriendin van Jane en Lizzie?' Hij had Jane gesproken, die niet had gezegd dat er nog iemand kwam logeren, maar zij was duidelijk ook géén inbreker. Goudlokje, misschien. Of een indringer die hier had geslapen in haar malle nachtpon met hartjes en had besloten stevig te ontbijten voordat ze de boel plunderde.

'Ik pas op de hond,' legde Coco uit. Leslie wilde haar helpen haar haar naar achteren te halen en ze kreeg nog meer stroop in haar haar. Ze probeerde haar gezicht in de plooi te houden, en het kon hem met geen mogelijkheid ontgaan hoe mooi ze was. De stokoude, tot op de draad versleten nachtpon plakte op een heel aantrekkelijke manier aan haar lijf. 'Ze had me ge-sms't dat er een zekere Leslie zou komen, maar ik dacht dat het een van haar lesbische vriendinnen was die voor een moordlustige ex-geliefde op de vlucht was.' Ze keek gegeneerd naar hem op, want ze had te veel losgelaten, en zag dat hij een lelijke blauwe plek op zijn wang had. 'Sorry, dat had ik niet mogen zeggen… Ik had een vrouw verwacht.'

'Ik had jou helemaal niet verwacht,' gaf hij toe, en nu had hij ook stroop in zijn haar, dat donkerbruin was, bijna zwart. Zijn ogen waren opvallend blauw. Hij had al gezien dat de hare groen waren. 'Nou, je had half gelijk. Ik ben op de vlucht voor een moordlustige ex, alleen ben ik geen lesbische vriendin van Jane en Liz.' Hij keek haar verontschuldigend aan. Toen kreeg hij een nieuwsgierige uitdrukking op zijn gezicht en flapte eruit: 'En jij?'

'Of ik op de vlucht ben voor een moordlustige ex? Nee, ik pas op de hond, had ik toch gezegd? O…' Nu begreep ze wat hij bedoelde. 'Nee, ik ben geen lesbische vriendin. Ik ben de zus van Jane.' Zodra ze het zei, zag hij de gelijkenis, maar ze had-den zo'n verschillende stijl dat het niet in zijn hoofd was op-gekomen. Hij was ook te verbijsterd geweest om haar goed te zien toen ze in een malle nachtpon in een plas stroop zat tus-sen twee uitzinnige honden. Daar had hij niet op gerekend toen Jane hem haar lege huis aanbood. Het was ook beslist niet zijn definitie van 'leeg'. Integendeel.

'Hoe heb je het voor elkaar gekregen om op de hond te mo-gen passen?' Ze fascineerde hem, en ze hadden de meeste rom-mel opgeruimd, al plakten hun voeten aan de vloer alsof die met secondelijm was ingesmeerd.

'Ik ben het zwarte schaap van de familie,' zei ze met een schuch-tere glimlach, en hij schoot in de lach. Ze zag er heel jong en heel knap uit, en hij deed zijn best om niet naar de plakkende nachtpon te kijken.

'Wat doet een zwart schaap zoal? Drankgelagen houden? Drugs gebruiken? Er een sliert slechte vriendjes op na houden? Haar school niet afmaken?' Ze zag eruit alsof ze nog op de middelbare school zat, maar hij wist dat dat niet kon.

'Nog erger. Ik heb mijn rechtenstudie niet afgemaakt, wat als een doodzonde wordt gezien, en ik verdien de kost met honden uitlaten. Ik woon aan het strand, en ze vinden me een hippie, een malloot en een onderpresteerder.' Ze zei het grinnikend, want hij leek het vrolijk op te nemen, en opeens leek het niet zo erg meer om het hem te vertellen. Het klonk juist grappig.

'Het klinkt mij niet zo erg in de oren. Rechten lijkt me een saaie studie. Honden uitlaten lijkt me beangstigend, dus dat vind ik heel dapper van je. Ik was ook een zwart schaap. Ik heb mijn studie afgebroken om naar de toneelschool te gaan en mijn vader was woedend, maar omdat ik nu meer geld verdien dan ik als bankier had gedaan, heeft hij het me vergeven. Je moet gewoon rustig afwachten, ze draaien wel bij. Misschien moet je dreigen een boek over ze te schrijven en al hun geheimen te openbaren. Of gênante foto's te verkopen die je van ze hebt gemaakt. Chantage zou heel doeltreffend kunnen zijn. En wat is er mis met aan het strand wonen? Er zijn mensen die een fortuin neertellen voor een huis in Malibu, en die worden als heel fatsoenlijk beschouwd, benijdenswaardig zelfs. Ik vind je geen overtuigend zwart schaap.'

'Zij wel,' verzekerde ze hem.

'Al kan ik niet zien of je een hippie bent, in dat ding.' Hij gebaarde naar haar nachtpon, en pas nu besefte ze hoe die aan haar plakte en hoeveel er van haar figuur werd onthuld. 'Misschien kun je beter je werkkleding aantrekken,' stelde hij tactvol voor. 'Ik zoek wel een dweil om die troep van de vloer te krijgen.' Hij trok een paar kasten open en vond er een. Ze glimlachte naar hem. Hij had een goed gevoel voor humor, en hij keek haar bijna verlegen aan. Hij gedroeg zich heel anders dan de filmsterren die ze kende.

'Wil je iets eten?' vroeg ze beleefd.

Hij lachte. 'Waarschijnlijk niet iets met stroop? Die lijkt op te zijn. Waar was het eigenlijk voor?'

'Wafels,' zei ze vanuit de deuropening.

'Jammer dat ik ze heb gemist.'

'Er ligt nog een halve krop sla in de koelkast,' bood ze aan, en hij lachte weer.

'Ik wacht nog maar even. Ik ga straks wel boodschappen doen. Ik zal nieuwe stroop voor je meebrengen.'

'Graag,' zei ze. Terwijl Leslie een emmer vulde, holde zij naar boven, op elke traptree een stroopafdruk achterlatend. Een paar minuten later kwam ze weer beneden in een spijkerbroek en T-shirt en op sportschoenen, met haar dat nog nat was van de douche. Hij had koffiegezet en bood haar een kop aan, waarvoor ze bedankte. 'Ik drink alleen thee,' legde ze uit.

'Die kon ik niet vinden,' zei hij terwijl hij aan de keukentafel ging zitten. Hij zag er moe uit, alsof hij een paar zware dagen achter de rug had, en de blauwe plek op zijn wang leek nog vers.

'Alles is op. Ik zal op weg naar huis wat dingen kopen. Ik moet aan het werk, maar ik hoef op zaterdag maar twee honden uit te laten.'

Hij leek het zo fascinerend te vinden alsof ze hem had verteld dat ze slangenbezweerder was. 'Ben je wel eens gebeten?' vroeg hij vol ontzag.

'Maar één keer in drie jaar, door een hysterische chihuahua. De grote honden zijn altijd lief.'

'Hoe heet je eigenlijk? Je zus heeft ons niet aan elkaar voorgesteld. Jij weet wel hoe ik heet.'

'Mijn moeder heeft ons naar haar lievelingsschrijfsters vernoemd. Jane is naar Jane Austen genoemd. Ik heet Colette, maar iedereen zegt Coco.' Ze bood hem haar hand aan, die hij geamuseerd schudde. Het was een betoverend meisje.

'Colette zou wel bij je passen,' zei hij bedachtzaam.

'Ik ben gek op je films,' zei ze zacht. Terwijl ze het zei, voelde ze zich al stom. Ze had honderden beroemdheden ontmoet in haar leven, onder wie veel acteurs en belangrijke sterren, maar nu ze tegenover hem aan de keukentafel van haar zus zat, voelde ze zich onhandig en verlegen, juist omdat ze zo vaak naar zijn films keek en er zo dol op was. Hij was haar favoriete acteur, en ze was al jaren stiekem verliefd op hem. Als ze hem dat had bekend, had ze zich ongelooflijk stom gevoeld. En nu logeerden ze allebei bij haar zus. Dat was iets heel anders. Nu moest ze hem als een echt mens behandelen in plaats van hem op het scherm aan te gapen.

'Dank je voor het compliment,' zei hij beleefd. 'Er zitten draken tussen en sommige vallen wel mee. Ik kijk er zelf nooit naar. Te gênant. Ik vind dat ik er altijd vreselijk uitzie en vaak bespottelijk klink.'

'Daaraan herken je de grote acteur,' zei ze vol overtuiging. 'Dat zei mijn vader altijd. Degenen die zichzelf fantastisch vinden, zijn het nooit. Sir Laurence Olivier vond zijn eigen werk ook niet goed.'

'Dat is een hele geruststelling,' zei Leslie, die haar schaapachtig aankeek en een slok koffie nam. De slapeloze nachten die hij dankzij zijn ex te verduren had gehad, braken hem nu op en hij wilde dolgraag naar bed, maar hij wilde niet onbeleefd zijn. 'Heb je hem gekend?'

'Hij was bevriend met mijn vader.' Leslie wist wie haar vader was geweest, en wie haar moeder was, want hij kende Jane. En hij begreep waarom ze het erg vonden dat ze honden uitliet en aan het strand woonde, maar hij begreep ook waarom zij het wilde. Het was moeilijk om je met haar familieleden te meten, en hij was erg op Jane gesteld, maar ze was een imposante vrouw. Dit meisje met haar kastanjebruine haar en groene ogen leek uit heel ander hout gesneden te zijn. Ze was een mildere ziel. Hij zag het aan haar ogen en leidde het af uit haar gedrag.

Coco zag hoe moe hij was en bood aan hem zijn slaapkamer te wijzen. Hij keek haar dankbaar aan. Ze ging hem voor naar de logeerkamer naast de grote slaapkamer. Ze wist dat Liz er wel eens sliep wanneer ze tot diep in de nacht aan een scenario werkte. Het was een grote, mooie kamer met een spectaculair uitzicht over de baai, maar Leslie zag alleen het verlokkelijke bed. Hij wilde een douche nemen en dan honderd jaar slapen, en dat liet hij doorschemeren.

'Ik zal boodschappen halen voor het geval je honger hebt als je wakker wordt,' bood ze vriendelijk aan.

'Graag. Ik neem een douche en dan ga ik naar bed. Tot ziens,' zei hij. Ze wuifde naar hem, sprong de trap af, liet de honden binnen, rende naar buiten en stapte in haar stokoude busje. Even later reed ze weg. Hij keek haar door het raam na en glimlachte. Wat een grappig, snoezig, onbedorven meisje was het. En wat een verademing om zo iemand te ontmoeten na de nachtmerrie die hij had doorstaan.

HOOFDSTUK 3

*C*oco haalde de toypoedel en het pekineesje op waarmee ze op zaterdag altijd ging lopen. Daarna ging ze naar de supermarkt om alles in te slaan wat ze nodig konden hebben. Zij kon overleven op een blaadje sla en afhaalmaaltijden, wat ze de afgelopen twee jaar ook had gedaan, maar nu er een man in het huis van haar zus logeerde, voelde ze zich verplicht degelijker kost aan te bieden. Ze nam aan dat Jane dat van haar verwachtte. Leslie Baxter leek tot nog toe een innemende man. Ze kon er nog steeds niet goed bij dat hij met haar in hetzelfde huis verbleef. Had haar zus haar maar gewaarschuwd wie er kwam in plaats van alleen te melden dat een zekere 'Leslie' op de vlucht was voor een psychopathische ex. Wie had kunnen denken dat híj het was? Zijn verblijf zou in elk geval wat leven in huis brengen, maar gezien zijn angst voor honden kon ze Jack niet bij hem achterlaten en het weekend in haar eigen huis doorbrengen, zoals ze had gehoopt.

Het was drie uur toen ze terugkwam met de boodschappen, de vroege editie van de zondagskrant en wat tijdschriften voor hem. Ze voelde zich opeens verplicht gastvrouw te spelen in plaats van alleen maar oppas, al had ze een slechte start gemaakt met die stroop en dat glas overal. Ze was ervan onder de indruk dat hij zich zo sportief had opgesteld en haar zelfs had geholpen de boel op te ruimen.

Het huis was vreemd stil toen ze binnenkwam. Ze nam aan dat Leslie nog sliep, en de honden deden waarschijnlijk hetzelfde. Ze pakte de boodschappen dus stilletjes uit in de keuken, en ze schrok toen hij binnenkwam. Hij droeg een schoon wit T-shirt en een spijkerbroek bij zijn hoogst elegante, bijzonder Engels ogende, bruine suède schoenen. Ian had alleen sandalen en sportschoenen gehad. Meer had hij niet nodig, behalve dan wandelschoenen. Alles wat hij leuk vond, speelde zich buiten af, iets wat ze met hem had gedeeld. Haar moeder had altijd op hoge hakken gelopen, en ze leken elk jaar hoger te worden.

'Ben je al op?' vroeg ze terwijl ze de laatste boodschappen opborg. Ze draaide zich om en glimlachte naar hem.

'Ik heb helemaal niet geslapen,' zei hij spijtig. Ze keek hem verbaasd aan.

'Hoe kan dat nou?'

'Iemand was me voor.' Hij wenkte haar en ze liep een tikje ongerust achter hem aan de trap op naar zijn kamer. Misschien had Jane nog iemand uitgenodigd en had die Leslies kamer ingepikt? Zodra ze door de deur van de logeerkamer keek, schoot ze echter in de lach. Jack was breeduit op het bed gaan liggen toen Leslie onder de douche stond. Hij lag met zijn kop op het kussen dwars over het bed te snurken als een os. Sallie was nergens te bekennen, maar Jack voelde zich helemaal thuis. 'Ik wilde er niet over ruziën. Ik heb in jouw kamer gekeken, uit nieuwsgierigheid, en daar ligt de andere hond te slapen.'

'Die is van mij,' legde Coco grinnikend uit. 'Dit is de heer des huizes, hij regeert hier. Hij heet Jack. Mijn zus laat hem trouwens niet op de bedden slapen, dat doet hij alleen als ik er ben. Hij weet het.' Ze liep snel naar het bed, klopte de grote hond op zijn flank om hem wakker te maken en trok hem van het bed. Hij leek het hoogst onaangenaam te vinden dat zijn slaap zo ruw was verstoord, en hij kuierde naar de grote slaapkamer om zich bij Sallie te voegen. 'Sorry.' Coco keek verontschuldigend naar Leslie. 'Je zult wel kapot zijn.'

'Ik heb een dutje op de bank gedaan, maar ik geef toe dat een echt bed lekker zou zijn. Ik heb vannacht in mijn auto geslapen, en de nacht daarvoor ben ik bij een vriend ondergedoken. Los Angeles is momenteel te klein voor ons allebei.' Hij voelde in een reflex aan zijn wang. 'Ze is gestoord,' vervolgde hij. 'Ze is nogal een grote ster, en ze kan stompen als de beste. Ze doet haar eigen stunts in actiefilms.' Coco wist uit de roddelbladen wie zijn ex was, maar ze vond het bewonderenswaardig dat hij de naam niet noemde. Hij leek erg beschaafd. 'Ik heb mijn huis een halfjaar geleden voor een jaar verhuurd. Ik woonde bij haar. Ik zal een appartement moeten zoeken als ik de boel weer een beetje op orde heb. Ik heb nog nooit zoiets krankzinnigs meegemaakt.' Hij grijnsde schaapachtig naar Coco. 'Het was voor het eerst dat ik een mep kreeg van een vrouw. Vervolgens vermoordde ze me bijna door een föhn naar mijn hoofd te gooien. Toen ze me met een pistool bedreigde, vond ik het tijd om weg te gaan. Ga nooit in discussie met een gewapende psychopate. Ik probeer dat althans niet te doen.' Hij glimlachte, maar hij leek nog steeds van zijn stuk te zijn.

'Waarom was ze zo woest?' vroeg Coco omzichtig. Het was veel spannender dan haar eigen leven, en ze moest er niet eens aan dénken. Ian was de zachtaardigste man van de wereld geweest, en hun onenigheden waren kort, respectvol en onschuldig geweest. Ze had vóór hem relaties gehad die op de klippen waren gelopen, maar nooit op zo'n erge manier. Wel kende ze de verhalen van haar vader over beroemde cliënten van hem die werden achtervolgd door stalkers en psychopaten.

'Ik weet het niet precies,' antwoordde Leslie. 'Ze wilde weten met wie van mijn medespeelsters ik iets had gehad en toen werd ze razend van jaloezie, al had ik gezegd dat die tijd voorbij was. Ze bleef volhouden dat ik met mijn volgende medespeelster ook weer iets zou krijgen, en toen ging ze door het lint. Ze had ook een alcoholprobleempje. Het was allemaal een beetje te veel van het goede, zacht gezegd. Ze belde me op mijn mobieltje en zei dat ze me ging vermoorden. Ik geloofde haar, dus ben ik vertrokken.'

'Misschien moet je iets langer blijven dan een weekend,' zei Coco ernstig, al vond ze het verhaal typerend voor de gekte in Hollywood en Los Angeles die ze zo verafschuwde. Ze zou zelf nooit zo kunnen leven. De prijs van de roem was te hoog. 'Vuurwapens en alcohol gaan niet zo goed samen.' Leslie knikte. Hij wist nog niet hoe het verder moest. Hij had Jane gebeld om haar erover te vertellen, want Jane kende zijn ex en had met haar gewerkt, en hij wilde van haar horen hoe gestoord het mens precies was en hoe gevaarlijk ze zou kunnen zijn. Jane had hem aangeraden te maken dat hij wegkwam en naar haar huis in San Francisco te gaan. Het had een goed idee geleken. Hij wilde dat mens nu nergens tegenkomen, en in Los Angeles zat de kans erin. Jane dacht dat de vrouw nog gevaarlijker was dan hij vreesde.

'Dit is me nog nooit overkomen,' zei hij gegeneerd. 'Ik ben nog bevriend met al mijn vorige vriendinnen. Niet een van hen wilde me ooit vermoorden, niet dat ik weet, althans.' Hij klonk alsof hij het nog steeds niet kon geloven.

'Heb je de politie gebeld?'

Hij schudde zijn hoofd. 'Dat kan niet. Als ik dat doe, komt het in alle bladen, en dat maakt het alleen maar erger.'

'Mijn vader is een keer door een gestoorde cliënt met de dood bedreigd toen ik nog klein was. Hij heeft de politie gebeld en een tijdje vierentwintig uur per dag bewaking gekregen. Ik was doodsbang dat die acteur hem zou vermoorden. Ik heb er nog jaren nachtmerries van gehad,' bekende Coco.

'Ja, maar dat was vast geen ex-vriendin. Dit is zoiets waar de roddelbladen van smullen. Ik wil niet betrokken raken bij zo'n toestand, of die zelf veroorzaken. Ik heb een tijdje vrij tussen twee films en ik blijf liever even uit de buurt. Ik zou een paar maanden naar New York kunnen gaan. Ik hoef pas in oktober weer aan het werk, dus ik heb de tijd.'

'Daar vindt ze je waarschijnlijk. En mijn zus en Liz komen op zijn vroegst over vijf maanden terug. Je kunt hier logeren terwijl je erover nadenkt, en misschien komt ze tot bedaren.'

'Die komt nooit tot bedaren, als je het mij vraagt. Ik hoop dat ze bezeten raakt van iemand anders. Intussen wil ik me koest houden, en ze komt er nooit achter dat ik hier zit. Ik ben al twintig jaar niet meer in San Francisco geweest. Ik zie Jane altijd in Los Angeles. We hebben samen aan een film gewerkt.'

Coco wist het nog. Ze had Leslie nooit samen met Jane gezien, maar ze wist dat ze bevriend waren.

'Nou, hier ben je veilig. En nu Jack niet meer op je bed ligt, kun je slapen,' zei ze met een vriendelijke glimlach. Zijn verhaal klonk akelig, en zo te zien had het hem uit het lood geslagen.

Leslie bedankte haar omdat ze Jack had weggestuurd en sloot de deur. Coco liep naar haar slaapkamer en deed haar deur ook dicht. De honden lagen allebei op het bed te slapen, en ze zette de tv aan met het geluid zacht. Ze dutte zelf een tijdje en rond acht uur ging ze naar beneden om eten te maken. Ze pakte wat sushi uit de koelkast en maakte een salade. Toen ze die zat te eten terwijl ze de zondagskrant las, kwam Leslie de keuken binnen. Hij zag er slaperig uit, maar wel uitgerust. Hij rekte zich uit, gaapte en ging zitten. Ze waren als twee schipbreukelingen op een onbewoond eiland. Het was stil in huis, en het was gezellig en aangenaam. Het was zaterdagavond en ze hadden geen van beiden afspraken of plannen.

'Wil je ook wat?' Ze wees naar de sushi en hij knikte. Ze liep naar de koelkast en hij sprong prompt op om haar te helpen. 'Je hoeft me niet te bedienen. Ik ben hier de indringer. Bedankt dat je vandaag de boodschappen hebt gedaan. De volgende keer ga ik.' Ze deelden toevallig hetzelfde huis en probeerden allebei zich goed te gedragen. Leslie was heel Engels en duidelijk goed opgevoed. Ze gaf hem een bord voor zijn sushi en maakte een salade voor hem, en hij bedankte haar.

'Uit welk deel van Engeland kom je?' vroeg ze toen ze allebei zaten te eten. Jack keek belangstellend toe. Sallie had de vis geroken en was weer naar bed gegaan.

'Een stadje vlak buiten Londen. Ik heb Londen zelf pas gezien toen ik al twaalf was. Mijn vader was postbode en mijn moeder verpleegster. Ik ben burgerlijk opgevoed, in een normaal gezin. Mijn ouders bestierven het toen ik zei dat ik acteur wilde worden. Ze schaamden zich er zelfs voor, althans in het begin. Mijn vader wilde dat ik leraar zou worden, of bankier, of arts. Ik val flauw als ik bloed zie, en lesgeven leek me te saai, dus ging ik op acteerles en begon met opvoeringen van stukken van Shakespeare. Ik was verschrikkelijk.' Hij grinnikte naar haar. 'Lekkere salade. Geen stroop?' vroeg hij plagerig.

'Ik heb nieuwe gekocht,' zei ze met een lach. 'En wafels.'

'Perfect. Ik zal ze morgen maken. En wat wilde jij vroeger worden als je groot was?' vroeg hij. Zo te zien was hij echt benieuwd.

'Ik wist het niet. Ik wilde alleen niet net zo worden als mijn ouders. Of zoals mijn zus, in de film, ze was er zo fanatiek in. Dat is ze in alles wat ze doet, maar het leek me niet leuk. Ik heb altijd een hekel gehad aan schrijven. Ik heb een minuut of vijf kunstenaar willen worden, maar ik heb niet veel talent. Ik maak wel eens een aquarel, maar ze zijn niet fantastisch. Gewoon strandtaferelen en stillevens met bloemen en vazen. Ik heb een bijvak kunstgeschiedenis gedaan. Waarschijnlijk had ik het leuk gevonden om les te geven of onderzoek te doen, maar toen haalde mijn vader me over rechten te gaan studeren. Hij zei dat het een goede basis was voor alles wat ik later wilde doen, zoals hem opvolgen en agent worden. Dat wilde ik ook niet, en ik vond de rechtenstudie verschrikkelijk. De docenten kraakten iedereen af en de studenten waren gemeen, streberig en neurotisch. Iedereen probeerde iedereen de grond in te boren. Ik was die hele twee jaar bang en ik huilde continu. Ik was doodsbang dat ik zou zakken, maar toen ging mijn vader dood en hield ik ermee op.'

'En toen?'

'Ik was opgelucht.' Ze glimlachte naar hem. 'Ik woonde toen met iemand samen. Hem keurden mijn ouders ook niet goed. Hij had zijn rechtenstudie ook afgebroken, in Australië. Hij hield van het buitenleven en hij had een duikschool, dus gingen we aan het strand wonen. Het was de gelukkigste tijd van mijn leven. Ik kwam op het idee honden te gaan uitlaten, gewoon ter overbrugging, maar we zijn nu drie jaar verder en ik doe het nog steeds. Het bevalt me. Ik woon aan het strand, en zo wil ik het voorlopig houden. Mijn hele huis past in deze keuken. Mijn moeder noemt het een keet, en ik ben er dol op.'

'En de Australiër met de duikschool?' vroeg Leslie belangstellend. Hij at zijn salade op, leunde achterover in zijn stoel en keek haar aan. Ze leek hem een gewone, gelukkige vrouw, behalve wanneer ze over de rechtenstudie vertelde. 'Is hij er nog?' Ze schudde haar hoofd. 'Nee,' zei ze zacht.

'Wat jammer. Je ogen stralen helemaal als je over hem vertelt.'

'Hij was geweldig. We woonden twee jaar samen toen hij verongelukte.' Toen ze dat zei, keek Leslie haar nog onderzoekender aan. Ze leek wel verdrietig, maar niet overstuur, alsof ze zich er lang geleden mee had verzoend, maar hij was ontdaan door haar woorden, en hij had medelijden met haar. Ze leek het zelf niet zielig te vinden.

'Een auto-ongeluk?'

'Nee, hanggliding. Hij werd door een windvlaag van een klif geblazen en viel. Het is iets meer dan twee jaar geleden. In het begin was het heel moeilijk, maar zulke dingen gebeuren gewoon, denk ik. Het was pech. We wilden gaan trouwen en naar Australië emigreren. Ik had het er vast leuk gevonden.'

'Vast wel,' zei Leslie knikkend. 'Sidney heeft veel weg van San Francisco.'

'Dat zei hij ook. Hij kwam er vandaan. We zijn er nooit naartoe gegaan. Het was ons niet gegund, denk ik.' Ze klonk stoïcijns, en daar had hij bewondering voor. Dit meisje had niets melodramatisch.

'Is er daarna nog iemand geweest?' Ze had zijn nieuwsgierigheid gewekt.

Ze glimlachte naar Leslie Baxter tegenover haar aan de keukentafel van haar zus. Het was zo bizar dat ze in de lach schoot. Wie had kunnen denken dat Leslie Baxter nog eens naar haar liefdesleven zou vragen?

'Alleen veel blind dates met saaie mannen. Ik heb het ongeveer een jaar geleden een tijdje geprobeerd, gewoon om mijn vrienden en familie zoet te houden, maar het was de moeite niet waard, of misschien was ik er nog niet aan toe. Het afgelopen halfjaar heb ik het laten rusten. Het is moeilijk om met iemand anders opnieuw te beginnen. We pasten heel goed bij elkaar.'

'Ik heb niet de indruk dat jij moeilijk in de omgang bent,' zei hij nuchter. 'Ik heb ooit zo'n vrouw gehad. Ze was fantastisch.' Hij keek er dromerig bij.

'En toen?'

'Ik was stom, en jong. Mijn carrière kwam net van de grond en ik wilde nog een tijdje in Hollywood dollen. Zij zat in Engeland en ze wilde trouwen en kinderen krijgen. Tegen de tijd dat ik doorhad dat ze de ware was, had ze het opgegeven en was ze met een ander getrouwd. Ze had een jaar of drie gewacht, langer dan ik destijds verdiende. Ze heeft nu vijf kinderen en ze woont in Sussex. Een leuke vrouw. Ik heb nog een goede vrouw in mijn leven gehad. We zijn nooit getrouwd, maar we hebben een dochter. Monica raakte zwanger rond de tijd dat de relatie stukliep, en ze besloot het kind te houden. Ik had destijds mijn bedenkingen, maar ze had gelijk. De relatie was naar de knoppen, maar mijn dochter Chloe is het beste wat me ooit is overkomen.'

'Waar is ze?' vroeg Coco verbaasd. Hij had een echt Hollywoodleven, met vrouwen die hem wilden vermoorden, verbroken romances en een kind bij een vrouw met wie hij niet was getrouwd, maar hij leek tegelijkertijd heel gewoon en nuchter. Of misschien deed hij maar alsof. Ze had in haar jeugd veel rare acteurs ontmoet via haar vader. Soms leken ze normaal, maar ze waren het niet. Als puntje bij paaltje kwam, waren ze net zo gestoord en narcistisch als de rest. Haar vader had haar gewaarschuwd nooit iets met een acteur te beginnen, maar Leslie leek anders. Hij leek echt, en in elk geval op dit moment niet egocentrisch, verwaand of diep van zichzelf onder de indruk. Hij gaf zijn eigen fouten grif toe en probeerde niet een ander de schuld te geven, behalve in het geval van het laatste fiasco, dat ook echt zijn schuld niet leek te zijn. Er bestonden nu eenmaal gekken, zeker in zijn wereld.

'Chloe woont bij haar moeder in New York,' vertelde hij. 'Het is een serieuze Broadway-actrice, en een verbazend goede moeder. Ze houdt Chloe uit de schijnwerpers, en mijn dochter komt twee of drie keer per jaar naar me toe. Ik ga zo vaak mogelijk naar New York om haar te zien. Ze is nu zes, en het snoezigste elfje van de wereld,' vertelde hij stralend van trots. 'Haar moeder en ik zijn dikke maatjes. Soms vraag ik me af of we bij elkaar waren gebleven als we getrouwd waren, maar ik denk het niet. Ze is heel ernstig en een beetje ondoorgrondelijk. Na onze relatie kreeg ze iets met een getrouwde politicus. Iedereen wist het, maar ze hielden het muisstil. En sindsdien is er een aantal schatrijke, machtige mannen geweest. Ik was te saai voor haar. En toen nog te onrijp. Ik ben nu eenenveertig, en ik geloof dat ik nog maar net volwassen begin te worden. Het is gênant om toe te geven, maar ik denk dat ik een echte laatbloeier ben. Volgens mij zijn de meeste acteurs onvolwassen. We zijn verwend.' Het ontroerde haar dat hij het zo ruiterlijk toegaf.

'Ik ben achtentwintig,' zei ze verlegen, 'en ik weet nog steeds niet wat ik wil worden als ik groot ben. Als kind wilde ik indianenprinses worden, en sinds ik erachter ben dat dat er niet in zit, heb ik niets kunnen bedenken wat ik net zo graag wil.' Ze keek teleurgesteld en hij lachte. 'Ik vind mijn leven goed zoals het is. Het honden uitlaten bevalt me voorlopig wel, en al snapt mijn familie het niet, ik ben tevreden met hoe het gaat.'

'Daar gaat het om,' zei hij vriendelijk. 'Zet je familie je onder druk?' Jane en haar moeder kennende leek het antwoord hem wel duidelijk.

Coco schaterde het uit. 'Maak je een grapje? Ze zien mij als een grote flop, een ramp. Zij hebben allemaal een turbocarrière. Mijn zus kreeg haar eerste Oscarnominatie toen ze zo oud was als ik nu. Ze is al vanaf haar dertigste een kaskraker. Mijn moeder schreef haar eerste bestseller voor ze uit de luiers was. Mijn vader heeft zijn bureau zelf opgericht en hij heeft alle grote Hollywoodsterren vertegenwoordigd. En ik laat honden uit. Kun je je voorstellen hoe ze dat vinden? Mijn moeder is op haar tweeëntwintigste getrouwd, en op haar drieëntwintigste kreeg ze Jane. Jane heeft Liz gevonden toen ze negenentwintig was. En ik voel me als een kind van vijftien dat nog op school zit. Het kan me niet eens iets schelen of ik voor het schoolbal word gevraagd. Ik ben tevreden met mijn hond in mijn huis aan het strand.' Hij wees haar er niet op dat ze al getrouwd zou zijn geweest als Ian was blijven leven. Coco wist het zelf ook. 'Ik kom uit een familie van strebers die bij hun geboorte al wisten wat ze wilden. Ik durf te wedden dat ze me in het ziekenhuis hebben verwisseld. Ergens in een kustplaatsje woont een leuk stel ouders dat het fantastisch zou vinden dat ik honden uitliet en het niet erg zou vinden als ik nooit trouwde, maar die mensen zitten waarschijnlijk opgescheept met een kind dat raketgeleerde, neurochirurg of agent in Hollywood wil worden, en ze snappen er niets van. Terwijl ik telkens als ik bij mijn familie ben, of zelfs maar met een familielid praat, niet weet wat me overkomt.' Het was voor het eerst sinds Ian dat ze zo openhartig was, laat staan tegen iemand die ze nog maar net kende, een filmster nog wel, en het zat haar een beetje dwars dat Leslie bevriend was met Jane. Hij zag het aan haar ogen.

'Ik zeg hier geen woord over tegen Jane, hoor, dus kijk maar niet zo bezorgd.' Hij leek haar gedachten te kunnen lezen, alsof hij het begreep.

'We hebben gewoon niets gemeen,' zei Coco met tranen in haar ogen. Ze zweeg even gegeneerd en vervolgde toen: 'Ik ben het zo zat dat ze me steeds vertellen wat ik allemaal fout doe, en wat ik allemaal niet ben. Op een rare manier hebben zij er wel iets aan. Het geeft ze het gevoel dat ze belangrijk zijn, en mijn zus gebruikt me al haar hele leven als dienstmeisje. Als ik zelf een leven had, zou hun dat misschien minder goed uitkomen. Jane is een goed mens en ik hou van haar, maar ze is keihard,' besloot Coco.

Leslie knikte. 'Ik weet het. Misschien moet je gewoon nee zeggen,' zei hij zacht. Coco lachte en droogde haar ogen met haar T-shirt, en hij probeerde niet naar haar roze beha te kijken. Ze was zich er totaal niet van bewust dat ze die liet zien, besefte hij glimlachend. In sommige opzichten was ze echt nog een kind, en dat vond hij leuk. Ze was oprecht en echt, zachtaardig en vriendelijk.

'Ik probeer al mijn hele leven nee te zeggen. Daarom ben ik ook in Bolinas gaan wonen. Dat schept tenminste afstand tussen ons, al zal het je niet ontgaan zijn wie er op het huis en de hond past.'

'Op een dag zul je jezelf nog verbazen door voet bij stuk te houden,' zei hij vriendelijk. 'Als de tijd rijp is en het voelt goed, kun je het. En Jane laat zich niet zo makkelijk nee verkopen, zelfs niet door mij. Ze is een sterke vrouw, en ze is in veel opzichten een harde, al mag ik haar graag, en ze is ongelooflijk slim. Liz ook, maar die heeft een veel zachter karakter. Ze maakt Jane een stuk milder, of dat probeert ze althans.'

'Jane heeft veel van mijn vader. Ze is heel bot en direct. Mijn moeder manipuleert meer om haar zin te krijgen. Ze huilt vaak.' Toen keek Coco hem aan en lachte om zichzelf. 'Ik ook, geloof ik. Sorry. Je bent hier niet gekomen om naar mijn trieste verhalen te luisteren over hoe ik een beroemde Hollywoodfamilie ontvluchtte en in een kot aan het strand ging wonen. Het is best een lui leventje.'

'Zo triest vind ik je verhalen niet,' zei hij eerlijk, 'behalve dan dat over je Australische vriend. Dat is triest voor hem, en voor jou. Maar je bent nog jong, je hebt nog jaren en jaren de tijd om erachter te komen wat je wilt doen en om de ware te vinden. En zo te horen heb je intussen een goed leven en veel plezier. Dat is benijdenswaardig, als je het mij vraagt. Ik denk dat je het beter doet dan je zelf weet. En je hebt hun goedkeuring niet nodig. Mijn ouders maken zich nog steeds zorgen om me. Ze denken dat ik de boot heb gemist als het om een huwelijk en kinderen gaat, en misschien hebben ze gelijk. Ze zijn gek op Chloe, maar ze zouden willen dat ik getrouwd was, vier kinderen had en weer bij hen in Engeland woonde, waar ik volgens hen thuishoor. Dat is hun mening, niet de mijne. Dat Hollywoodgedoe eist een hoge tol. Soms geef je de verkeerde dingen op, daar ben ik nu zelf ook wel achter.'

'Het is nog niet te laat,' verzekerde Coco hem. 'Je kunt nog altijd trouwen en tien kinderen krijgen, en waarschijnlijk gebeurt dat ook. Niemand kan je voorschrijven wanneer dat moet gebeuren.'

'Maar als je beroemd bent, is het een stuk ingewikkelder,' zei hij peinzend. 'De goede vrouwen zijn op hun hoede en denken dat je een idioot bent, of in het gunstigste geval een rokkenjager, en degenen die als motten op de vlam afkomen, zijn de gekken, de groupies en echt slechte vrouwen, zoals die voor wie ik nu op de vlucht ben. Als je eenmaal beroemd bent, zien ze je van een kilometer afstand, en dat zijn degenen voor wie ik wil maken dat ik wegkom. Al zag ik het deze keer niet aankomen. Ze hield haar ware aard in het begin goed verborgen, ik dacht dat het echt een leuke meid was, en ik dacht dat het misschien makkelijker zou zijn omdat zij ook beroemd was. Grote fout. Ze bleek alles te zijn wat ik niet zoek.'

'Nou, dan probeer je het nog eens,' zei Coco met een glimlach, en toen stond ze op om af te ruimen. Ze bood hem ijs aan, en toen hij blij ja zei, gaf ze hem een Dove uit de vriezer. Ze had die middag een stuk of vijf smaken voor hem gekocht omdat ze niet wist wat hij lekker vond. In feite kenden ze elkaar niet, en toch vertrouwden ze elkaar hun diepste geheimen, angsten en verdriet toe, zonder zich ongemakkelijk te voelen.

'Soms ben ik het zat om het nog eens te proberen,' gaf hij toe. Het ijs droop langs zijn kin, waardoor hij zelf ook net een kind leek.

'Zo voelde ik me toen iedereen me wilde koppelen. Daarom ben ik er voorlopig mee opgehouden. Als het er nog eens van komt, gaat het wel vanzelf, denk ik. En anders is het ook goed.' Hij lachte erom. 'Mevrouw Barrington,' zei hij vormelijk, 'ik kan u verzekeren dat er nog leven is na je achtentwintigste. Jij blijft niet alleen achter. Het kan even duren voor je hebt gevonden wie je zoekt, maar iedere man mag blij met je zijn. En ik beloof je dat de ware wel komt. Je moet gewoon geduld hebben.'

Ze glimlachte en zei: 'Ik doe u dezelfde belofte, meneer Baxter. De ware komt echt. Je moet gewoon geduld hebben,' kaatste ze zijn eigen woorden terug. 'Je bent een fantastische vent, en als je uit de buurt blijft van de gekken, komt er wel een leuke vrouw op je af. Ik geef het je op een briefje.' Ze reikte hem haar sierlijke hand over het tafelblad, en hij nam hem aan. Ze voelden zich allebei beter nu ze met elkaar hadden gepraat. Dat ze samen in Janes huis terecht waren gekomen, bleek voor hen beiden een zegen te zijn. Ze hadden allebei het gevoel een nieuwe vriend te hebben gevonden.

'Is er hier op zaterdagavond iets te doen?' vroeg Leslie geïnteresseerd, en ze lachte.

'Niet veel. De mensen gaan uit eten en om tien uur 's avonds zijn de straten uitgestorven. Het is niet zo'n grote stad als Los Angeles of New York.'

'Op jouw leeftijd zou je op zaterdagavond uit moeten gaan in plaats van met zo'n ouwe man als ik te praten,' zei hij vermanend, en ze lachte weer.

'Maak je een geintje? Ik zit hier in de keuken van mijn zus met de beroemdste filmster van de wereld te praten. Iedere vrouw zou haar rechterarm geven om een zaterdagavond zo door te mogen brengen,' zei ze bewonderend. Het bracht zelfs haar in een roes. Ze verkeerde al jaren niet meer in de wereld van haar ouders, of zelfs die van haar zus. 'En dan hebben we het nog niet eens over de zaterdagavond in Bolinas, waar ik woon. Er zouden hooguit tien bejaarde hippies in het café zitten. Verder is iedereen nu al naar bed, en ik zou naar een van je films liggen kijken.' Ze lachten er samen om. Hij hielp haar hun borden in de afwasmachine te zetten, deed de lichten beneden uit en liep langzaam achter haar aan de trap op naar boven, gevolgd door de honden. De Engelse dog maakte hem nog steeds nerveus. Sallie, die kleiner en minder indrukwekkend was, joeg hem minder angst aan. Jack kon hem zó omvergooien, al wist Coco dat hij dat nooit zou doen. Hij was nog zachtaardiger dan Sallie, maar hij woog meer dan Leslie.

Op de overloop wensten ze elkaar welterusten. Leslie vroeg aan Coco wat ze de volgende dag ging doen, en ze zei dat ze nog geen plannen had. Ze werkte nooit op zondag, maar ze wilde dolgraag een dag naar huis.

'Ik wil dat bijzondere kustplaatsje van jou wel eens zien,' zei hij hoopvol. 'Is het ver rijden?'

'Nog geen uur,' antwoordde ze met een glimlach. Ze wilde hem dolgraag rondleiden.

'Ik wil je keetje zien, en een strandwandeling maken. De zee heeft altijd iets verkwikkends. Ik heb een tijdje een huis in Malibu gehad. Ik had echt spijt toen ik het had verkocht. Misschien kunnen we morgen naar Bolinas rijden,' stelde hij voor. Hij onderdrukte een geeuw. Nu hij ontspannen was en zich weer veilig voelde, merkte hij pas hoe uitgeput hij was. 'Ik zal wafels voor het ontbijt maken,' beloofde hij, en hij drukte een zoen op haar wang. 'Bedankt voor het luisteren vanavond.' Hij mocht haar echt graag. Ze was een fatsoenlijk, eerlijk mens en ze wilde niets van hem. Geen roem of rijkdom, geen pers of publiciteit, niet eens een etentje. Hij voelde zich verrassend op zijn gemak bij haar, in aanmerking genomen dat hij haar pas die ochtend had ontmoet. Je voelde meteen aan dat je haar kon vertrouwen, en dat gevoel had zij ook bij hem.

Toen hij zijn kamer binnenkwam, ging zijn mobieltje. Hij kreeg geen nummer op zijn scherm, maar hij was er vrijwel zeker van dat het die psychopate was die hem wilde stalken. Hij liet de voicemail opnemen en een minuut later kreeg hij weer een dreigend sms'je van haar. Ze was hysterisch. Hij wiste het bericht zonder erop te reageren. Hij deed zijn deur dicht, kleedde zich uit en ging naar bed, waar hij nog lang lag na te denken over Coco en alles wat ze elkaar hadden verteld. Hij genoot van de openhartigheid en eerlijkheid waarmee ze over zichzelf vertelde. Hij had geprobeerd net zo open en eerlijk te zijn, en hij dacht dat het hem was gelukt. Hij deed het licht uit en liet zijn gedachten de vrije loop, maar hij kon de slaap niet vatten.

Toen hij een uur later besloot een glas melk te gaan drinken in de keuken, zag hij dat Coco's licht nog brandde. Hij klopte zacht aan om te vragen of ze ook iets wilde, en ze riep hem binnen. Ze lag tussen de honden in een verschoten flanellen pyjama naar een film te kijken. Hij wierp een blik op het scherm en keek in zijn eigen gezicht. Het was alsof hij zichzelf in een reusachtige spiegel zag, en hij keek er verbijsterd naar. Coco leek zich betrapt te voelen.

'Sorry,' zei ze schaapachtig, weer net een klein meisje, 'dit is mijn lievelingsfilm.' Hij glimlachte. Het was een groot compliment van een vrouw die hij binnen een dag was gaan bewonderen. Ze zei het niet om hem te vleien. Als hij niet binnen was gekomen, had hij niet eens geweten dat ze naar een van zijn films keek.

'Ik vond hem ook goed, al vond ik mezelf verschrikkelijk,' gaf hij nonchalant toe. Hij grinnikte naar haar. 'Ik ga naar beneden. Kan ik iets voor je meebrengen?'

'Nee, dank je.' Het was lief aangeboden. Ze voelden zich net twee kinderen die een logeerpartijtje hielden in Janes mondaine huis. Coco had haar kleren op de vloer van de slaapkamer laten slingeren, want dan leek het knusser. Alles was zo netjes als Jane in de buurt was. Coco vond dat haar rommel het huis iets menselijker maakte, al was haar zus het daar niet mee eens geweest.

'Tot morgen dan. Veel plezier met de film,' zei Leslie. Hij deed de deur dicht en ging naar beneden om het glas melk en nog een ijsje te pakken. Hij hoopte half en half dat Coco ook naar beneden zou komen, maar ze werd te zeer in beslag genomen door de film. Na zijn snack ging hij weer naar boven, en nu viel hij binnen een paar minuten vast in slaap en werd pas de volgende ochtend wakker. Het voelde alsof hij al zijn zorgen in Los Angeles had achtergelaten en hij hier precies had gevonden wat hij zocht. Een veilige haven, ver van het gevaar en de mensen die hem kwaad wilden doen. En in die veilige haven had hij iets gevonden wat nog veel zeldzamer was: een veilige vrouw. Zo had hij zich niet meer gevoeld sinds hij uit Engeland naar Hollywood was vertrokken. En hij wist dat hem hier, in dit huis in San Francisco, met dat grappige meisje en die twee grote honden, niets kon overkomen.

HOOFDSTUK 4

Toen Coco de volgende ochtend wakker werd, was het weer een volmaakt zonnige dag. Het was warm en de lucht was stralend blauw. Leslie, die eerder naar beneden was gegaan dan zij, had al bacon voor bij de wafels gebakken. Hij schonk zichzelf een glas jus d'orange in en zette water op om thee te zetten. Net toen hij het kokende water in twee bekers schonk, kwam Coco de keuken binnen. Ze had de honden in de tuin gelaten. Na het ontbijt wilde ze een lange wandeling met ze maken.

'Het ruikt zalig,' zei ze toen hij haar een beker aanreikte met de groene thee die hij in de kast had gevonden. Zelf had hij English Breakfast-thee genomen, die hij zonder melk of suiker dronk. Even later zette hij een bord met wafels voor Coco neer. De stroop stond al op tafel. Ze lachten allebei bij de herinnering aan de totale chaos van de vorige dag. 'Bedankt voor het ontbijt,' zei ze beleefd toen hij met zijn eigen bord wafels en bacon tegenover haar kwam zitten.

'Ik weet niet of ik jou wel vertrouw in de keuken,' zei hij plagerig. Hij keek door het enorme raam naar de baai. 'Gaan we vandaag naar het strand?' vroeg hij met een blik op de zeilboten die zich al in wedstrijdformaties opstelden. Het was altijd een drukte van belang in de baai, met eindeloze stromen boten.

'Wil je dat wel?' vroeg ze omzichtig. 'Ik kan ook alleen gaan, hoor. Ik moet een paar dingen halen en naar mijn post kijken.'

'Mag ik mee?' Hij wilde zich niet opdringen, of lastig zijn. Ze moest vast van alles doen, of misschien had ze liever even rust en privacy in haar eigen huis, of wilde ze vrienden opzoeken.

'Graag,' zei ze naar waarheid. Hoe erg kon het zijn om een dag in Bolinas door te brengen met Leslie Baxter? 'Ik wil het je laten zien. Het is een maf dorpje, maar wel fantastisch.' Ze had hem al verteld dat er geen borden waren, zodat niemand het kon vinden.

Een uur later stapten ze gekleed in spijkerbroek, T-shirt en slippers met de honden in haar busje. Ze had hem gewaarschuwd dat het fris kon worden als het ging misten, dus hadden ze allebei een trui bij zich. Toen ze over Divisadero Street naar Lombard Street reden en zich daar in de stroom verkeer naar de Golden Gate Bridge voegden, was er echter nog geen wolkje te bekennen. Onder het rijden vertelde hij over zijn jeugd in Engeland, en hij gaf toe dat hij zijn vaderland soms miste, maar hij bekende ook dat het nu anders was om thuis te zijn. Door zijn roem werd hij zelfs daar anders behandeld. Wat hij ook deed om het tegendeel te bewijzen, de mensen met wie hij was opgegroeid, deden nu alsof hij speciaal was, of op een bepaalde manier anders, hoe gewoon hij zich ook nog voelde.

'Vertel eens over Chloe?' vroeg Coco toen ze over de brug de heuvel op reden naar de regenboogtunnel in Marin.

'Ze is om op te vreten,' zei Leslie, die begon te stralen zodra hij aan haar dacht. 'Kon ik haar maar vaker zien. Ze is superslim en echt aanbiddelijk. Ze lijkt op haar moeder.' Hij zei het met een diepe genegenheid, niet alleen voor zijn dochter, maar ook voor de vrouw die lang geleden zijn vriendin was geweest.

'Ik zal je wat foto's van haar laten zien als we in Bolinas zijn.' Hij had altijd een partij foto's van Chloe en haar moeder in zijn portefeuille. 'Ze wil ballerina of vrachtwagenchauffeur worden als ze groot is. Kennelijk denkt ze dat het onderling uitwisselbare, even boeiende beroepen zijn. Ze zegt dat vrachtwagenchauffeurs van alles op de weg mogen kieperen, wat ze ontzettend boeiend vindt. Ze volgt alle mogelijke lessen, van Frans en computeren tot piano en ballet.' Hij zag er trots en gelukkig uit wanneer hij over zijn dochter praatte. Hij zei dat zijn omgang met haar en haar moeder altijd soepel en eerlijk was verlopen. 'Haar moeder had een tijdje terug een serieuze relatie en ik dacht dat ze ging trouwen. Toen maakte ik me een beetje ongerust. Hij was Italiaans, en het zou nog moeilijker worden om Chloe in Florence op te zoeken dan in New York. Ik was opgelucht toen het uit raakte, al verdient Monica iemand in haar leven. Eerlijk gezegd was ik jaloers op die man. Hij kreeg Chloe vaker te zien dan ik. Ik geloof niet dat haar moeder nu iemand heeft,' zei hij toen ze de afslag naar Stinson Beach namen en door Mill Valley reden.

'Zou je haar ooit terugnemen vanwege Chloe?' vroeg Coco belangstellend. Hij schudde zijn hoofd.

'Dat zou ik niet kunnen, en zij ook niet. Dat is allemaal geweest. Het is te lang geleden en er is te veel gebeurd. Het was voor Chloe's geboorte al over tussen ons. Ze was gewoon een schitterend ongeluk. Chloe is het beste wat ons ooit is overkomen. Ze maakt alles de moeite waard.'

'Ik kan me niet eens voorstellen hoe het is om kinderen te hebben,' zei Coco eerlijk. 'Nu nog niet, tenminste.' En zelfs toen Ian nog leefde, had ze zich te jong gevoeld om al aan kinderen te denken, zelfs niet met hem. 'Misschien als ik in de dertig ben,' zei ze vaag. Hij bewonderde de manier waarop ze de bochten nam met het oude busje, dat griezelige geluiden maakte maar lustig doorronkte. Leslie vertelde dat hij graag aan auto's sleutelde. Het was een hobby uit zijn jeugd die hij nooit

was ontgroeid. Hij was onder de indruk van de haarspeldbochten die de kliffen langs de kust volgden en die zij met gemak nam. Hij had de indruk dat ze competent en kalm was
en haar leven in de hand had, wat haar moeder en zus ook
dachten. Hij wist zeker dat ze ongelijk hadden. En hoe dichter ze bij het strand kwamen, hoe vrolijker Coco werd.

'Ik hoop dat je niet wagenziek bent?' vroeg ze met een bezorgde blik opzij.

'Nog niet. Ik geef wel een gil.' Het was schitterend weer en
het uitzicht was fantastisch. De honden lagen allebei achter in
het busje te slapen, en na twintig minuten scherpe bochten
liep de weg af naar Stinson Beach. Aan weerszijden van de weg
stonden wat winkeltjes lukraak naast elkaar. Een galerie, een
boekwinkel, twee restaurants, een supermarkt en een cadeau-
winkel. 'Dit moet een van de vergeten wereldwonderen zijn,'
zei Leslie met een geamuseerde blik op het rustieke centrum,
als je het zo mocht noemen. Ze waren er in een wip doorheen,
en toen sloegen ze af en reden verder door smalle straten met
bouwvallige huisjes.

'Daar is een omheinde wijk.' Ze gebaarde vaag voorbij een lagune. 'En rechts is een vogelreservaat. Het is hier nog vrijwel
onbedorven.' Toen glimlachte ze breed. 'Wacht maar tot je
Bolinas ziet. Het zit in een tijdlus en is nog minder beschaafd
dan dit hier.' Hij was dol op de ruigheid en de eenvoud. Dit
was geen chique kustplaats, en het voelde alsof de dichtstbij-
zijnde stad een miljoen kilometer verderop lag. Hij kon zich
voorstellen waarom ze hier woonde. Hij kreeg een gevoel van
rust en kalmte op de anonieme weg. Het was alsof je je zorgen ver achter je kon laten, alleen maar door hierheen te gaan.
Zelfs de beangstigende rit was ontspannend geweest.

Tien minuten later sloeg Coco links af en ze klommen op naar
een klein rotsplateau. Er stonden huizen die aan eeuwenoude
boerderijen deden denken, immense oude bomen en een kerk-
je.

'Ik zal je eerst het centrum laten zien,' zei ze met een lach, 'al is dat iets te veel gezegd. Het is nog kleiner dan Stinson Beach. Ons strand is minder mooi, het is landelijker, maar dat houdt de toeristen ook weg. Het is te moeilijk te vinden en te bereiken.' Terwijl ze het zei, reden ze langs een vervallen restaurant, een supermarkt, de winkel met drugsparafernalia en de ouderwetse kledingzaak met een soort *geknoopverfde* jurk in de etalage.

Leslie keek breed grijnzend om zich heen. 'Is dit het?' Hij leek het kostelijk te vinden. De piepkleine winkels stamden uit een ander tijdperk, maar alles eromheen was groen en mooi. Er stonden grote, massieve eiken en doordat ze zich op een verhoging boven de zee bevonden, leek het meer op het platteland dan op de kust.

'Dit is het,' bevestigde Coco. 'Als je wierook zoekt, of een hasjpijp, moet je daar zijn.' Ze wees en hij grinnikte.

'Ik geloof dat ik me vandaag wel zonder kan redden.'

Ze reed langs het groepje winkels, de weg af langs huizen met ouderwetse brievenbussen, houten schuttingen en af en toe een smeedijzeren poort. 'Er staan hier een paar prachtige huizen, maar dat is een goed bewaard geheim. Verder zijn het vooral boerderijtjes en oude hutten van surfers. Vroeger woonden veel hippies in oude schoolbussen bij het strand. Het is iets netter geworden, maar niet veel,' zei ze met een vredige uitdrukking op haar gezicht. Het was fijn om weer thuis te zijn.

Ze parkeerde het busje voor haar huis, liet de honden eruit en liep met Leslie door het verweerde houten hek dat Ian nog had gebouwd. Ze maakte de voordeur open en ging naar binnen. Leslie volgde haar behoedzaam en keek om zich heen. De woonkamer bood een volmaakt uitzicht op zee, al waren de ramen oud en niet echt groot, in tegenstelling tot de ramen van de vloer tot aan het plafond in Janes huis in de stad. Hier was niets voor de show gebouwd, het was gewoon een knusse plek om te wonen, zag Leslie. Hij vond het net een poppenhuis. Op de vloer lagen stapels boeken, en op de tafel oude tijdschriften. Op een ezel in een hoek stond een van Coco's aquarellen en er waren een paar gordijnhaken losgeraakt, maar ondanks de gezellige wanorde die het vrijgezellenleven met zich meebracht, was het een gastvrije, doorleefde kamer. Coco stak elke avond de open haard aan.

'Het is niet veel, maar ik ben er heel blij mee,' zei Coco tevreden. Aan de wanden hingen ingelijste aquarellen en op de schoorsteenmantel en in de overvolle boekenkast stonden foto's van Ian en haar. De open keuken was een beetje een rommeltje, maar wel schoon, en daarachter was haar slaapkamer met een knusse gewatteerde deken op het bed, en een verschoten oude quilt die ze op een rommelmarkt had gevonden. 'Het is prachtig,' zei Leslie met stralende ogen. 'Het is geen keet, zoals jij zei, maar een echt huis.' Het was oneindig veel warmer dan het elegante onderkomen aan Broadway Street van haar zus, en hij kon zich voorstellen dat Coco liever hier was. Hij keek naar een foto van Ian en haar, gelukkig en jong in duikpak op zijn boot, en toen liep hij achter Coco aan naar het terras, dat een spectaculair uitzicht bood op de zee, het strand en de stad in de verte. 'Als ik hier woonde, zou ik nooit meer weggaan,' zei hij, en hij meende het.

'Ik ga ook nooit weg, behalve om te werken.' Ze glimlachte naar hem. Dit was een heel andere wereld dan de villa in Bel-Air waar ze was opgegroeid, en meer had ze niet nodig. Ze hoefde het hem niet uit te leggen, hij begreep het, en hij keek zacht glimlachend op haar neer. Het was alsof ze hem net haar geheime clubhuis had laten zien, haar verborgen tuin. Door hem het huis te laten zien, gunde ze hem een blik in haar ziel.

'Dank je wel dat ik hier mocht komen,' zei hij zacht. 'Ik voel me vereerd.' Hij had het nog niet gezegd of de honden, die al onder het zand zaten, kwamen naar hen toe gerend. Aan Jacks halsband hing een tak waar nog bladeren aan zaten. De grote hond leek opgetogen te zijn, evenals Sallie. Coco glimlachte naar Leslie.

'Fijn dat je begrijpt wat dit voor me betekent. Mijn familie dacht dat ik gek was geworden toen ik hierheen verhuisde. Het is moeilijk uit te leggen aan mensen zoals zij.' Leslie vroeg zich af of ze hier was gebleven als Ian nog had geleefd. Hij vermoedde van wel, en anders hadden ze net zo'n plek opgezocht in Australië. Coco was iemand die wanhopig probeerde te ontsnappen aan haar herkomst, de waarden die ze afkeurde en de schone schijn van die wereld. Dat was de uiterlijke manifestatie van alles wat ze had afgewezen toen ze hier kwam. De schijn, de bezetenheid van materiële zaken, de strijd om hogerop te komen, het opofferen van mensen voor een carrière. 'Wil je een kop thee?' bood ze aan, en hij zakte in een van de twee verschoten ligstoelen.

'Graag.' Toen zag hij het oude beeldje van Guanyin dat Ian haar had gegeven. 'De godin van het mededogen,' zei hij zacht toen ze hem een paar minuten later een kop thee aanreikte en naast hem kwam zitten. 'Ze doet me aan jou denken. Je bent een vriendelijke vrouw, Coco, een edele vrouw. Ik heb de foto's van je vriend gezien. Zo te zien was het een goed mens,' zei hij respectvol. Ian was lang, blond en knap geweest, en het stel stond zorgeloos en gelukkig op de foto. Toen hij langs hun glimlachende gezichten liep, was Leslie heel even jaloers geweest. Hij vermoedde dat hij in zijn hele leven niet had gehad wat die twee hadden gedeeld.

'Hij was een goed mens.' Ze keek naar de zee, draaide haar hoofd en glimlachte naar Leslie. 'Alles wat ik me maar kan wensen, heb ik hier. De zee, het strand, een rustig, vredig leven, dit terras waar ik elke ochtend naar de zonsopkomst kijk, en 's avonds een haardvuur. Mijn hond en mijn boeken, en de mensen die belangrijk voor me zijn vlakbij. Meer heb ik niet nodig. Misschien wil ik op een dag iets anders, maar nu nog niet.'

'Denk je dat je ooit terug zult gaan, naar de "echte" wereld, bedoel ik? Of kan ik beter de "onechte" wereld zeggen, die waar je vandaan komt?'

'Ik hoop het niet,' zei ze gedecideerd. 'Waarom zou ik? Ik heb er nooit iets van begrepen, als kind al niet,' zei Coco, die haar ogen dichtdeed en haar gezicht naar de zon hief. Leslie nam haar aandachtig op. Haar haar glansde als net gepoetst koper, en de beide honden lagen aan hun voeten te slapen. Het was een leven waaraan je gewend kon raken, het ontbreken van complicaties en gekunsteldheid, maar hij kon zich voorstellen dat het ook eenzaam was. Ze leidde een leven zonder veel andere mensen of hechte banden, maar hij was er niet veel beter aan toe. Hij verstopte zich voor een vrouw die hem wilde vermoorden. Dit was beslist zinniger. Leslie vond alles wat hij hier zag prachtig, maar hij betwijfelde of hij hier zou kunnen leven. Coco mocht dan dertien jaar jonger zijn, ze leek zichzelf veel eerder te hebben gevonden dan hij. Hij was nog steeds op zoek, al wist hij zo langzamerhand veel beter wat hij wilde. Hij wist in elk geval wat hij niet zocht. Dat had Coco ook veel eerder geweten dan hij.

'Ik moet bekennen...' Hij grinnikte zacht toen Coco haar ogen opendeed en hem weer aankeek. Alles aan haar was evenwichtig, degelijk en vredig. Ze was als een grote teug zuiver water uit een bergbeek. 'Ik kan me je zus hier niet voorstellen.' Coco lachte met hem mee.

'Ze vindt het hier vreselijk. Lizzie vindt het minder erg, maar het is niets voor hen. Zij horen in de stad. Jane vindt San Francisco een dorp. Ik denk dat ze allebei liever in Los Angeles zouden wonen, maar ze zijn dol op hun huis hier en Lizzie zegt dat ze hier beter kan schrijven omdat er minder afleiding is.'

Leslie glimlachte nog steeds. 'Ik herinner me nog dat ik Jane leerde kennen. Ik vond haar de mooiste vrouw die ik ooit had gezien. Ze was midden twintig en een stuk. Nog steeds. Ik ben ongeveer een jaar smoorverliefd op haar geweest. Ik bleef haar

maar mee uit vragen, en zij bleef mij maar als een maatje behandelen. Ik begreep niet wat ik verkeerd deed. Ten slotte hield
ik het niet meer. Ik kuste haar op een avond na een etentje,
en ze keek me aan alsof ik niet goed snik was en zei dat ze lesbisch was. Ze zei dat ze al het mogelijke had gedaan om het
me duidelijk te maken. Ze had zelfs wel eens mannenkleren
gedragen als we uitgingen. Ik dacht gewoon dat ze excentriek
was, en ik vond het wel sexy. Ik voelde me de grootste idioot
die je je kunt voorstellen, maar sindsdien zijn we dikke vrienden. En ik mag Liz graag. Ze zijn perfect voor elkaar. Liz maakt
Jane op de een of andere manier milder. Jane is een stuk relaxter geworden in de loop der jaren.'
'Dat is een griezelig idee,' merkte Coco op. 'Ze is nog steeds
hard. Tegen mij wel, in elk geval. Wat haar betreft, ben ik
nooit goed genoeg, en dat zal ik wel nooit worden ook.' Het
geheim was dat ze er niet langer naar moest streven, maar Coco wist beter dan wie ook dat ze daar nog niet aan toe was. Ze
deed nog steeds te hard haar best om de goedkeuring van haar
zus te verdienen, ook al woonde ze in Bolinas.
'Waarschijnlijk wil ze het beste voor je, en maakt ze zich zorgen om je,' zei Leslie verstandig terwijl ze hun thee dronken.
Coco vond het prettig om naast hem te zitten, naar de zee te
kijken en over het leven te praten.
'Misschien, maar niet iedereen kan net zo zijn als zij. Ik wil er
niet eens mijn best voor doen. Ik heb voor een andere weg gekozen, weg van dat alles. Mijn moeder begrijpt het net zomin.
Ik ben gewoon anders, altijd al geweest.'
'Dat lijkt me juist goed,' zei hij verzoenend, en hij zakte onderuit in de ligstoel.
'Mij ook, maar de meeste mensen vinden het beangstigend.
Ze denken dat ze hetzelfde moeten zijn als iedereen, en kiezen
voor een leven en normen die niet bij hen passen. Dat leven
heeft nooit bij me gepast, ook niet toen ik nog klein was.'
'Dat zie ik nu al bij Chloe,' zei hij peinzend. 'Ze wil geen ac-

trice worden, zoals haar moeder en ik. Ze wil liever op een vrachtwagen rijden. Ik denk dat het haar manier is om te zeggen dat ze is wie ze is, en dat ze niet is zoals wij. Daar moet je respect voor hebben.'

'Dat hebben mijn ouders nooit gehad. Ze deden gewoon alsof ze het niet zagen, in de hoop dat het vanzelf over zou gaan. Als je nu al respecteert wie ze is, terwijl ze pas zes is, ben je mijn ouders ver voor.' Coco glimlachte terwijl ze erover nadacht. 'Mijn moeder wilde voor ons allebei een debutantenbal geven. Jane was net uit de kast gekomen en streed militant voor homorechten. Ik denk dat zij is ontsnapt omdat mijn moeder bang was dat ze in een smoking zou verschijnen in plaats van in avondjurk. Toen ik elf jaar later aan de beurt was, was ze veel kwader. Ik zei dat ik nog liever mijn lever er uitsneed met een ijspriem dan mijn debuut te maken. Ik vond het verkeerd, elitair, een overblijfsel uit een ver verleden, toen zo'n bal nog een verkapte huwelijksmarkt was. Ik ging dat jaar in plaats daarvan naar Zuid-Afrika, waar ik hielp riolering aan te leggen in een dorp. Dat vond ik veel leuker dan een introductiebal. Mijn moeder was hysterisch en wilde een halfjaar niet met me praten. Mijn vader vatte het iets beter op, maar hij zou weer woest zijn geweest toen ik mijn studie eraan gaf. Ze hadden allebei hun dromen voor ons, denk ik. Jane voldoet niet helemaal, maar dat zagen ze door de vingers omdat ze een groot succes is, wat voor hen altijd de gouden standaard is geweest. Ik ben er niet in getrapt, en dat zal ik nooit doen ook,' zei ze met een zelfbewustheid die hij bewonderde.

'Je familie zal er uiteindelijk wel aan wennen,' zei Leslie bedaard, maar gezien alles wat ze hem tot nog toe had verteld, was hij daar niet zo zeker van. Coco was niet iemand die aan andermans verwachtingen wilde voldoen als die haar niet juist leken. Ze was trouw aan zichzelf en alles waarin ze geloofde, kost wat kost. Daar had hij een immens respect voor. 'Trouwens, ik vind die aquarel op de ezel heel mooi. Hij ziet er heel vredig uit.'

'Ik schilder niet vaak meer,' bekende ze. 'Het meeste werk geef ik weg. Het is gewoon ontspannen om te doen.' Hij had het vermoeden dat ze veel talenten had en uit allemaal genoegen putte, al had ze haar echte roeping nog niet gevonden. In sommige opzichten vond hij haar zoektocht benijdenswaardig. Soms had hij genoeg van het acteren en alle krankzinnigheid eromheen.

Ze zwegen een tijdje, opgaand in hun eigen gedachten, en uiteindelijk sukkelde Leslie in slaap. Coco bracht de koppen naar binnen en pakte wat dingen in die ze mee wilde nemen naar de stad. Toen ze weer buitenkwam, werd hij wakker.

'Zwemt hier wel eens iemand?' vroeg hij. De zon had hem loom en slaperig gemaakt.

'Soms.' Ze glimlachte. 'Af en toe is er een haaienalarm, wat de doetjes afschrikt, en het water is vrij koud. Met een wetsuit gaat het beter. Ik heb er wel een in ongeveer jouw maat, als je wilt.' Ian was ongeveer net zo lang geweest als Leslie, maar iets breder en gespierder. Zijn wetsuits en duikgerei lagen nog in de garage. Ze had overwogen alles weg te geven, maar het nooit gedaan. Ze vond het prettig om zijn spullen te zien, dat voelde minder eenzaam en zijn afwezigheid leek minder definitief, alsof hij nog terug kon komen om zijn spullen te gebruiken.

'Ik geloof dat dat haaienalarm zo af en toe me de lust heeft benomen,' zei hij grinnikend. 'Ik ben een toegewijde, verstokte lafaard. Ik moest een keer voor een film duiken met een haai. Hij was zogenaamd afgericht en hij had een kalmeringsmiddel gekregen. Ik heb besloten een stuntman te gebruiken voor alles, behalve de liefdesscènes, en daarvoor ben ik zelf afgericht en krijg ik kalmeringsmiddelen.'

Ze lachte. 'Ik ben ook niet zo'n held,' bekende ze verlegen, maar hij was het niet met haar eens.

'Dat kun je niet menen! Ik vind je ontzettend moedig. Als het om de belangrijke dingen gaat. Je bent tegen de traditie van je familie in gegaan, je hebt je tegen het systeem verzet. Je hebt het zelfs de rug toegekeerd, en dat heb je met moed en gratie gedaan. Hoe je ook onder druk werd gezet, je hebt voor jezelf gekozen, en voor de dingen waar jij voor staat. Je hield van een man, je bent hem kwijtgeraakt, en je zeurt er niet over, je bent verdergegaan met je leven. Je bent hier blijven wonen, alleen in een gek dorpje. Je bent niet bang om alleen te wonen of alleen te zijn. Je hebt zelf het werk geschapen dat bij je past, al kleineren je dierbaren je erom. Daar is allemaal moed voor nodig. Er is veel moed voor nodig om anders te zijn, Coco, en jij doet het allemaal waardig en zelfverzekerd. Ik loop over van bewondering.' Het waren lieve woorden en ze waardeerde het dat hij erkende wie ze was zonder haar te wijzen op alle dingen die ze fout deed. Hij bekrachtigde juist al haar beslissingen en het leven waarvoor ze had gekozen. Ze glimlachte warm naar hem.

'Dank je. Ik bewonder jou ook, Leslie. Je bent niet bang om het toe te geven als je je vergist of een fout hebt gemaakt. Je bent ongelooflijk nederig, in aanmerking genomen wie je bent, wat je hebt bereikt en de wereld waarin jij leeft. Je zou ook een grote etter kunnen zijn onder die omstandigheden, maar dat ben je niet. Ondanks alles ben je jezelf gebleven.'

'Anders zouden mijn ouders me onterven,' zei hij eerlijk. 'Misschien is dat de reden dat ik mezelf trouw blijf. Uiteindelijk moet ik hen en mezelf altijd weer onder ogen komen. Het is heel leuk om acteur te zijn en te zien hoe iedereen zich het vuur uit de sloffen loopt om mijn wensen in te willigen, maar als puntje bij paaltje komt, ben ik ook maar een mens, goed of slecht. Het is gênant te zien hoe mensen in mijn vak zich kunnen aanstellen, en dat doen ze vaak. Ik kan er slecht tegen. En wanneer ik naar mezelf kijk, zie ik meestal alleen wat ik allemaal fout doe, niet wat ik goed doe.' Hij keek haar ernstig aan. 'In dat opzicht is het misschien goed om je altijd extreem onzeker te voelen.' Ze lachten er samen om. 'Ik vind het indrukwekkend dat jij niet onzeker overkomt.'

'Dat ben ik wel, ik ben alleen ontzettend koppig.' Ze slaakte een zucht. 'Ik probeer continu erachter te komen wie ik ben en wat ik wil. Ik weet hoe en waarom ik hier terecht ben gekomen, ik weet alleen niet wat ik hierna wil. Misschien is dit het uiteindelijk wel. Ik ben er nog niet uit.'
'Je komt er wel. Je hebt nu in elk geval veel mogelijkheden. Alle deuren staan nog voor je open.'
'Ik ben blij met de deuren die ik tot nog toe heb geopend, ik weet alleen nog niet welke ik nu wil kiezen.'
'Zo voelt iedereen zich wel eens. Het lijkt of alle anderen de antwoorden al hebben, maar ze doen maar alsof. Ze weten niets meer dan wij, of ze houden hun wereldje klein. Dat is makkelijker. Als je bereid bent verder te kijken, is het leven veel spannender, maar het kan ook heel beangstigend zijn.' Hij zei het deemoedig, niet bang haar ook zijn angsten en onzekerheden te tonen.
'Je hebt gelijk,' zei ze instemmend. 'Het is beangstigend. En jij? Wat ga jij nu doen? Terug naar Los Angeles, een ander huis zoeken?' En opnieuw beginnen, een nieuwe vriendin zoeken? Dat laatste vroeg ze niet hardop, maar ze dachten het allebei wel. Ze vroeg zich af hoe vaak je opnieuw kon beginnen, mensen leren kennen, iemand uitkiezen, het lot een kans geven, iets nieuws beginnen, uiteindelijk teleurgesteld worden en weer uit elkaar gaan. Op een gegeven moment moest je er genoeg van krijgen. Zelfs na de twee heerlijke jaren met Ian kostte het haar moeite de moed te verzamelen om het nog eens te proberen. Misschien was het juist zo moeilijk omdat alles met hem zo goed was geweest. Maar als je telkens de verkeerde vrouw trof, hoe vaak kon je dan opnieuw beginnen? Ze moest er niet aan denken hoeveel mislukte relaties Leslie Baxter achter de rug had. Opnieuw beginnen moest voor een man van eenenveertig een afgezaagd spelletje zijn. Dat was ook precies wat hij dacht toen ze haar vraag stelde.
'Ik vind wel iets om de tijd te overbruggen, denk ik. Over een

halfjaar kan ik weer in mijn eigen huis en over vier maanden begin ik aan een nieuwe film, waarvoor opnames worden gemaakt in Venetië. Tegen de tijd dat ik terugkom, is mijn huurder weg. Ik zou in een hotel kunnen gaan zitten, maar daar heb je niet veel privacy, en mevrouw de gestoorde ex kan me daar makkelijk te grazen nemen, mocht ze daar over een paar weken nog zin in hebben. Ik vermoed dat ze vrij snel iemand anders vindt die ze kan kwellen. Ze is geen type dat lang zonder man zit. Wat de rest betreft,' beantwoordde hij de vraag die ze niet had gesteld, maar die hij wel had begrepen, 'wacht ik liever een tijdje. Ik heb rust nodig na al dat gedoe. Het was best een schok om te merken dat ik iemand zo verkeerd had beoordeeld.' Terwijl hij het zei, wreef hij zonder het zelf te beseffen over zijn gekneusde wang. Hij had zijn mobieltje in Janes huis laten liggen om even bevrijd te zijn van de sms'jes van zijn ex. Hij wilde haar nooit meer zien, al wist hij dat ze elkaar in hun wereld uiteindelijk weer zouden tegenkomen. Hij verheugde zich er niet op. 'Ik kan wel zonder liefde in mijn leven. Voorlopig, althans. Ik begin te denken dat het voor mij alles of niets is. Dat gevlinder is veel werk en het loopt altijd slecht af. Het is een minuut of vijf leuk, en vervolgens ben je een eeuwigheid bezig om de rommel op te ruimen. Het heeft wel iets van het stroopfiasco bij onze eerste ontmoeting.' Ze glimlachte. 'De rotzooi van een verbroken relatie opruimen is net zoiets, maar dan veel minder leuk. En veel lastiger.' Zijn ex had hem al gezegd dat ze alles wat hij bij haar had achtergelaten zou vernielen. In haar volgende sms'je stond dat ze het had gedaan. Het waren allemaal dingen die vervangbaar waren, maar het was reuze lastig en een diepe belediging. Hij kreeg een inval en lachte. 'Eigenlijk ben ik nu gewoon dakloos. Dat is iets nieuws voor me. Ik ga niet snel samenwonen, en zeker niet in het huis van mijn vriendin. Deze keer ben ik overmoedig geweest. Ze speelde het verschrikkelijk goed. Ze kan veel beter acteren dan ik dacht. Ze zou een Oscar moeten krijgen voor onze eerste drie maanden samen. Dat ik zo'n les op mijn eenenveertigste nog moest leren... Dwaasheid zal wel niet aan leeftijd gebonden zijn.'

'Het spijt me voor je,' zei ze meelevend. Ze had zelf nooit zoiets meegemaakt en hoopte dat het haar bespaard zou blijven. Hij liep een groter risico, want als Hollywoodster was hij onvermijdelijk een makkelijk doelwit. Ze herinnerde zich de verhalen die haar vader vaak had verteld over de drama's van zijn cliënten, de verbroken relaties en vechtpartijen, mensen die elkaar financieel uitkleedden of elkaar openlijk of in het geniep bedrogen, de zelfmoordpogingen. Het hoorde allemaal bij het leven dat ze niet wilde en dat ze was ontvlucht. In het echte leven konden er ook erge dingen gebeuren, maar niet zo in de schijnwerpers en niet zo vaak. Voor iemand als Leslie Baxter hoorde het erbij. Romances tussen filmsterren waren meestal vluchtig en van korte duur, bloeiden op in een publiek vertoon van vuurwerk en eindigden in een puinhoop. Ze benijdde hem niet. En zelfs al riep hij het over zichzelf af door de verkeerde vrouwen te kiezen, het moest toch ontmoedigend voor hem zijn. Zo te horen had het veel erger kunnen aflopen dan met een zere wang.

'Het spijt mij ook,' zei Leslie zacht. 'Het spijt me dat ik zo stom ben geweest. En dat jij je vent hebt verloren. Je ziet er gelukkig uit op de foto's met hem.'

'Ik was ook gelukkig, maar soms komt er zelfs aan goede dingen een eind. Het noodlot.' Het was een gezonde manier om ernaar te kijken, en ook dat bewonderde Leslie in haar. Ze had eigenlijk niets wat hij niet bewonderde. Ze was een verbazingwekkende vrouw, en hij was blij dat hij bij Jane was ondergedoken, want anders had hij haar misschien nooit ontmoet. Ze had zichzelf tenslotte tot het zwarte schaap van de familie uitgeroepen, en Jane praatte bijna nooit over haar. Die vond zichzelf veel interessanter. In Leslies ogen was Coco net een wit vredesduifje in een nest vol haviken en adelaars. Hij moest er niet aan denken hoe moeilijk het voor haar moest zijn geweest om tussen die mensen op te groeien, maar Coco leek ongedeerd uit de strijd te zijn gekomen. Ze was niet verbitterd, alleen verbaasd dat ze tussen die mensen was geboren, en uiteindelijk was ze uitgevlogen. De banden waren nog niet verbroken, maar ze leken met de dag zwakker te worden. Die indruk wekte Coco, en die klopte wel, al had ze zich nu toch weer laten overhalen op Janes huis te passen.

Ze lagen het grootste deel van de middag op het terras te zonnen, zonder veel tegen elkaar te zeggen. Leslie sliep en Coco las een boek uit. Ze smeerden broodjes en pakten alles wat er nog in de koelkast stond in om mee te nemen, omdat het anders toch maar zou bederven. Toen sloot Coco af en reed met Leslie naar het witte zandstrand van Stinson, dat kilometers lang was, met glad zand en schelpen langs de waterlijn. Er waadden vogels in de branding en er vlogen meeuwen in de lucht. Coco raapte onder het lopen boeiende steentjes op en stopte ze in haar zak, zoals haar gewoonte was. Ze liepen het hele strand af, gingen aan de punt zitten en keken hoe de zee de lagune in stroomde. Aan de andere kant van de smalle baai lag Bolinas. Op de terugweg naar het busje zagen ze twee keer paarden over het strand galopperen, en er waren nog maar weinig mensen aan het strand. De honden renden telkens ver voor hen uit en kwamen dan weer terug. Leslie was verbaasd toen Coco hem vertelde dat het altijd zo stil was. Alleen als het echt zinderde van de hitte namen de mensen de moeite naar dit strand te komen. Meestal was er maar een handjevol mensen, verspreid over een aantal kilometers. Het was de perfecte ontsnappingsplek, en toen ze langs het klif terugreden, had Leslie het gevoel dat hij een week vakantie achter de rug had. De zon begon net onder te gaan, en het was een bijzondere dag geweest.

'Ik sta er helemaal achter,' zei hij terwijl zij weer behendig door de haarspeldbochten manoeuvreerde, nu langs de buitenrand van het klif, wat hij nog indrukwekkender vond. Ze ontweek zelfs de kuilen en de vele plaatsen waar de weg er slecht aan toe was, iets wat veel mensen ervan weerhield hierheen te gaan. Het was een spectaculaire rit, maar verre van makkelijk.

'Waar sta je achter?' vroeg Coco. De honden, die uitgeput waren van het rennen over het lange strand, en vooral de achtervolgingen van de paarden, lagen achterin te slapen. Sallie had wanhopige pogingen ondernomen de paarden bijeen te drijven, maar ze waren ontkomen. Ze had zich moeten behelpen met de vogeljacht, terwijl Jack achter haar aan stommelde. Tegen de tijd dat ze weggingen, was hij zo moe dat hij amper nog op zijn poten kon staan, en hij lag nu te snurken. Het klonk als een aanhoudend, zacht gezoem vanuit de laadruimte.

'Ik sta er helemaal achter dat je hier woont,' zei Leslie bemoedigend. 'Voor het geval je het van een ander wilde horen. Ik benijd je zelfs.' Ze glimlachte. Het was prettig om te horen.

'Dank je.' Ze vond het fijn dat hij de schoonheid en waarde inzag van het leven dat ze leidde. Hij vond haar geen hippie of rariteit, en hij vond haar huis geen keet. Hij had het ervaren als een warme omhelzing, en hij had het heerlijk gevonden die kant van haar te zien. Al haar stukjes pasten naadloos in elkaar. Ze was gewoon totaal anders dan Jane, en dat was te moeilijk voor haar familie om te aanvaarden. Zij leken allemaal uit hetzelfde hout gesneden te zijn, Coco niet. Daardoor vond hij haar nog leuker.

Ze reden zwijgend door Mill Valley naar de Golden Gate Bridge. Coco nam de afslag naar Pacific Heights en vroeg Leslie of hij ergens iets te eten wilde halen. Hij bedankte. Hij was volkomen verzadigd door de goede sfeer van die dag en voelde zich ontspannen na de strandwandeling. Hij had zelfs een tijdje geslapen in de auto. Wie hij ook was, en ondanks de schrik toen ze hem in de keuken van haar zus had gezien, Coco en hij voelden zich nu volkomen op hun gemak bij elkaar. Het verbaasde haar hoe goed ze zich bij hem voelde, en hij had het ook gemerkt. Tijdens hun wandeling had hij gezegd dat het een zeldzaamheid voor hem was, en dat hij zich meestal afschermde voor onbekenden. Alleen was zij geen onbekende meer. Ze kenden elkaar pas twee dagen, maar ze waren nu al vrienden.

'Zal ik een omelet bakken? Daar ben ik best goed in, al zeg ik het zelf. Jij zou zo'n zalige Californische salade kunnen maken.' Hij zei het zo hoopvol dat ze in de lach schoot.

'Ik kan niet zo goed koken,' bekende ze. 'Ik leef op salades en soms een stukje vis.'

'Het is je aan te zien,' zei hij complimenteus. Ze zag er gezond, sterk, fit en superslank uit. Al had ze een t-shirt aan, hij kon zien dat ze een verrukkelijk lichaam had, maar dat gold ook voor haar zus, die meer dan tien jaar ouder was. Leslie moest er harder voor werken. Hij ging elke dag naar de sportschool en voorafgaand aan een film werkte hij nog harder met een persoonlijke trainer. Zijn inkomsten hingen ervan af, en tot nog toe ging het goed. Zijn leeftijd was hem niet aan te zien, en zijn lichaam was de afgelopen tien jaar niet veranderd, maar het viel niet mee. En zijn voorliefde voor ijs was een vloek.

'Die omelet klinkt heerlijk,' zei ze terwijl het oude busje over Divisadero Street omhoogzwoegde. Ze haalden het hoogste punt bij Broadway Street net, en toen ze uitstapten, lagen de honden nog te slapen. 'Eindpunt!' riep ze om ze wakker te maken. Leslie pakte de etenswaren die ze mee hadden gebracht en Coco de grote strooien mand met schone kleren, die er niet anders uitzagen dan wat ze verder nog bij Jane had liggen. Ze droeg altijd dezelfde kleding, in verschillende kleuren, maar meestal een spijkerbroek met een wit t-shirtje erop. Ze had er een kast vol van, en sinds Ians overlijden tutte ze zich niet meer op. Niemand zag wat ze aanhad of gaf er iets om. Ze hoefde alleen maar schoon en warm te zijn, en ze moest goede sport-schoenen hebben voor haar werk. Ze leidde een simpel leven, veel minder gecompliceerd dan het zijne. Hij moest er altijd als een ster uitzien, waar hij ook naartoe ging. Hij had haar verteld dat hij zijn hele garderobe moest vervangen, maar dat kon hem op het moment niets schelen, want geen mens zag hem en hij ging nergens heen. Het was een opluchting om er niet over na te hoeven denken, en dat hij niet over de papa-razzi in hoefde te zitten, was een zegen. Behalve Coco, Jane en Liz wist niemand dat hij in San Francisco zat. Voor de rest van de wereld was Leslie Baxter van de aardbodem verdwenen. Voor hem was dat de vrijheid, en die koesterde Coco ook. Rust en vrijheid. Het was als een zegen die hij van haar overnam, en het beviel hem wel. Het was een makkelijke manier van le-ven.

Terwijl Coco de alarminstallatie uitschakelde, deed Leslie de lichten in huis aan. Ze zette haar rieten mand onder aan de trap en ze borgen samen de etenswaren op in de keuken, ter-wijl de honden op hun eten stonden te wachten. Coco gaf ze te eten en dekte de keukentafel met Janes onberispelijke place-mats van Frans linnen en haar elegante zilveren bestek, terwijl Leslie de ingrediënten voor de omelet bij elkaar zocht. Coco maakte de salade waar hij om had gevraagd, met een caesar-dressing, en een halfuur later stak ze de kaarsen aan en be-gonnen ze aan hun eenvoudige maaltijd. De omelet was zalig, zoals beloofd.

'Wat een geweldige dag,' zei Leslie blij. De dag aan het strand was voor hen allebei fantastisch geweest, en ze besloten hun maaltijd weer met een Dove-ijsje.

'Heb je zin om naar een film te kijken?' vroeg ze toen ze de afwas spoelden. Hij trok een peinzend gezicht.

'Ik heb wel zin om te zwemmen. Ik heb het zwembad giste-ren geïnspecteerd en het water is warm. In Los Angeles ga ik elke dag naar de sportschool, maar daar ben ik vanavond te lui voor,' zei hij grinnikend. Jane had een professioneel uitziend sportzaaltje, waar ze dagelijks met een trainer werkte. Coco nam de moeite niet, en hoewel Liz altijd klaagde dat ze vijf kilo te zwaar was, deed ze er niets aan. Jane was in alles even perfectionistisch, ook waar het haar verschijning betrof.

'Ik krijg genoeg lichaamsbeweging door het wandelen met de honden elke dag,' zei Coco.

'Na de hele dag de zee te hebben gezien, heb ik echt zin om te zwemmen,' zei hij. Ze glimlachte om zijn uitspraak. Hij deed haar soms aan Ian denken, want zijn Britse uitdrukkingen leken op de Australische die Ian had gebezigd. Ze klonken haar vertrouwd in de oren, en ze maakten haar een beetje weemoedig. 'Er zitten toch geen haaien in het zwembad?'

'De laatste tijd niet,' stelde Coco hem gerust. Hij vroeg of ze met hem meedeed. Ze maakte zelden gebruik van het zwembad van haar zus, maar met hem leek het haar wel leuk. 'Oké,' zei ze dus.

Ze gingen zich omkleden en troffen elkaar een paar minuten later bij het zwembad. Coco deed de verlichting aan van het spectaculaire zwembad, dat overdekt was omdat het meestal fris was in San Francisco. Ze wist dat Jane elke dag zwom, en Liz zo nu en dan.

Ze zwommen bijna een uur. Coco trok baantjes en Leslie, die niet voor haar onder wilde doen, zwom met haar mee. Hij was veel eerder buiten adem dan zij, maar zij was jonger en fitter. 'Mijn hemel, je hebt het uithoudingsvermogen van een olympisch zwemkampioen,' zei hij bewonderend.

'Ik was de aanvoerder van de vrouwenzwemploeg van Princeton,' bekende ze.

'Ik heb in mijn jeugd geroeid,' vertelde hij, 'maar het zou nu mijn dood worden.'

'Ik heb in mijn tweede jaar geroeid, maar ik vond het vreselijk. Zwemmen was veel minder zwaar.' Ze kwamen allebei moe, maar ontspannen uit het water. Hij droeg een effen blauwe zwembroek en zij een simpele zwarte bikini die haar figuur flatteerde, maar niets overdreven verleidelijks had. Ze was een knappe vrouw met een goed lijf, maar ze flirtte niet met hem. Ze was hun vriendschap gaan waarderen.

Ze trokken allebei een van de dikke badstoffen badjassen aan die Jane bij het zwembad had hangen en gingen druipend naar boven om te douchen. Een paar minuten later klopte hij op haar kamerdeur, schoon en weer in de badjas. Zij had haar flanellen pyjama aan en ze had net een film opgezet, een waar hij niet in speelde, om hem niet in verlegenheid te brengen. Ze wist van de vorige avond dat hij het niet prettig vond om zichzelf op het scherm te zien. 'Kijk je mee? Het is een meidenfilm. Ik ben er verslaafd aan.' Het was een bekende romantische komedie die ze al heel vaak had gezien. Hij zei dat hij hem niet kende, en ze klopte op het bed. Jack lag nog uitgeteld bij Sallie op de vloer in plaats van op zijn lievelingsplekje. Ze hadden de honden die dag finaal uitgeput, wat naar Leslies idee een zegen was. Ze maakten hem nog steeds een beetje bang als ze uitbundig deden, vooral de Engelse dog, hoe zachtaardig die volgens Coco ook was. Het was wel een hond van honderd kilo.

Leslie leunde achterover tegen de kussens om samen met Coco naar de film te kijken. Ze liep even weg en kwam terug met een bak popcorn. Ze giechelde en hij glimlachte. Het was alsof ze weer kinderen waren. Net toen ze weer wilde gaan zitten, ging haar mobieltje. Het was Jane, leidde hij af uit Coco's woorden. Ja, het ging allemaal goed, zei ze. Ze vertelde Jane precies hoe het met Jack was. Ze verzekerde haar zus dat hij geen last van haar had, en het drong plotseling tot Leslie door dat Jane naar hem had gevraagd. Het intrigeerde hem dat Coco niet vertelde dat ze samen naar Bolinas waren gegaan, en ook niet dat ze nu lui op haar bed naar een film lagen te kijken. Het was een kort gesprek, en het leek meer op een verhoor, zonder warmte of intimiteit tussen de zusjes. Coco zei een keer of zes 'goed', waarschijnlijk in antwoord op instructies, en verbrak de verbinding toen zonder hem aan te kijken. 'Ze wilde zeker weten dat ik je niet lastigviel. Zeg het maar als je last van me hebt,' zei Coco. Ze keek hem onzeker aan en Leslie boog zich naar haar over en drukte geruststellend een kuise zoen op haar wang.

'Ik heb de twee leukste dagen in jaren achter de rug, dankzij jou. Als er iemand lastig is, ben ik het wel, want ik ben zomaar binnen komen vallen. En ik vind dit echt een goede film,' zei hij grinnikend. 'Ik hou het meestal bij seks en geweld. Het is wel lief om te zien hoe die twee malle mensen maar wat stuntelen en verliefd op elkaar worden. Krijgen ze elkaar?' vroeg hij hoopvol. Coco lachte hem uit.

'Dat zeg ik niet. Wacht maar af,' zei ze. Ze deed het licht uit en ze keken naar het enorme scherm. Het was net alsof ze in de bioscoop waren, maar dan op een bed en in pyjama. Met die bak popcorn erbij was het de ideale manier om een film te zien.

De film liep goed af, zoals Coco al wist. Ze kon er geen genoeg van krijgen. Het werd nooit saai, en het gelukkige einde was altijd geruststellend. Ze hield het meest van films die goed afliepen.

'Waarom gaat het in het echte leven niet zo?' verzuchtte hij. Hij leunde achterover in de kussens en dacht erover na. 'Het is zo logisch, zo simpel. Een paar kinkjes in de kabel, een paar probleempjes die overkomelijk zijn als iedereen erachter komt wat hij moet doen. Ze stellen zich niet aan, ze doen niet gemeen tegen elkaar, niemand is hopeloos verprutst door een akelige jeugd, ze zijn er niet opuit elkaar te pakken, ze vinden elkaar leuk, ze worden verliefd en ze leven nog lang en gelukkig. Waarom is het zo verrekte moeilijk om dat in het echt te laten gebeuren?' vroeg hij spijtig.

'Omdat mensen soms ingewikkeld in elkaar zitten,' zei Coco bedaard, 'maar misschien kan het wel. Ik had het bijna. Anderen hebben het. Ik denk dat je gewoon slim moet zijn als je eraan begint, je ogen openhouden, jezelf niets wijsmaken over degene met wie je in zee gaat, eerlijk zijn tegen de ander en jezelf en het sportief spelen.'

'Zo simpel is het nooit,' zei hij droevig. 'Niet in mijn wereld, tenminste. En de meeste mensen spelen het niet sportief. Ze zijn bezeten van winnen, en als er maar één wint, heb je allebei verloren.' Ze knikte instemmend.

'Sommige mensen spelen het wel sportief. Ian en ik wel. We waren heel goed voor elkaar.'

'Jullie kwamen net kijken, en jullie waren lieve mensen, denk ik. En kijk hoe het is gegaan. Als je het zelf niet verknalt, grijpt het lot wel in.'

'Niet altijd. Ik ken een aantal stellen in Bolinas die gelukkig zijn. Ze hebben geen ingewikkeld leven. Dat is volgens mij een deel van het geheim. In de wereld waarin jij leeft en waarin ik ben opgegroeid, maken de mensen alles ingewikkeld en meestal zijn ze niet eerlijk, zeker niet tegen zichzelf.'

'Dat vind ik zo fantastisch aan jou, Coco. Jij bent wel eerlijk, en heel direct. Alles aan jou is zuiver en goed, dat straal je uit,' zei hij met een glimlach.

'Jij lijkt mij ook eerlijk,' zei ze hartelijk.

'Ja, maar ik hou mezelf voor de gek als ik verliefd word. Misschien wist ik van die laatste vrouw meteen al dat ze niet goed voor me was, maar wilde ik het niet zien. Het was makkelijker om mijn ogen ervoor te sluiten, maar later veel moeilijker om ze dicht te houden. En moet je zien wat een puinhoop het is geworden. Ik ben naar een andere stad gevlucht en zij verbrandt mijn kleren.' Bij dat beeld moesten ze allebei glimlachen, en hij leek niet ongelukkig te zijn in zijn bunker in San Francisco. Hij zag er zelfs volkomen ontspannen uit, heel anders dan de uitgeputte, gestreste, gespannen man die ze de vorige dag had gezien. De dag in Bolinas had hem enorm veel goed gedaan, en Coco ook. Ze had het heerlijk gevonden om een paar uur thuis te zijn, op haar eigen terrein, en zeker met hem. Hij had precies begrepen waar het om draaide.

'Volgende keer ben je wijzer en voorzichtiger,' zei Coco zacht. 'Maak jezelf geen verwijten. Je hebt er iets van geleerd. We leren altijd.'

'Wat heb jij van je Australische vriend geleerd?' vroeg hij vriendelijk.

'Dat het bestaat, dat het kan. Je moet alleen het geluk hebben het te vinden, of erdoor te worden gevonden. En dat gebeurt.'

'Had ik daar maar net zoveel vertrouwen in als jij,' zei hij. Hij nam haar aandachtig op.

'Je moet meer meidenfilms zien,' adviseerde ze hem in volle ernst, en hij lachte. 'Er is geen beter medicijn.'

'Nee,' zei hij zacht, zonder zijn ogen van haar af te wenden. 'Ik heb iets nog beters gevonden.'

'Wat mag dat zijn?' vroeg ze argeloos, zonder ook maar iets te vermoeden, en ze keek hem recht in de ogen.

'Ik heb jou gevonden. Jij bent het beste medicijn. De beste vrouw die ik ooit heb gekend.' Terwijl hij het zei, leunde hij naar haar over, nam haar in zijn armen en kuste haar. Ze was zo overrompeld dat ze niet wist hoe ze moest reageren, maar hij liet niet los. Ze sloeg haar armen om zijn nek, hield hem vast alsof haar leven ervan afhing en beantwoordde zijn kus. Ze hadden het geen van beiden verwacht, of erop aangestuurd, en toen hij haar in bikini zag, had hij zich voorgenomen geen versierpoging te doen. Hij had respect voor haar, hij mocht haar graag, hij wilde met haar bevriend zijn, maar opeens wilde hij heel veel meer dan dat. Niet alleen van haar; hij wilde haar alles geven waar ze ooit van had gedroomd, omdat ze zo'n goed mens was en omdat ze het verdiende. Voor het eerst in zijn leven had hij het gevoel dat hij het ook verdiende. Dit had niets lelijks, niets goedkoops, en het kon hem niet schelen dat hij haar pas twee dagen kende. Hij was halsoverkop verliefd op haar geworden, en na afloop van de kus keek ze hem ver-

86

bluft aan. Ze wilde niet dat het alleen iets seksueels was, maar ze had nog nooit zo hevig naar iemand verlangd. Ze lag met Leslie Baxter in bed, en hij kuste haar, maar plotseling was hij niet langer de beroemde acteur, maar gewoon een man, en ze voelde zich zo sterk tot hem aangetrokken dat ze zich er niet tegen wilde verzetten.

'O.' Het was een zacht, verbaasd geluidje, en hij kuste haar opnieuw, en voor ze wisten wat er gebeurde, lagen hun kleren op de vloer en vrijden ze hartstochtelijk. Ze hadden met geen mogelijkheid kunnen stoppen, en dat wilden ze ook niet. Coco had al twee jaar niet meer gevrijd, sinds Ian, en terwijl Leslie haar beminde, vroeg hij zich af of hij ooit echt verliefd was geweest. Nu wel, op haar, dat wist hij zeker.

Na afloop, toen ze ademloos naast elkaar lagen, kroop Coco nog dichter tegen hem aan en keek hem in de ogen. 'Wat was dat?' fluisterde ze. Wat het ook was, ze wist dat ze er meer van wilde, maar nu nog niet. Ze had nog nooit zoiets ervaren met een man, zelfs niet met Ian. De seks met hem was makkelijk, rustig en vertrouwd geweest. Wat er zojuist met Leslie was gebeurd, was wereldschokkend en hartstochtelijk. Het voelde alsof ze samen door een tornado waren meegezogen. De wereld was ondersteboven gekeerd, er hadden klokken geluid in haar hoofd en de emoties die ze hadden gedeeld waren zo hevig dat ze het gevoel had alsof ze met hem was meegevoerd op een vloedgolf. Voor hem was het net zo.

'Ik denk, mijn liefste Coco,' fluisterde hij terug, 'dat het liefde was. Echte liefde. Tot nu toe had ik het niet herkend als ik het vlak voor mijn neus zag, maar ik geloof dat we het allebei net hebben meegemaakt. Wat denk jij?' Ze knikte zwijgend. Ze wilde wel dat het liefde was, maar ze twijfelde. Het was zo snel gekomen.

'En nu?' vroeg ze ongerust. 'Jij bent een filmster en je gaat terug naar je eigen wereld, en ik ben een strandzwerver in Bolinas en daar blijf ik alleen achter.' Het was te snel om erover te tobben, maar de tekenen aan de wand waren onmiskenbaar, en hij had al toegegeven dat hij vaak niet wist waar hij aan begon. Zij wel. Het had drie maanden geduurd voordat ze met Ian wilde slapen. En precies twee dagen voordat ze zich aan Leslie gaf. 'Ik heb nog nooit zoiets gedaan,' zei ze. Een traan bevrijdde zich uit haar ooghoek. Wat er tussen hen was gebeurd, had haar aangegrepen. Ze had er geen spijt van, maar het maakte haar bang.

'Ik ook niet, in elk geval niet opzettelijk,' zei hij. Hij had vaak na een eerste afspraakje al met een vrouw geslapen, als zij het ook wilde, maar het had hem nog nooit zo overrompeld. Nog nooit was zijn hart zó geraakt dat hij werd meegesleept door krachten die hij niet had voorzien en niet kon weerstaan. Het was de heftigste emotie van zijn hele leven. 'En dat filmster- en strandzwerversverhaal klopt niet helemaal. Je bent geen arm weeskind dat niets van mijn wereld weet. En hoe het gaat aflopen? Dat zullen we maar moeten afwachten, zoals je al zei. Misschien wordt het een van die meidenfilms waar je zo dol op bent... Schat, ik hoop het echt,' zei hij, en elk woord kwam recht uit zijn hart.

'Ik ken jouw wereld,' fluisterde ze terug, 'en die haat ik door en door... behalve jou,' besloot ze triest.

'Laten we het gewoon stap voor stap doen,' zei hij verstandig, maar zij was bang dat hun tijd samen maar geleend was. Ze wilde niet aan hem gehecht raken en zich dan los moeten scheuren wanneer hij terugkeerde naar zijn eigen wereld, wat hij vroeg of laat zou doen. Dit was maar een fantasie, een droom, al verlangde ze er net zo naar als hij. Ze wilde geloven dat dromen werkelijkheid kunnen worden. Haar droom was al eens bijna uitgekomen, en misschien zou het deze keer echt gebeuren. Ze wilde geloven dat het kon, maar dit was als een donderslag bij heldere hemel gekomen, en ze wist niet goed wat ze ervan moest denken, in aanmerking genomen wie hij in het echte leven was. 'Wil je me beloven dat je niet te veel zult piekeren, maar dat je mij en ons voorlopig zult vertrouwen? Ik zal je niet kwetsen, Coco. Dat is het laatste wat ik zou willen. Laten we dit, en ons, een kans geven en zien hoe het loopt. We komen er wel uit.' Ze knikte alleen als een klein kind en kroop diep in zijn armen. Hij hield haar lang vast en toen vrijde hij nog eens met haar, met alle zachtheid van zijn tedere gevoelens voor haar. En de tornado die hen eerder had meegezogen, sloeg opnieuw toe.

HOOFDSTUK 5

*T*oen Coco de volgende ochtend wakker werd, vroeg ze zich af of ze de hele vorige avond niet had gedroomd. Ze lag alleen in bed. Leslie was nergens te bekennen, maar terwijl ze naar het plafond starend aan hem lag te denken, kwam hij met een handdoek om zijn middel de kamer in. Hij had een dienblad met ontbijt voor haar en een roos uit de tuin van Jane tussen zijn tanden. Ze ging rechtop zitten en gaapte hem aan.

'O mijn god, je bent het echt!' Dat hoopte ze tenminste. Ze wilde niets liever geloven. 'En we waren niet eens dronken.'

'Dat zou een slap excuus zijn geweest,' zei hij. Hij zette het dienblad op haar benen. Hij had cornflakes, sinaasappelsap en toast voor haar gemaakt, en hij had zelfs boter en jam op de toast gesmeerd. 'Ik had wel wafels voor je willen bakken, maar ik ben bang dat Jane ons zou vermoorden als we die strooptruc hier nog eens uithaalden.' Ze lachten samen bij de herinnering aan hun eerste ontmoeting. Het zou altijd een grapje van hen beiden blijven. Coco was opgelucht toen ze zag dat het pas zeven uur was. Ze kon nog een uur met Leslie doorbrengen voordat ze aan het werk moest. Het liefst was ze de hele dag met hem in bed blijven liggen.

'Dank je wel,' zei ze, een tikje in verlegenheid gebracht door het ontbijt op bed, de overdadige service en wat er die nacht was gebeurd. Hij zag het allemaal in haar ogen.

'Voordat je jezelf de stuipen op het lijf jaagt, wil ik iets tegen je zeggen. We weten geen van beiden nog wat dit wordt. Ik weet wel wat ik zou willen, en wat ik hoop, en al ken ik je pas twee dagen, ik denk dat ik weet wie je bent. Ik weet wie en wat ik ben geweest, en wie ik wil worden als ik groot ben, als het ooit zover komt. Ik heb nooit opzettelijk tegen iemand gelogen. Ik misleid mensen niet. Ik kan soms lastig zijn, maar ik ben niet slecht. Ik ben niet van plan je te paaien, even met je te spelen en dan weer een verovering rijker terug te gaan naar Hollywood. Daar heb ik genoeg van. Ik hoef niet nog een verovering, en zo wil ik jou al helemaal niet zien. Zo wil ik je niet in mijn leven hebben. Ik hou van je, Coco. Ik weet dat het idioot klinkt na twee dagen, maar ik denk dat je soms gewoon weet of het klopt en of het echt is. Ik heb me nog nooit zo gevoeld, en ik ben nog nooit zo zeker van iets geweest. Ik geloof dat ik samen met je oud wil worden, en dat klinkt mij net zo gek in de oren als jou. Ik wil het gewoon een kans geven. We hoeven niet in paniek te raken. Het is geen uitslaande brand. We zijn twee goede mensen die verliefd op elkaar zijn. Laten we er een meidenfilm voor ons eigen kijkplezier van maken en hopen dat het zo blijft. Zou dat lukken?' vroeg hij. Hij bood haar zijn hand aan en ze stak langzaam de hare uit. Hij nam haar vingers behoedzaam aan en kuste ze, en toen bukte hij zich en kuste haar op de lippen. 'Ik hou van je, Coco. Het kan me niets schelen dat je een strandzwerver bent, honden uitlaat en de dochter van de beroemdste agent van Hollywood en een bestsellerschrijfster bent. Ik hou van jóú en alles wat je bent. En met een beetje geluk kun je misschien ook van mij leren houden,' zei hij terwijl hij naast haar op het bed ging zitten. Ze keek hem weer net zo verbluft aan als de vorige avond.

'Ik hou al van je, niet omdat je filmster bent, maar ondanks dat, als je me kunt volgen.'

'Meer wil ik niet. De rest komt wel goed, stapje voor stapje,' zei hij. Ze vond hem weer nederig klinken. Hij was nog nooit van zijn leven zo gelukkig geweest.

Hij deelde de toast met haar en een halfuur later douchte hij met haar, en toen ze naar haar werk ging, keek hij haar als een moederkloek na. Ze zou tussen de middag terugkomen, en hij moest die ochtend telefoontjes plegen. Hij wilde zijn agent bellen om te vertellen wat er was gebeurd met zijn ex in Los Angeles en waar hij nu zat, en hij moest zijn publiciteitsman waarschuwen dat ze een stunt zou kunnen uithalen. Hij moest ook makelaars bellen om een gemeubileerd appartement te zoeken voor een halfjaar, tot zijn eigen huis weer beschikbaar was. Hij had genoeg te doen tot ze terugkwam, en die middag wilde hij de stad gaan verkennen om zich te oriënteren. Het leek hem leuk om 's avonds uit eten te gaan. Hij had al tegen haar gezegd dat hij het weekend weer naar Bolinas wilde. Hij kleedde zich glimlachend aan. Dit was een heel prettig leven, vooral omdat Coco erin voorkwam.

Coco liet die ochtend als in een droom de honden van haar cliënten uit. Ze had genoten van alles wat hij had gezegd en alles wat ze hadden gedaan, maar in haar zeldzame heldere momenten kon ze moeilijk geloven dat zoiets heerlijks van lange duur kon zijn, zeker met hem. Hij was tenslotte Leslie Baxter. Uiteindelijk moest hij terug naar Hollywood om een nieuwe film te maken. De roddelpers zou hem verslinden, en hun relatie. Beroemde actrices zouden voor hem kruipen. En waar bleef Coco? In Bolinas, wachtend tot hij terugkwam? En ze wilde nooit meer in Los Angeles wonen. Zelfs niet voor hem. Ze haalde diep adem, bracht de laatste honden van die ochtend naar huis en herinnerde zichzelf aan wat hij had gezegd. Stapje voor stapje. Meer konden ze voorlopig niet doen. En ze zouden er wel uit komen, zoals hij had gezegd. Maar ze wilde niet nog eens iemand verliezen van wie ze hield. En een goede afloop was in dit geval niet zo makkelijk te regelen, gezien de rolbezetting.

Toen ze terugkwam met broodjes die ze had gehaald, was hij nog aan het bellen. Hij overlegde met een makelaar over een gemeubileerde woning in Bel-Air die voor een halfjaar te huur was. De eigenares, een beroemde actrice, werkte in Europa aan een film. Coco luisterde met een bezorgd gezicht mee, en Leslie lachte toen hij had opgehangen.

'Er is nog geen reden tot paniek,' stelde hij haar gerust. 'Ze wil er vijftigduizend per maand voor hebben.' Hij had de hele ochtend aan Coco gedacht, en aan hoe het op de lange duur zou kunnen lukken. 'Weet je, misschien kan ik hier wel gaan wonen, net als Robin Williams en Sean Penn. Het lijkt hun wel te bevallen.' Ze knikte, nog verdwaasd door wat er met hen gebeurde. Toen ze binnenkwam, was de schoonmaakster net vertrokken. Ze vergaten de broodjes, doken weer in bed en vrijden met elkaar tot ze haar volgende groep honden moest uitlaten. Ze kon zich bijna niet van hem losmaken, en toen ze om vier uur terugkwam, lag hij als een roos op haar bed te slapen. Zijn agent had toegezegd hem een paar scenario's te sturen, en hij zou voorlopig bij Coco in San Francisco blijven. Jane had gezegd dat hij zo lang mocht blijven als hij wilde, en die middag spraken ze af nog niets tegen haar te zeggen. Ze wilden dit wonder nog even voor zich houden.

Later die middag belde zijn persagent op. De actrice die hem stalkte, had in een persverklaring gezegd dat ze hem had gedumpt. Ze had duidelijk laten doorschemeren dat hij homo zou zijn. Leslie zei dat het hem niet kon schelen. Er was genoeg bewijs van het tegendeel, en zo te horen waren de druiven gewoon zuur. Het was zelfs een opluchting voor hem dat ze had gezegd dat ze hem had gedumpt, want dat kon betekenen dat ze verder wilde met haar leven en hem niet langer wilde kwellen. Toch vertrouwde hij het nog niet helemaal. Hij wilde nog even afwachten voordat hij terugging naar Los Angeles.

Hij had Coco gevraagd of ze onder haar eigen naam een tafel wilde reserveren in een stil restaurant. Ze had een eenvoudig Mexicaans tentje in de Mission uitgezocht in de hoop dat geen mens hem daar zou herkennen. In elk geval zou niemand verwachten hem daar te zien. Na nog een vrijpartij onder de douche slaagden ze erin hun kleren aan te trekken en om acht uur op pad te gaan.

Hij vond het restaurant meteen leuk, en niemand lette op hem, tot hij afrekende. De vrouw achter de kassa had de hele avond naar hem zitten staren. Hij betaalde contant, zodat hij geen creditcard hoefde te laten zien, en ze stuurde een verzoek om een handtekening mee met het wisselgeld. Hij probeerde zich van den domme te houden, maar binnen de kortste keren hadden andere gasten zich naar hem omgedraaid en kwetterde de ober opgewonden in het Spaans. Leslie zette geen handtekening, want dat had zijn identiteit bevestigd. Ze liepen zo nonchalant mogelijk naar buiten en renden naar het busje.

'Shit,' pruttelde hij terwijl Coco startte en wegreed. 'Als ze de pers maar niet bellen.' Het was een aspect van zijn leven dat Coco nooit zelf had meegemaakt. Het maakte zijn leven lastig, en het betekende dat ze nooit ergens naartoe konden, tenzij ze heel voorzichtig deden. Als hij in de Mission al zo makkelijk werd herkend, zouden ze hem overal herkennen, en ze wilden geen van beiden dat hij overal in San Francisco werd gesignaleerd. De rest van de week bleven ze thuis en maakten samen lange strandwandelingen. Op zaterdag gingen ze nadat Coco de laatste honden had uitgelaten naar Bolinas, waar ze het hele weekend bleven. Leslie werd met rust gelaten aan het strand, en toen Leslie Jeff tegenkwam, de brandweerman die naast Coco woonde, toen ze allebei het vuilnis buitenzetten, keek Jeff even naar Leslie en knikte toen breed grijnzend. Hij gaf Leslie een hand, stelde zich voor en zei dat hij blij was dat

Coco een vriend te logeren had. Hij leek haar fantastisch te vinden. Op zondagochtend kwamen ze hem weer tegen, toen hij met zijn hond langs het strand liep, en hij praatte spontaan met hen beiden zonder dat hij Leslie leek te herkennen of iets over hem leek op te merken. Het was een gemeenschap waar iedereen zich met zijn eigen zaken bemoeide, maar toch een oogje op elkaar hield. Leslie vertelde dat hij in zijn studententijd in Engeland bij de vrijwillige brandweer had gezeten, en ze praatten over branden, brandblusapparatuur en het leven in Bolinas. Ze kwamen als vanzelf op brandweerwagens en vervolgens auto's. Zo ontdekten ze dat ze allebei graag aan auto's sleutelden en het leuk vonden om motoren te renoveren. Leslie leek er helemaal bij te horen, en de beide mannen vonden het leuk om met elkaar te praten. Toen Leslie en Coco die zondagavond terugreden naar de stad, waren ze blij en ontspannen. Leslie zei nog eens hoe leuk hij het had gevonden om met de buurman te praten.

Coco was altijd een beetje bang dat de broze zeepbel van hun geheime leven uit elkaar zou spatten, maar tot nog toe stoorde niemand hen. Jane wist dat Leslie nog in haar huis zat, maar leek het geen punt te vinden. Ze bond Coco regelmatig op het hart hem met rust te laten en hem niet lastig te vallen, en Coco verzekerde haar dat ze dat niet deed.

Aan het eind van hun tweede week samen belde Leslies makelaar om te zeggen dat hij verschillende huizen en appartementen had gevonden die Leslie beslist moest zien. Leslie wist niet eens of hij de moeite nog wilde nemen, maar hij vond dat hij zijn agent ook moest spreken en zijn gezicht in Los Angeles moest laten zien zodat niemand kon denken dat hij zich verstopte vanwege de geruchten over zijn homoseksualiteit. Zijn ex had het er nog steeds over, en er waren een paar koppen in de roddelpers verschenen, die niet schokkender waren dan wat ze meestal te melden hadden.

'Heb je zin om zaterdag mee te gaan?' vroeg hij aan Coco. 'We kunnen in het Bel-Air overnachten.' Dat hotel was altijd uiterst discreet, en bovendien wist toch niemand wie Coco was. 'Hoe moet het dan met de honden?' Ze had niet alleen Sallie, maar ook de hond van haar zus, en ze wist dat Jane woest zou zijn als ze wegging.

'Heb je geen buren in Bolinas die op ze willen passen? Kunnen we ze naar jouw huis daar brengen?'

'Jane zou me wurgen als ze erachter kwam,' zei Coco schuldbewust, maar ze wilde met hem mee. 'Misschien kan het wel. Ik zal een paar mensen bellen.' Uiteindelijk waren beide buren bereid op de honden te passen, ze te eten te geven en met ze langs het strand te lopen, en er bood zelfs iemand aan ze zondagavond terug te brengen omdat hij dan toch naar een verjaardag in de stad moest. Het was allemaal in kannen en kruiken, zoals hij had voorspeld. Stapje voor stapje. Het kwam allemaal goed, en ze waren twee handen op één buik.

Uiteindelijk namen ze voor de zekerheid verschillende vluchten naar Los Angeles, waar ze ieder door een auto werden afgehaald. Ze zouden elkaar in het hotel treffen. Het leek een beetje op een spionagefilm, en ze hadden tegen niemand gezegd dat ze zouden komen. Leslie nam een vroegere vlucht en bekeek de appartementen die de makelaar voor hem had uitgezocht voordat Coco aankwam. Hij vond het niets, en sinds hij haar kende, had hij ook niet zo'n zin meer om iets in Los Angeles te huren. Voorlopig zat hij goed in San Francisco. Toen hij dat in het hotel aan Coco vertelde, slaakte ze een zucht van verlichting.

Ze hadden een schitterende suite in het Bel-Air, en niemand maakte ophef over Coco's aanwezigheid. Het personeel was eraan gewend zulke situaties uiterst discreet te behandelen. Ze gingen zelfs eten bij een cajunrestaurant in West Hollywood dat hij kende, en ze kwamen tevreden en ontspannen terug in het hotel. Het liep tegen middernacht toen ze langzaam door de tuin terugliepen naar hun kamer. Ze zagen een hand in hand lopend stelletje dat elkaar kuste bij de zwanen in het kronkelende riviertje op het terrein. Coco glimlachte en vond dat het stel iets bekends had, maar iedereen in Los Angeles kwam haar altijd bekend voor. Als het geen bekende sterren waren, waren het wel mensen die erop wilden lijken. Het was soms gek. De vrouw, die met haar rug naar hen toe stond, was een knappe blondine met een goed figuur in een zwart cocktailjurkje en op hoge hakken, en de man was knap en jong en droeg een zwart pak van goede snit. Toen Leslie en Coco dichterbij kwamen, bleven ze weer staan voor een lange kus. Op het laatste moment sloegen ze een afgezonderd pad naar hun eigen suite in, en toen draaide de vrouw zich om. Haar gezicht werd beschenen door de subtiele spotjes die de tuin verlichtten, en ze hief haar gezicht op naar haar begeleider. Coco snakte naar adem.

'O mijn god,' zei ze hardop, en ze omklemde Leslies arm. 'Wat is er? Gaat het?' vroeg hij. Ze schudde haar hoofd en bleef als aan de grond genageld staan. Het leed geen twijfel wie de vrouw was, en Coco rende naar hun kamer, gevolgd door een bezorgde Leslie. Coco, die volkomen panisch leek, stond huilend in de zitkamer van hun suite. Leslie, die niet begreep wat er aan de hand was, sloeg zijn armen om haar heen. Het was gewoon een stelletje geweest dat naar de zwanen had gekeken en had gekust. Ze logeerden hier natuurlijk ook, en ze leken smoorverliefd, maar Coco zag eruit alsof ze een spook had gezien.

Coco zakte perplex op een stoel.

'Wat is er toch?' vroeg Leslie, die naast haar ging zitten en een arm om haar heen sloeg. 'Vertel, Coco. Kende je die man?' Hij vroeg zich af of het een oude vlam was. Hij had alleen van Ian gehoord.

Ze schudde haar hoofd terwijl de tranen haar over de wangen stroomden. 'Het gaat niet om hem... Die vrouw was mijn moeder,' zei ze.

Leslie was even met stomheid geslagen. 'Was dat je moeder?' zei hij toen. 'Ik had haar nog nooit in het echt gezien. Ze is beeldschoon.' Coco was op haar eigen manier ook beeldschoon, maar ze leek totaal niet op haar moeder.

'Die man was maar half zo oud als zij,' zei ze verbijsterd.

'Dat valt wel mee,' probeerde Leslie haar gerust te stellen, maar de man was onmiskenbaar een stuk jonger geweest, en ze leken erg in elkaar op te gaan. Leslies moeder had hem vol aanbidding aangekeken, en hij leek dol op haar te zijn. Het was een aantrekkelijke vent, stijlvol gekleed naar de mode van Los Angeles, met vrij lang haar en een knap gezicht. Hij zou acteur kunnen zijn, of model, of eigenlijk alles. Leslie wist niet goed wat hij moest zeggen. 'Je wist zeker niets van zijn bestaan?'

'Natuurlijk niet. Ze heeft altijd gezegd dat ze nooit meer iemand wilde na mijn vader.' Opeens werd ze woedend. 'Zie je nou wat ik bedoel? Iedereen hier is oneerlijk. Iedereen liegt, iedereen is nep, zelfs mijn moeder met haar schijnheilige praatjes over alles op de planeet. Ze noemt mij een hippie en een malloot, maar wat is ze zélf?' Het antwoord liet zich raden, en Leslie kromp in elkaar.

'Misschien is ze gewoon eenzaam,' zei hij zacht in een poging haar tot bedaren te brengen. 'Het valt niet mee om alleen te zijn op haar leeftijd.' Hij nam aan dat ze minstens zestig was, gezien Janes leeftijd, maar zo zag ze er niet uit. Ze had eerder vijftig geleken, en de man in haar gezelschap was duidelijk jonger, maar het had hem niet gechoqueerd. Ze vormden een aantrekkelijk stel, en ze leken gelukkig. Als zij er plezier en troost uit putten, wat kon het dan voor kwaad? Maar dat zei hij niet tegen Coco, die eruitzag alsof ze op het punt stond een beroerte te krijgen. Hij moest toegeven dat hij zijn eigen moeder ook niet graag in zo'n situatie had gezien, maar die was ouder en minder goed geconserveerd, en ze was nog steeds getrouwd met zijn vader, al klaagden ze al hun hele leven samen goedmoedig over elkaar. Coco's moeder was jonger, sexyer, duur gekleed, weduwe en beroemd. Ze was loslopend wild.

'Ze is tweeënzestig en ze is verdomme vaker bij de plastisch chirurg onder het mes geweest dan de meeste mensen met brandwonden. Het deugt gewoon niet. Hoe kan ze mij de wet voorschrijven terwijl ze zelf zoiets doet als er niemand kijkt? Dat had mijn vader haar nooit aangedaan.' Terwijl ze het zei, wist ze al dat het niet waar was. Haar vader was een knappe man geweest, met oog voor de dames, en haar moeder en hij hadden de nodige ruzies gehad over zijn jonge, aantrekkelijke cliënten. Haar moeder had hem met argusogen bewaakt, en hem kort gehouden. En Coco vermoedde dat als hij haar had overleefd, hij nu ook iemand zou hebben gehad. Ze had het gewoon nooit verwacht van haar moeder, en zeker niet met iemand die zo jong was.

'Misschien had je vader ook wel zoiets gedaan. Waarom moeten oudere mensen alleen blijven, alleen omdat wij het niet prettig vinden hun seksualiteit te erkennen? Het spijt me dat ik het zeggen moet, maar zij heeft ook recht op een eigen leven.'

'En waar zou zo'n jonge knul op uit zijn? Seks, op haar leeftijd? Hij aast op haar geld, macht, connecties, alles wat met haar roem gepaard gaat.'

'Het zou kunnen,' zei Leslie meegaand. Ze was iets gekalmeerd en ze huilde niet meer, maar ze was nog steeds verbouwereerd. Het was een grote schok geweest haar moeder te zien kussen in het maanlicht, en met een man die niet eens van haar eigen leeftijd was. Het had Coco's wereld overhoopgehaald, en niet op een goede manier. 'Je vergeet nog iets,' wees Leslie haar vriendelijk terecht. 'Liefde. Misschien houdt ze wel van hem. Het zou normaler kunnen zijn dan het eruitzag, ondanks het leeftijdsverschil. Mannen worden zo vaak verliefd op veel jongere vrouwen. Ik ben dertien jaar ouder dan jij, en daar kijkt niemand van op. Waarom moeten we zo clichématig zijn als het om relaties gaan? Je lijkt er geen probleem mee te hebben dat je zus met een andere vrouw samenleeft en je respecteert hun relatie, wij allemaal. Waarom mag je moeder dan niets hebben met een jongere man?'

'Ik denk niet graag op die manier aan mijn moeder,' zei Coco, als altijd eerlijk tegen hem en zichzelf. Ze leek echt van streek te zijn.

'Dat zou ik waarschijnlijk ook niet willen,' zei hij al net zo eerlijk. 'Waarom vraag je haar er niet gewoon naar? Wie weet wat ze zegt.'

'Mijn moeder? Maak je een geintje? Die zegt nooit de waarheid. Niet als het om haarzelf gaat, tenminste. Ze heeft jaren gelogen over de plastische chirurgie. Eerst liet ze haar tieten doen, toen mijn vader nog leefde. Toen haar ogen. Toen nam ze een facelift. Toen nog een, drie weken na de begrafenis, om zichzelf "op te vrolijken", zei ze later. Jezus, misschien had ze die vent toen al!'

'Dat hoeft niet. Misschien is hij gewoon het eindresultaat. Ik vind dat je pas mag oordelen als je haar hebt gesproken. Dat lijkt me eerlijker. Die vent kan een zak zijn, en misschien heeft hij het op haar geld en roem gemunt, maar dat hoeft niet zo te zijn. Luister in elk geval eerst naar haar. Ze leken erg verliefd.'

Coco keek hem woedend aan. 'Ze is gewoon oversekst,' zei ze, en hij schoot in de lach.

'Dat zou erfelijk kunnen zijn, en je hoort mij niet klagen. Als jij er op haar leeftijd nog zo goed uitziet, ben ik de koning te rijk. En je hoeft nooit een facelift voor me te nemen. Ik hou van je zoals je bent, ook al verschrompel je.' Coco had een veel natuurlijker schoonheid dan haar moeder en ze zou waarschijnlijk mooier oud worden, maar het viel niet te ontkennen dat haar moeder er opmerkelijk goed uitzag voor haar leeftijd. En als het waar was dat je eerst de moeder van een vrouw moest zien voordat je verliefd werd, had hij geluk gehad.

Coco piekerde nog over haar moeder toen ze naar bed gingen, en de volgende ochtend tijdens het ontbijt. Wat haar nog meer dwarszat, was dat ze haar moeder niets kon vragen, zoals Leslie had geopperd, en dat ze niets aan haar zus kon vertellen omdat ze in het geheim met Leslie in Los Angeles was. Als ze het aan Jane vertelde, zou die weten dat ze haar hond had achtergelaten, en haar moeder zou meteen willen weten waarom Coco haar niet had opgebeld om te zeggen dat ze in Los Angeles was. Er waren veel te veel geheimen in de familie tegenwoordig, en dat van haar moeder was het ergste. Leslie en zij hadden niets te verbergen, maar ze moesten hem beschermen tegen zijn gestoorde ex en zelf zo lang mogelijk uit de roddelbladen zien te blijven, wat uiteindelijk geen geringe prestatie zou zijn, maar voorlopig was Coco aan handen en voeten gebonden en hield ze haar kaken op elkaar. Ze moest dit reusachtige nieuws over haar moeder voor zich houden, en het vrat aan haar.

Ze vlogen weer ieder afzonderlijk terug naar San Francisco en werden apart naar huis gereden, maar het was het eerste waar ze over praatten toen Leslie thuiskwam. Hij begreep dat het enorm belangrijk voor Coco was. Haar moeder had haar veel verwijten gemaakt over haar keuzes in het leven, en nu wilde ze een serieuze verklaring voor wat ze had gezien. Niets van wat ze had gezien, of zich kon voorstellen, kon haar goedkeuring wegdragen. De kussen noch de romance, en de leeftijd van het gezelschap van haar moeder al helemaal niet.

Toen Jane die avond belde, hoorde ze het allemaal aan Coco's stem. 'Waarom ben je zo gespannen?' vroeg ze prompt. Coco klonk alsof ze ruzie had met iemand, of dat zou willen, en Jane rook meteen lont.

'Je hebt toch geen mot met Leslie, hè? Denk erom dat hij mijn gast is.'

'En wat ben ik, behalve degene die op je huis past en je hond uitlaat? Een vod?' snauwde Coco.

Jane keek er verbaasd van op aan de andere kant van de lijn. 'Goh, neem me niet kwalijk. Als je mijn logé maar niet zo behandelt, Coco. En niet zo brutaal. Misschien wil hij een tijdje blijven om die maniak en de pers te ontvluchten, dus ik zou het op prijs stellen als je zijn leven niet verziekte door je zo aan te stellen!' Ze behandelde Coco altijd als een kind, en Coco schoot bijna in de lach.

'Ik zal proberen zijn leven niet te verzieken,' zei ze hooghartig, maar nu deed ze maar alsof. Ze moest hun eigen geheimpje ook zien te bewaren. Haar moeder was niet de enige in de familie met een geheim, en het hunne was veel aangenamer dan dat van haar moeder, maar Leslie en zij wilden het nog niet aan Jane vertellen. Ze wilden hun privacy beschermen, zonder de reacties of mening van een ander te horen. Terwijl ze het dacht, vroeg Coco zich af of haar moeder niet hetzelfde deed, en wanneer ze van plan was Jane en haar deelgenoot te maken van haar geheim, als ze dat ooit wilde doen. Als het iets puur seksueels was, zou ze het nooit vertellen, maar als het serieus was, zou ze het uiteindelijk opbiechten. Misschien dachten Leslie en zij er net zo over. 'Ik zie hem trouwens amper,' zei Coco over Leslie, om haar zus op een dwaalspoor te brengen. 'Gelukkig maar. Hij heeft rust nodig. Hij heeft het heel zwaar gehad. Eerst wil ze hem vermoorden en dan zegt ze tegen de roddelbladen dat hij homo is.'

'Is hij dat?' vroeg Coco onschuldig, en ze moest haar lachen inhouden. Ze had de afgelopen twee weken aanhoudend en ruimschoots het bewijs gekregen dat hij dat niet was, en er intens van genoten. Ze hadden het heerlijk samen, zowel in bed als daarbuiten.

'Natuurlijk niet,' zei Jane vinnig. 'Je bent gewoon zijn type niet. Hij valt op mondaine glamourvrouwen, meestal zijn medespeelsters, maar niet altijd. Ik geloof dat hij ook een Britse markiezin en een prinses uit Europa heeft gehad. Hij is dan ook de grootste filmster die er is. En hij is beslist geen homo,' zei ze nog eens. 'Hij heeft zelfs een keer geprobeerd mij te be-springen. Hij pakt alles wat beweegt.' Behalve jou, hoorde Co-co tussen de regels door. Na het gesprek voelde ze zich zelfs neerslachtig.

'Heb je het haar verteld?' vroeg Leslie. Ze schudde haar hoofd. 'Dat kon niet vanwege de hond. Ze zei dat jij alles pakt wat beweegt, vooral je medespeelsters, en dat die vrouwen allemaal veel mondainer en glamoureuzer zijn dan ik.' Ze keek erbij alsof ze een klap had gekregen, of een tik op haar billen.

'Zei ze dat?' vroeg hij ontdaan. 'Hoe kwam dat zo ter sprake?'

'Ik vroeg of je homo was om haar op een dwaalspoor te bren-gen.'

'Super. En dat was haar antwoord? Ja, ik ben wel met een paar medespeelsters naar bed geweest, maar dat is een tijd geleden. Dat is meer iets voor jonge acteurs. Ik heb geprobeerd iets op te bouwen met echte vrouwen, niet alleen aankomende ster-retjes. En jij bent de enige van wie ik ooit echt heb gehouden. En nee, ik ben geen homo.'

'Bewijs dat maar,' zei ze met een pruilmondje, en hij barstte in lachen uit.

'Tja, als je zo aandringt...' zei hij. Hij hield op met het uit-pakken van zijn koffer en liep naar het bed. 'Uw wens is mijn bevel, en als ik je moet bewijzen dat ik geen homo ben, dan doe ik dat.' Binnen een paar minuten voegde hij de daad bij het woord. En nog eens, en nog eens en nog eens.

HOOFDSTUK 6

*T*egen eind juni gaf Leslies ex geen interviews over hem meer aan de roddelpers en legde ze geen verklaringen meer af in *Entertainment Tonight*. Ze werd zelfs zoenend met een bekende popster op de dansvloer van een nachtclub in Los Angeles betrapt, dus Leslie leek van haar af te zijn. Hij wilde de goden niet verzoeken, maar ze had hem al weken niet meer gesard. Hij moest zaken bespreken met zijn agent en ging voor twee dagen naar Los Angeles. Hij was nog niet weg of Coco voelde zich neerslachtig. Ze werd herinnerd aan haar leven vóór hem, besefte hoeveel ze van hem hield en hoe verschrikkelijk het zou zijn wanneer hij voorgoed terugkeerde naar zijn echte leven. Deze fantasie kon niet eeuwig blijven duren. Hij was wie hij was, en haar leven was ver verwijderd van het zijne. Ze werd er weer eens op gewezen dat hun tijd maar geleend was. Toen hij terugkwam, was ze nog steeds somber.

'Wat is er? Is er iemand dood?' vroeg hij plagerig op de avond van zijn thuiskomst. Hij zag hoe verdrietig ze was en vroeg zich af of het iets met haar moeder te maken had. Ze had het geheim voor zich gehouden en tobde er nog steeds over. Het kwam niet in zijn hoofd op dat ze van streek was vanwege hem.

'Nee, jij ging weg. En daardoor moest ik eraan denken hoe het wordt als je er niet meer bent.' Haar woorden ontroerden hem, en hij dacht er net zo over. Hij piekerde continu over de vraag hoe ze iets van hun toekomst konden maken, want dat was zijn grootste wens.

'Het is geen wet van Meden en Perzen dat je niet met me mee kunt naar Los Angeles. We kunnen daar samenwonen.' Ze schudde woest haar hoofd.

'Mijn moeder zou me tot waanzin drijven, de paparazzi zouden ons levend opvreten, er zouden mensen in onze vuilnisbakken rommelen, ik weet hoe het allemaal is. Ik herinner me de verhalen over de cliënten van mijn vader nog wel. Zo kan ik niet leven.'

'Ik ook niet,' zei hij zorgelijk. Hij wist dat hij haar nooit zou kunnen overhalen met hem mee te gaan, maar hij móést soms in Los Angeles zijn.

'Maar zo is jouw leven. Voor jou hoort het erbij.'

'Dan gaan we hier wonen en reis ik wel op en neer als het moet. Ik ben toch de helft van de tijd op locatie, en dan kun je met me mee.'

'Op locatie worden we ook gek van de paparazzi,' zei ze mismoedig.

'Wat wil je nou zeggen, Coco?' vroeg hij angstig. 'Dat je je leven niet met me wilt delen? Dat de paparazzi zo lastig zijn dat je dit liever opgeeft?' Hij vroeg het panisch, en ze schudde haar hoofd.

'Ik weet het niet. Ik hou van je, maar ik wil niet dat al dat gedoe ons leven kapotmaakt.'

'Ik ook niet. Andere mensen slaan zich erdoorheen. Je moet er gewoon wat moeite voor doen en erover nadenken. Jij zit tenminste niet ook in het vak, dat is al iets. En op het moment valt niemand ons lastig, laten we daarvan genieten zo lang het duurt.' Ze hadden tot nog toe geboft, en ze waren heel voorzichtig geweest met waar ze naartoe gingen. Hij ging niet winkelen in het centrum en vertoonde zich nooit meer dan eens in een buurtwinkel. Ze deden hun boodschappen 's avonds laat bij Safeway, en dan zette hij een petje en een zonnebril op. In de weekends doken ze onder in Bolinas, waar ze lange wandelingen maakten op het verder lege strand. Zich in het openbaar vertonen was een luxe die niet voor hem was weggelegd, wist hij. Hij was hier gekomen om zich voor een vrouw te verstoppen, en nu verstopte hij zich bij een andere vrouw en probeerde dapper haar te beschermen en hun liefdesverhaal buiten de pers te houden. Het was onmiskenbaar een uitdaging, maar hij kende de routine en zolang niemand erachter kwam dat hij bij haar in San Francisco zat, was er niets aan de hand. Tot nu toe ging het goed, zoals hij regelmatig tegen haar zei. Toch wisten ze allebei dat het niet eeuwig goed zou blijven gaan, dat ze vroeg of laat de consequenties onder ogen moesten zien van het feit dat hij een grote filmster was die een nieuwe liefde had. Daar zag Coco als een berg tegen op, hoeveel ze ook van hem hield.

'Ik wil gewoon niet dat het voorbijgaat,' zei ze verdrietig. 'Zoals het nu is, bedoel ik.'

'Misschien kan het niet precies zo blijven, maar we kunnen wel zo veel mogelijk onze privacy bewaren. En het gaat niet voorbij als wij dat niet willen,' zei hij gedecideerd. 'Dat maken we zelf wel uit.' Met die woorden kuste hij haar en zei nog eens hoeveel hij van haar hield. Het laatste wat hij wilde, was dat hun romance kapot zou gaan. Hij wilde samen met haar oud worden, dat wist hij zeker. Hoe ze dat voor elkaar moesten krijgen, was een ander verhaal. Hij was vastbesloten eruit te komen, koste wat kost.

Hij nam niet de moeite een gemeubileerd appartement in Los Angeles te huren. Hij had besloten bij Coco in San Francisco te blijven tot half september, dus ze hadden nog tweeënhalve maand. Hij begon in oktober aan zijn volgende film en hij moest in september zijn opwachting maken voor de preproductie en het passen van kostuums. Er zou tien dagen worden gefilmd in Los Angeles, waarna hij minstens een maand in Venetië zou zitten, en tegen de tijd dat hij terugkwam, kon hij weer in zijn eigen huis. Voorlopig had hij geen onderkomen in Los Angeles nodig. Hij had genoeg aan Coco en het leven en het huis dat ze deelden.

Hij stelde voor de week waarin Onafhankelijkheidsdag viel door te brengen in Bolinas en vroeg of ze een vervanger kon vinden voor haar werk, zodat ze de hele week aan het strand konden blijven. Ze waarschuwde al haar cliënten twee weken van tevoren en vond een jonge lesbische vriendin van Liz die graag in haar plaats met de honden wilde lopen. Erin was een leuke vrouw. Ze kon het geld goed gebruiken, en ze liep een week met Coco mee om ervaring op te doen. Het was voor het eerst in twee jaar dat Coco een week wegging, en Leslie en zij verheugden zich erop. Toen ze eenmaal in Bolinas waren, leek het al snel alsof Leslie nooit ergens anders had gewoond. Hij leende zelfs een duikpak van Ian en ging in zee zwemmen, al was hij doodsbang voor haaien, maar het was zulk schitterend warm weer dat hij de verleiding niet kon weerstaan. Coco vond het vreemd om hem in het vertrouwde duikpak uit het water te zien oprijzen. Hij had een iets andere bouw en ze wist dat hij Ian niet was, maar tot hij het duikmasker afzette, bleef haar hart sneller kloppen. Zodra ze Leslies glimlachende gezicht zag, sloeg het op hol. Toen besefte ze hoeveel ze van hem hield, en dat ze Ian een eigen plekje had gegeven. Leslie bezat haar hart nu. Ze lagen samen uren aan het strand, zochten schelpen, verzamelden stenen, gingen uit vissen, kookten samen, lazen, praatten, lachten, kaartten en sliepen urenlang.

Hij sleutelde wat aan haar busje en liet het tot haar stomme verbazing spinnen als een poesje. Jeff kwam een paar keer naar buiten om hem raad te geven, en Coco lachte toen Leslie weer binnenkwam. Zijn gezicht zat vol vette vegen en zijn handen waren zwart van de olie. Hij was zo verrukt als een jochie dat de hele dag in de modder heeft gespeeld. Hij leek een gelukkig mens.

Op 4 juli, Onafhankelijkheidsdag, nodigden de buren van de andere kant hen uit voor een barbecue. Leslie had er zin in.

'Stel dat ze je herkennen?' zei Coco ongerust. Ze waren de hele tijd verstandig en voorzichtig geweest, en dat had gewerkt. Ze hadden een idyllisch leven, volkomen anoniem en vredig.

'Je buren kennen me toch al? Ze zijn heel discreet.' Hij klonk zeker van zijn zaak, iets té zeker naar haar zin.

'De andere buurtbewoners zijn misschien minder discreet.'

'Als het niet goed voelt of uit de hand loopt, gaan we weg. Het lijkt me leuk om eens aan zo'n feest mee te doen, voor de verandering.' Uiteindelijk zwichtte Coco.

Ze gingen er laat heen, toen het al donker was, glipten de tuin in en pakten allebei een biertje. Leslie ging op een boomstronk zitten en raakte aan de praat met een jochie dat ongeveer zo oud was als Chloe. Toen zijn moeder hem kwam halen en Leslie zag, gaapte ze hem perplex aan. Het gerucht ging als een lopend vuurtje rond. Jeff zei niets, maar er waren tegen de vijftig mensen. Ze reageerden wel op het nieuws dat Leslie Baxter in hun midden bier zat te drinken, maar niemand vroeg een handtekening, geen mens viel hem lastig en uiteindelijk keerde de rust terug. Leslie praatte gezellig met drie mannen over vissen, en kinderen leken gek op hem te zijn. Hij ging er ook goed mee om. Jeff knipoogde naar Coco en kwam een praatje met haar maken.

'Ik mag hem wel,' zei hij zacht. 'Toen ik hem voor het eerst bij de vuilnisbakken zag, schrok ik wel even, maar het is een aardige, gewone vent. Het is niet zo'n egotripper als je zou verwachten. Je ziet er stralend uit, Coco. Ik ben blij voor je.' Jeff leek het echt te menen en zijn achtertuinvriendschap met Leslie op prijs te stellen.

'Dank je,' zei ze met een glimlach. Hij had haar in geen jaren zo gelukkig gezien, en zij had zich nog nooit zo gevoeld. Zo zelfbewust, zo lekker in haar vel en zo zeker van waar ze mee bezig was en met wie. Het was een heel volwassen gevoel, en het beviel haar wel.

'Raken we je kwijt aan Los Angeles?' vroeg Jeff. 'Ik hoop het niet.'

Coco schudde haar hoofd. 'Nee, ik blijf hier. Ik denk dat hij op en neer gaat reizen.' Jeff knikte. Hij hoopte dat het zou lukken.

Leslie overwoog later een huis in San Francisco te kopen, wanneer iedereen het van hen wist en zijzelf wisten hoe het verder moest. Niet zo'n kast van een huis als dat van Jane, had hij Coco beloofd, maar iets eenvoudigs en knus, misschien een oud victoriaans huis. Maar hij wilde ook met haar naar het strand blijven gaan. De reis van Los Angeles naar San Francisco was gewoon makkelijker. Het was nog te vroeg om er iets over te zeggen, maar hij hield het in gedachten. Hij stond open voor alles wat goed was voor hun relatie. Hij was bereid veel tijd, moeite en geld in zijn liefde voor haar te steken. In ruil daarvoor hoefde zij hem alleen maar een stukje tegemoet te komen, zich neer te leggen bij zijn filmsterrenleven, de nadelen die dat met zich meebracht en de tijd die hij in Los Angeles zou moeten doorbrengen. Coco voelde zich nog steeds een beetje verdwaasd.

De rest van de week verliep gladjes, en na de barbecue werd Leslie door een paar mensen op het strand gegroet wanneer hij met Coco de honden uitliet. Niemand besteedde ongepast veel aandacht aan hem, wilde foto's van hem maken of belde de pers. Daarvoor hadden de mensen te veel respect voor hem, en hij ging net als iedereen in Bolinas op in de anonimiteit. Als hij naar een plek had gezocht om zich te verstoppen, had hij niets beters kunnen vinden.

Toen Jane en Liz zes weken in New York waren voor hun film, moest Liz een paar dagen voor zaken naar Los Angeles. Ze hadden nog steeds geen vervanger voor Coco gevonden, en ze hadden het er nooit over. Coco vermoedde dat Jane niet eens haar best had gedaan, maar ze genoot van haar leven met Leslie en begon er dus zelf ook niet meer over. Liz belde vanuit Los Angeles, maar ze had geen reden om naar San Francisco te komen. Ze wist dat Leslie er nog steeds zat, en vond het best. Het was gezelschap voor Coco, als ze Leslie ooit sprak, wat Jane betwijfelde. Het leek haar niet waarschijnlijk dat hij vriendschap zou sluiten met een meisje van Coco's leeftijd, en wat Jane betrof was het onmogelijk dat hij meer van haar zou willen.

Liz had een paar keer het tegendeel gesuggereerd. Het waren tenslotte twee aantrekkelijke, intelligente, aardige mensen die onder één dak woonden. Jane had erom gelachen.

'Geen verhaaltjes voor scenario's en komische series bedenken,' vermaande ze Liz. 'Leslie Baxter wil echt niets beginnen met iemand die honden uitlaat, ook al is het mijn kleine zusje. Ze is zijn type niet, neem dat maar van me aan.' Jane was zo zeker van haar zaak dat Liz terugkrabbelde, maar ze vond het vreemd dat Leslie, nu zijn ex met een popster samenwoonde en hem niet meer bedreigde, nog steeds in hun huis logeerde. En Liz had meer respect voor Coco dan Jane, die haar nog steeds als een kind zag, en een opstandig kind bovendien. Liz wist wat er onder die buitenkant zat. Jane deed geen moeite om erachter te komen. Misschien had Leslie dat wel gedaan. De gedachte had zich bij Liz aangediend.

Als Liz in Los Angeles was, bracht ze altijd een bezoekje aan haar 'schone moeder', zoals ze de moeder van Jane noemde. Ze zag het als haar plicht, maar ze deed het graag. Ze was blij toen ze zag dat Florence uitstekend in vorm was en er beter uitzag dan ooit, maar het was haar niet ontgaan dat er net een jonge man was vertrokken toen zij bij het huis in Bel-Air aankwam. Hij leek ongeveer zo oud als Jane, en hij had in het voorbijgaan naar haar geglimlacht. Hij was in een zilverkleurige Porsche gestapt en weggereden. Liz had geen idee waarom, maar ze had het vreemde gevoel dat de jonge man terug wilde komen zodra zij haar hielen had gelicht. En toen ze de badkamer van Florence gebruikte, zag ze een kasjmieren mannentrui aan een haak aan de deur hangen, en er stonden twee tandenborstels in de beker. Ze hield zichzelf voor dat ze te wantrouwig was, maar plaagde Janes moeder er toch mee toen ze in de tuin aan de champagne zaten, een ritueel van Florence. Haar nieuwe facelift was eindelijk bijgetrokken en ze zag er vijftien jaar jonger uit dan ze was, met een beter figuur dan ooit.

'Zag ik je nieuwe vlam net in een Porsche wegrijden toen ik aankwam?' vroeg Liz plagerig. Ze was verbluft toen Florence verbleekte en zich in haar champagne verslikte.

'Ik... Natuurlijk niet... Doe niet zo gek... Ik... Ik...' Ze klapte dicht, keek Liz aan en begon tot haar ontzetting te huilen. 'Alsjeblieft, vertel het niet aan Jane en Coco... We hebben het zo fijn samen. Ik dacht dat het van voorbijgaande aard was, maar we zijn nu al bijna een jaar samen. Ik weet dat het nergens op slaat. Hij denkt dat ik vijfenvijftig ben. Ik heb hem wijsgemaakt dat ik Jane op mijn zestiende heb gekregen, wat afschuwelijk klinkt, maar ik wist niet wat ik anders moest zeggen. Hij is achtendertig, en het zal wel schandelijk klinken, maar ik hou van hem. Ik heb ons hele huwelijk van Buzz gehouden, maar hij is er niet meer. En Gabriel is een fantastische man. Hij is heel volwassen voor zijn leeftijd.' Liz probeerde haar schoonmoeder niet aan te gapen, maar moest zichzelf erop wijzen dat ze haar mond dicht moest doen. Ze was altijd invoelender en milder geweest dan Jane, en Florence had haar vaak in vertrouwen genomen, maar zoiets had ze haar nog nooit verteld.

'Als jij maar gelukkig bent, Florence,' begon ze omzichtig. Ze wist niet wat ze moest zeggen, of waarom die man een vrouw wilde die zoveel ouder was dan hij, iets waar ze zich vanzelfsprekend zorgen om maakte. Ze wist dat Jane het zou besterven als ze het hoorde, en Coco hoogstwaarschijnlijk ook. 'Wat doet hij? Is het een acteur?' Zo had hij eruitgezien, en hij was er aantrekkelijk genoeg voor, wat Liz nog wantrouwiger maakte.

'Hij is producer en regisseur. Hij maakt onafhankelijke films.' Florence noemde er twee die vrij veel succes hadden geboekt, wat inhield dat die Gabriel in elk geval geen gigolo was die het op haar geld had voorzien. 'We hebben het heerlijk samen. Het is hier eenzaam nu Buzz dood is en de meisjes hier niet meer wonen. Ik kan niet de hele tijd bridgen en schrijven. Mijn vriendinnen zijn bijna allemaal nog getrouwd, en ik hang er maar zo'n beetje bij.' Liz wist al een tijdje dat Florence het zwaarder had dan haar oudste dochter wilde toegeven, en ze was nog jong genoeg om naar gezelschap te verlangen, en zelfs naar seks, al vond Liz het beangstigend om daaraan te denken en wist ze dat Jane er niet van zou willen horen. 'Ga je het aan Jane vertellen?' vroeg Florence paniekerig.

'Niet als jij dat niet wilt.' Florence beging geen misdrijf, en ze deed niemand kwaad. Ze was niet ontoerekeningsvatbaar en deed niets gevaarlijks. Ze had een verhouding met een man die jonger was, vierentwintig jaar jonger zelfs, maar waarom ook niet, besloot Liz. Zij hadden toch niet het recht tegen haar te zeggen dat ze iets verkeerds deed, dat het niet mocht? Of haar een schuldgevoel te bezorgen? Desondanks was ze bang dat Jane dat allemaal zou doen. Ze kon spijkerhard zijn. Liz hield hoe dan ook van Jane, maar ze was zich terdege bewust van haar zwakke punten, tekortkomingen en eigenaardigheden, en verdraagzaamheid ten opzichte van haar medemens was nooit haar sterkste punt geweest. 'Ik denk dat je het de meiden beter zelf kunt vertellen,' zei ze vriendelijk.

'Vind je?'

'Ja, echt,' zei Liz eerlijk. 'Wanneer je denkt dat de tijd rijp is. Als het van voorbijgaande aard is, gaat het ze niets aan, maar als hij een blijvertje is, heb je er recht op dat je kinderen van je houden en je accepteren. Het is fijn voor ze om te weten wat er in je leven speelt.'

'Jane krijgt vast een hartverzakking,' zei Florence zielig.

'Ik ben ook geschrokken,' zei Liz. 'Ze komt er wel overheen. Ze heeft het recht niet jou voor te schrijven hoe je je leven moet leiden. Daar zal ik haar op wijzen, als je daar iets aan hebt.'

'Dank je wel,' zei Florence blij. Liz was vaker voor haar in de bres gesprongen, en met succes, maar ze wisten allebei dat dit een harde dobber zou worden.

'Over Coco zou ik maar niet inzitten,' vervolgde Liz. 'Die is zachtmoedig, en lang niet zo kritisch als Jane. Ze willen allebei dat je gelukkig bent.'

'Maar waarschijnlijk willen ze niet dat ik een jonge minnaar heb. Het gaat niet om geld,' zei ze om Liz gerust te stellen, en Jane via Liz. 'Ik heb tegen hem gezegd dat hij moet trouwen, een gezin stichten, maar hij is al gescheiden en heeft een kind van twee. En we zijn heel gelukkig samen, al denk ik niet dat we ooit gaan trouwen,' besloot ze verontschuldigend, alsof het vreselijk was wat ze deed.

'Weet je, als je een man was,' zei Liz, die opeens boos werd namens haar schoonmoeder en medelijden had met haar overduidelijke gêne, die zo diep ging dat ze zelfs tegen haar dochters had gelogen, 'als je een man was, zou je op alle mogelijke feesten pronken met een vrouw die half zo oud was als jij, je zou haar in bikini bij het zwembad van het Beverly Hills Hotel laten paraderen en je zou opscheppen tegen je kinderen, je kapper en je buren. Je zou nu al getrouwd zijn en een kind hebben. Als jij tien jaar ouder was en hij tien of twintig jaar jonger, maar jij was de man en hij de vrouw, zou het zo gaan, en iedereen zou je benijden. Dát is pas walgelijk, die dubbele moraal die jou het gevoel geeft dat je eromheen moet draaien, liegen en je verstoppen, terwijl een man in jouw positie het van de daken zou schreeuwen. Florence, het is jóúw leven. Je krijgt geen tweede kans. Doe wat jou gelukkig maakt. Ik was getrouwd voordat ik Jane leerde kennen, en waarschijnlijk had ik het mijn hele leven kunnen volhouden. Ik wilde niet dat iemand wist of dacht dat ik lesbisch was. Ik had het zo druk met fatsoenlijk doen en zijn wat iedereen van me wilde, dat ik diep ongelukkig was. Mijn man verlaten en bij Jane intrekken is het beste wat ik ooit heb gedaan. Nu heb ik eindelijk het leven waarnaar ik altijd verlangde. En weet je, als Buzz nog leefde, had hij nu vast een veel jongere vrouw gehad.' Ze hief haar glas champagne ter ere van de vrouw die volgens de wet misschien niet haar schoonmoeder was, maar van wie ze wel hield. 'Op Gabriel en jou, Florence. Een lang leven met alleen maar geluk.' Ze huilden allebei toen ze het had gezegd, en omhelsden elkaar lang. Toen belde Florence Gabriel op zijn mobieltje om het hem te vertellen. Ze wilde hem aan Liz voorstellen, maar die vond het niet eerlijk als ze hem eerder zag dan Jane. Ze vond het achterbaks en ze wist dat Jane dat ook zou vinden, al had ze haar kunnen verzekeren dat dat niet het geval was. Ze beloofde de volgende keer kennis met hem te maken, als Jane en Coco van hem wisten.

Een tijdje later ging ze weg, en de vrouwen zoenden elkaar bij de voordeur.

'Dank je wel,' zei Florence, die Liz dankbaar aankeek. 'Je bent een heel lief, fatsoenlijk mens. Mijn dochter boft maar.'

'Ik ook,' zei Liz. Ze glimlachte naar Florence en stapte in de limousine die haar ook had gebracht. Toen ze wegreed, zag Liz de Porsche terugkomen. Ze liet haar raampje zakken en wuifde en glimlachte. Hij keek haar verbaasd aan en glimlachte terug. Welkom in de familie, dacht Liz op weg naar de luchthaven. Wanneer Florence de moed had verzameld om het aan Jane te vertellen, zou het nieuws inslaan als een bom. Liz zou al het mogelijke doen om de klap te verzachten, maar ze kende Jane. Florence zou het zwaar te verduren krijgen, de eerste tijd.

HOOFDSTUK 7

*E*ind juli, twee weken later, vond Florence eindelijk de moed om Jane op te bellen. Ze had besloten het haar als eerste te vertellen. Zoals te verwachten viel, ging Jane door het lint. 'Wát?' zei Jane ongelovig. 'Heb je een vriend? Sinds wanneer?' 'Ongeveer een jaar,' bekende Florence, die kalmer probeerde te klinken dan ze zich voelde. Ze had drie glazen champagne gedronken voordat ze belde. 'Hij is heel aardig.'
'Wat doet hij voor de kost?' grauwde Jane.
'Hij is producer en regisseur.'
'Ken ik hem?' Jane was nog steeds geschokt. 'Hoe heet hij? Hij heeft zeker zijn eigen productiemaatschappij?' Dat sprak vanzelf, op die leeftijd. Waarschijnlijk was hij een belangrijk iemand in het vak die ze allemaal al jaren kenden. Toch was het vreemd. Jane dacht niet graag op die manier aan haar moeder. 'Gabriel Weiss.' Jane dacht even na en knikte. Tot nog toe was het niet al te verontrustend. Het was een gerespecteerde naam in het vak. 'Ik ken zijn zoon, die net zo heet. Hij heeft een paar goede films gemaakt. Ik wist niet dat zijn vader ook producer was.'
'Dat is ook niet zo. Zijn vader was neurochirurg, en hij is al

tien jaar dood. We hebben het over de Gabriel die je kent.'
Florence voelde zich opeens dapperder. Het moment van de waarheid was aangebroken en de champagne deed zijn werk. Gabriel had die dag tegen haar gezegd dat hij van haar hield, wat er ook gebeurde en wat haar dochters ook zeiden, en dat er niets mis was met wat ze deden. Van iemand houden was geen misdaad, ongeacht het leeftijdsverschil tussen de geliefden. Daar herinnerde ze zichzelf nu aan. Ze was tweeënzestig, maar Gabriel geloofde nog dat ze vijfenvijftig was. Ze had het lef niet om hem de waarheid te vertellen.

'Wacht even, mam,' zei Jane, die het niet begreep. 'De Gabriel Weiss die ik ken is een jaar of twaalf.'

'Niet echt. Hij is van jouw leeftijd. Hij wordt volgende maand negenendertig.'

'En hoe oud ben jij?' pareerde Jane hardvochtig. 'Tweeënzestig, bijna drieënzestig? Is dat niet een beetje belachelijk? Ik vind het zelfs ronduit walgelijk voor een vrouw van jouw leeftijd om iets te beginnen met iemand van zijn leeftijd. Wat is er met hem? Heeft hij geld nodig voor zijn volgende film?'

Liz, die net de kamer in was gelopen, werd misselijk toen ze het hoorde. Ze vond het vreselijk als Jane zo genadeloos toesloeg. Ze had haar ook zo tegen Coco tekeer horen gaan, en tegen anderen. Diep vanbinnen was Jane een goed mens, maar ze maakte anderen met de grond gelijk. Liz hield toch wel van haar, en zij pikte het niet, maar die anderen wel. Jane vervolgde: 'Ik heb nog nooit zoiets beschamends, weerzinwekkends en schandaligs gehoord. Ik hoop maar dat je heel snel tot rede komt.'

Toen verraste haar moeder haar. 'En ik hoop dat jij heel snel je manieren terugvindt. Gabriel is een fatsoenlijk mens. Hij is niet op mijn geld uit. En ik ben een fatsoenlijke vrouw. Ik ben je moeder, en ik ben zo goed je dit zelf te vertellen voordat je het van een ander hoort. We doen niets verkeerds, en elke man zou doen wat ik nu doe, als hij de kans kreeg. Gabriel is vierentwintig jaar jonger dan ik, en als wij dat aankunnen, kun jij het misschien ook. Ik spreek je binnenkort wel weer.' Ze hing op terwijl Jane aan de andere kant van de lijn sputterde. Ze kon haar oren niet geloven, en haar moeder had zomaar opgehangen. Dat was voor het eerst, al had het veel eerder moeten gebeuren. Doorgaans waren ze aan elkaar gewaagd, maar nu was Jane te ver gegaan, en haar moeder vond dat ze Gabriel ook moest verdedigen.

Jane keek Liz ongelovig aan. 'Mijn moeder heeft de ziekte van Alzheimer,' zei ze met een gekweld gezicht.

'Hoe kom je daar zo bij?' vroeg Liz, die haar best moest doen om haar gezicht in de plooi te houden.

'Ze heeft een relatie met een man van mijn leeftijd. Gabriel Weiss.'

'Is het een slecht mens?' vroeg Liz onaangedaan.

'Weet ik het? Hij is een goede producer, maar hij kan geen goed mens zijn als hij het met mijn moeder doet, die bijna twee keer zo oud is als hij.'

'Ze ziet er jonger uit dan ze is,' wees Liz haar terecht, 'en kerels van zijn leeftijd en nog ouder doen het om de haverklap met meiden die half zo oud zijn.' Het was niet wat Jane van haar wilde horen.

'Maar het is mijn moeder, godbetert!' De tranen waren haar in de ogen gesprongen. Liz ging naast haar zitten en sloeg een arm om haar heen.

'Stel dat zij zo had gereageerd toen je haar vertelde dat je lesbisch was?'

'Zo reageerde ze ook!' Jane lachte door haar tranen heen. 'Ze dreigde met zelfmoord. Een dag of twee. En toen vertelde ze het aan mijn vader, die het nieuws fantastisch goed opnam. Ik denk dat ze teleurgesteld waren, maar ze hebben altijd achter me gestaan. Je zult wel gelijk hebben, maar shit, Liz, waarom doet ze nou zoiets? Stel dat die vent alleen op haar geld uit is en haar voor schut zet?'

'Stel dat het niet zo is? En al is het wel zo, wat dan nog, als hij haar een beetje geluk kan bezorgen? Ouder worden valt niet mee, en ze is helemaal alleen in Los Angeles.'

'Ze heeft miljoenen fans. Ze verkoopt miljoenen boeken.'

'Haar fans houden haar 's nachts niet warm, en ze troosten haar niet als ze verdriet heeft. Wat zouden wij zonder elkaar moeten beginnen?' zei Liz veelbetekenend. Jane veegde de tranen uit haar ogen.

'Ik kan niet zonder jou. Zonder jou is mijn leven een woestenij, Liz. Je bent het belangrijkste in mijn leven. Jij bent mijn familie.'

'Probeer je voor te stellen hoe het zonder dat zou zijn. Haar hele wereld draaide om jouw vader. Dat is ze kwijt. Nu heeft ze Gabriel. Of hij nu goed of slecht is, ze heeft het recht er zelf achter te komen, en niet alleen te zijn, en haar leven te delen met wie ze wil.'

'Hoe kun jij zo jong al zo wijs zijn?' zei Jane. Ze snoot haar neus in de tissue die Liz haar lachend aanreikte.

'Het is niet mijn moeder, maar het is een goed mens en ik hou van haar. Ik wil ook het beste voor haar. Laten we haar een kans geven. Ik vind dat ze die verdient.' Jane dacht er met gebogen hoofd over na, sloeg haar armen om Liz heen en knuffelde haar.

'Mijn moeder is knettergek, als je het mij vraagt, maar jij bent geweldig.' Liz glimlachte naar haar. Hun band werd met de dag hechter.

'Oké. Dan heb je nu twee dagen om tegen haar te zeggen dat je zelfmoord wilt plegen, net als zij toen jij uit de kast kwam, en daarna kun je je er misschien mee verzoenen, in haar belang. Denk er maar over na.'

'Dat zal ik doen,' zei Jane zacht, en toen belde ze Coco op. Het was zo'n moment waarop zussen elkaar nodig hebben, en het bloed kruipt waar het niet gaan kan.

Coco en Leslie hadden de slappe lach toen de telefoon ging.

Hij had haar een anekdote verteld over een reeks ongelukjes op de set tijdens de opnames van een van zijn eerste films. Ze smulde van die verhalen, en hij vertelde goed. Ze lachte nog steeds toen ze opnam en Jane aan de andere kant van de lijn hoorde.

'Onze moeder is krankzinnig geworden,' zei Jane met een grafstem. Coco vermoedde meteen wat er ging komen, want ze had het met eigen ogen gezien. 'Ze heeft een verhouding met een man van mijn leeftijd.' Voor Coco was het een opluchting dat hij niet jonger was. Toen ze hem zag, was ze bang geweest dat hij dichter bij haar leeftijd zat.

'Van wie heb je dat gehoord?' vroeg Coco bedaard.

'Van haar. Waarom klink je niet verbaasd?' vroeg Jane verbolgen.

'Ik verwachtte al zoiets.' Haar moeder maakte al een tijdje een gelukkige indruk, en ze liet Coco met rust. Ze belde vrijwel nooit. Dat was iets nieuws. In het verleden belde ze Coco een paar keer per week op om haar te vertellen wat er allemaal aan haar en haar leven mankeerde. De laatste tijd waren haar telefoontjes zeldzaam, kort en oppervlakkig.

'Wat vind je ervan?' vroeg Jane.

Coco zuchtte peinzend. 'Ik weet het niet. Ergens vind ik dat ze het recht heeft om te doen wat ze wil, maar ergens vind ik het ook gestoord en helemaal verkeerd. Wat weet ik ervan? Ik leef als een hippie in een keet in Bolinas omdat ik me daar lekker bij voel. Ik was bijna met een duikinstructeur getrouwd en naar Australië geëmigreerd. Jij bent lesbisch en zo goed als getrouwd met een vrouw. We hebben toch niet het recht om te beslissen wat goed voor haar is? Misschien is het wel een goeie vent. Ze is slim genoeg om erachter te komen of hij deugt. Onze moeder laat zich niet om de tuin leiden.'

'Sinds wanneer ben jij zo volwassen en filosofisch?' vroeg Jane wantrouwig. 'Heeft zij je soms omgepraat?'

'Nee, ik hoor het nu net van jou, maar wie weet had paps hetzelfde gedaan, en misschien wel met een echte snol. Als mensen van die leeftijd er alleen voor komen te staan, doen ze zulke dingen. Niemand wil alleen zijn,' zei ze met een glimlach naar Leslie, die een duim naar haar opstak.

'Je schijnt het niet erg te vinden,' zei Jane verontwaardigd. 'Je zou denken dat het niets uitmaakt, op haar leeftijd.'

'Hoezo? Waarom zou ze alleen willen zijn na al die jaren met paps?'

'Waarom zou ze zich op haar leeftijd belachelijk willen maken met een veel jongere man?' Jane kon er met haar verstand niet bij.

'Misschien geeft het haar het gevoel dat ze jong is. Ik denk dat ze eenzaam is.'

'We zouden vaker bij haar langs moeten gaan,' zei Jane met gefronst voorhoofd.

'Dat is niet hetzelfde, dat weet je best. Ik weet het niet, Jane. Het bevalt mij ook niet, maar het is geen misdaad.'

'Het getuigt van een ongelooflijk slechte smaak. En ze kwetst ons ermee.'

'Dat zegt ze nooit over het feit dat jij lesbisch bent.' Daar had Coco een punt, en Jane zweeg even. 'Ze heeft altijd achter je manier van leven gestaan.'

'Maar dat is geen eigen keus. Zo ben ik.'

'Ze zou er toch bezwaar tegen kunnen maken, maar dat doet ze niet. Ze is altijd trots op je geweest.' Niet op mij, wilde Coco erbij zeggen, maar ze deed het niet. Noch haar moeder, noch haar zus had haar gesteund, en toch wilde ze voor hen opkomen. Het was niet eerlijk, maar zo zat hun familie in elkaar.

'Ze is ook trots op jou,' zei Jane zacht. Ze voelde aan wat haar zusje dacht en schaamde zich opeens voor al haar kritiek op haar. Coco uitte nooit kritiek.

'Nee, echt niet,' zei Coco met tranen in haar ogen. 'En jij evenmin. Daar maak je geen geheim van. Maar ik vind dat we haar nu iets verschuldigd zijn. Een beetje respect, of in elk geval verdraagzaamheid.' Jane zei niets terug. Ze dacht aan alle keren dat ze Coco had verteld wat er allemaal aan haar mankeerde en wat een mislukkeling ze was. Ze voelde zich er vreselijk over en wilde Coco nu iets toevertrouwen.

'Ik heb ook een nieuwtje,' zei Jane met een vragende blik naar Liz, die knikte. 'Ik ben twaalf weken zwanger. Ik ben geïnsemineerd voordat we naar New York gingen. We wilden het aan niemand vertellen voordat we zeker wisten dat het goed zou gaan. We hebben het vorig jaar geprobeerd en dat is op een miskraam uitgelopen, maar nu is alles in orde.' Coco was verbijsterd. Ze hadden haar de vorige keer niets verteld, en Coco had er geen idee van dat Liz en Jane een kind wilden, maar nu ze erover nadacht, herinnerde ze zich dat Liz altijd kinderen had gewild. Ze vond het gek dat Jane het kind kreeg, terwijl Liz veruit de warmste en moederlijkste van de twee was, maar Jane was een paar jaar jonger. Dat kon de reden zijn.

'Gefeliciteerd!' zei Coco met een glimlach, al was ze nog steeds verbaasd. 'Wanneer ben je uitgerekend?'

'Begin februari. Ik kan het nog steeds niet geloven. Je ziet er nog niets van. Tegen de tijd dat we terugkomen, ben ik zes of zeven maanden in verwachting.'

'Dat moet ik zien!' Coco lachte. Toen schoot haar iets te binnen. 'Misschien zou je iets aardiger tegen mam kunnen doen. Als jij een kind kunt krijgen met een vrouw. En ik de brui kan geven aan mijn rechtenstudie en leven als een hippie, zoals jullie het noemen. Misschien is het haar goed recht om een vriendje van jouw leeftijd te hebben. Wie zijn we eigenlijk om elkaar te veroordelen en elkaar de wet voor te schrijven?' Diep in haar hart wist Jane dat haar zusje gelijk had. Ze dacht er lang over na, en toen pakte ze Liz' hand. Liz streek zacht met haar vrije hand over Janes buik, en ze keken elkaar diep in de ogen.

'Het spijt me dat ik al die stomme dingen tegen je heb gezegd,' fluisterde Jane, en ze meende het. 'Ik hou van je en ik hoop dat het kindje sprekend op jou lijkt.' De tranen biggelden over haar wangen.

'Ik hou ook van jou,' zei Coco. Heel even was Jane de grote zus van wie ze altijd had gedroomd, maar die ze nooit had gehad.

Ze praatten nog een paar minuten voordat ze ophingen. Coco veegde de tranen uit haar ogen en keek met een droevige glimlach naar Leslie.

'Ik ben trots op je,' zei hij teder, en hij nam haar in zijn armen.

'Ze bood me haar verontschuldigingen aan. Ze had het gehoord van mam, en ze was razend.'

'Je hebt precies de goede dingen gezegd,' prees hij haar. Het betekende alles voor haar.

'Jane ook, uiteindelijk.' Ze keek glimlachend naar hem op. 'Ze krijgt een kind.'

'Boeiend. Misschien zal het moederschap haar iets milder maken.'

'Zo te horen is ze dat al,' zei Coco, denkend aan de lieve woorden van haar zus. Leslie kuste haar en ze deed haar ogen dicht. 'Ik zou op een dag ook een kind met jou willen hebben,' fluisterde hij, en ze knikte. Ze vond het ook een goed idee, al had ze er nog nooit over nagedacht. Soms was het allemaal nauwelijks te bevatten, zoveel was er gebeurd in die korte tijd.

HOOFDSTUK 8

$\mathcal{D}$e dagen erna belden Coco en Jane veel met hun moeder. Jane vond het nog steeds erg dat ze een geliefde had die zoveel jonger was, en hoewel Coco en Liz haar ervan hadden overtuigd dat haar moeder het recht had een relatie aan te gaan met wie ze maar wilde, vond Jane het nog steeds ongepast en kwetsend dat haar moeder een verhouding had met iemand van Gabriels leeftijd, en ze geloofde nog steeds niet helemaal dat hij niet op haar geld uit was. Ze had wel beloofd hem te ontmoeten en hem een kans te geven wanneer Liz en zij weer terug waren uit New York, wat nog een aantal maanden zou duren. Jane had haar moeder nog niet verteld dat ze in verwachting was. Ze zei dat er nog tijd genoeg was, maar een paar dagen later haalde Liz haar over het toch te vertellen. Toen Florence hoorde dat er een kleinkind op komst was, was ze verbijsterd en in de wolken.

'Weet je, een van de dingen die ik zo erg vond toen je vertelde dat je lesbisch was,' bekende ze, 'was dat ik dacht dat je nooit kinderen zou krijgen. Het was niet in me opgekomen dat je het zo zou oplossen. Vind je het niet vervelend,' vroeg ze vrijpostig, 'dat je niet weet wie de vader is?'

'Niet echt. We hebben de spermadonor uitgekozen aan de hand van een uitgebreide beschrijving. We kennen zijn familiegeschiedenis, zijn herkomst, zijn ziektegeschiedenis, zijn opleiding en zijn eigenaardigheden. Zijn vader en hij hebben allebei aan Yale gestudeerd.' In academisch opzicht was Jane net zo'n snob als haar ouders, en ze zou nooit iemand hebben gekozen die niet had gestudeerd. De vader was een jonge, gezonde medicijnenstudent van Zweedse afkomst. Ze wisten alles van hem, behalve zijn naam.

Jane vertelde haar moeder dat ze een vruchtwaterpunctie wilde laten doen om er zeker van te kunnen zijn dat de baby geen ernstige erfelijke afwijkingen had en omdat het leuk was om al te weten of het een jongetje of een meisje was. Liz en zij hoopten allebei op een meisje. Florence vond het ongelooflijk dat ze oma werd, maar ze vroeg zich af of Gabriel haar nu niet met andere ogen zou zien. Haar dochters hadden haar de afgelopen dagen flink overstuur gemaakt.

Coco maakte het haar minder moeilijk dan Jane, maar het was duidelijk dat ze er ook mee zat. Ze had iets meer tijd gehad om te wennen aan het idee van haar moeder met een veel jongere man, want zij had het stel in het Bel-Air gezien.

'Fijn dat je niet boos op me bent,' zei Florence zacht. Uiteindelijk was Coco vriendelijk geweest, zoals altijd.

'Ik ben niet boos, ik ben gewoon bezorgd om je,' legde Coco uit. Het was vreemd dat zij nu de moederrol had. En Florence leek haar meer in vertrouwen te nemen dan Jane, wat ook vreemd was. Haar moeder had altijd een hechtere band gehad met Jane, wat deels kwam doordat Jane ouder was en deels doordat Jane het enige kind was geweest tot Coco kwam. Coco had altijd het gevoel gehad dat Jane een voorsprong had, en dat ze iets met hun moeder deelde waar zij zelden of nooit bij betrokken werd. Ze lieten haar gewoon niet toe. Ze hadden dezelfde manier van denken, ze waren allebei even kritisch en bevooroordeeld en waren het over veel dingen eens. Als kind was Coco al anders geweest dan zij beiden. Ze had zich bijna vanaf haar geboorte een buitenstaander gevoeld. Zo lang ze zich kon heugen, waren haar moeder en Jane boezemvriendinnen geweest.

Jane was het huis uit gegaan om te gaan studeren toen Coco zes was, en in plaats van dat zij toen het oogappeltje werd, was Coco een buitenstaander gebleven. Ze werd grootgebracht door kinderjuffen terwijl haar moeder werkte. Florence had het schrijven van haar boeken veel belangrijker gevonden dan haar jongste kind. Jane was degene voor wie ze haar werk altijd aan de kant zette, degene aan wie ze tijd besteedde en met wie ze uitstapjes maakte. Jane, die al volwassen was, was boeiender dan Coco, die altijd het gevoel had dat ze tekortschoot. Deze ene keer was het eens de altijd volmaakte, onberispelijke, alleswetende rechter over goed en kwaad, de beroemde Florence Flowers, die het gevoel had uit de gratie te zijn. Het was een gevoel dat ze nog niet kende, en ze zocht troost bij haar veel mildere dochter.

'Hoe heb je Gabriel eigenlijk leren kennen, mam?' vroeg Coco tijdens een van hun lange gesprekken over hem. Nu hij zo'n belangrijke plaats in het leven van haar moeder leek te hebben veroverd, wilde ze alles van hem weten. Florence, die die belangstelling aanzag voor bijval, was dankbaar. Ze was diepgekwetst door de dingen die Jane had gezegd, en ook al had ze er later haar excuses voor aangeboden, het was niet meer terug te draaien. Ze had haar moeder voor de voeten gegooid dat ze seniel was, dat ze de ziekte van Alzheimer had en dat ze een dwaze oude vrouw was die zich liet uitbuiten door een man die alleen van haar geld en roem wilde profiteren. Coco besefte dat dat laatste best waar kon zijn, maar ze had zich voorzichtiger uitgedrukt. Haar relatie met haar moeder was lastig, maar ze was in wezen een goed mens en wilde haar niet kwetsen.

'Ik heb vorig jaar een van mijn boeken aan Columbia verkocht, en Gabriel kreeg de opdracht de verfilming te produceren en te regisseren. We hebben nauw samengewerkt aan het script, al denk ik dat de opnames pas volgend jaar beginnen. Het was een leuke samenwerking. Gabriel is een heel boeiende, gevoelige man.' Ze klonk plotseling verlegen, tot verbazing van haar dochter, die die toon niet kende. 'En hij zegt hetzelfde over mij. Hij had op de universiteit ook een oudere vrouw, maar niet zó oud,' gaf ze toe. 'Toen hij achttien was, had hij een vriendin van dertig.' Hij viel kennelijk op oudere vrouwen.

'Ik verheug me erop hem te zien,' zei Coco zacht. Het was waar, om verschillende redenen. Ze zei het wel niet, maar ze had nog steeds haar verdenkingen. Het leek niet juist of normaal dat hij een vrouw had die vierentwintig jaar ouder was dan hij, al moest ze toegeven dat haar moeder er jonger uitzag. Hij wist ook niet hoe oud Florence in werkelijkheid was, maar dacht nog altijd dat ze zeventien jaar scheelden, en dat is veel. Ze vroeg zich af of haar moeder al iets dergelijks in haar achterhoofd had gehad toen ze haar tweede facelift nam, meteen na het overlijden van Coco's vader. Waarschijnlijk niet, maar het speelde door haar hoofd. Ze had toen ook een liposuctie en een buikcorrectie ondergaan. Florence was altijd heel ijdel geweest. Het maakte allemaal deel uit van datgene waar Coco zich tegen had afgezet, het Hollywoodleven dat ze kende. Jane was ook ijdel, zij het niet zo erg als hun moeder, en Coco wist dat ze al een paar jaar botoxinjecties kreeg. Coco kon zich in de verste verte niet voorstellen dat zijzelf zulke dingen zou doen. Dat soort ijdelheid en egocentrisme was haar volkomen vreemd.

'Hij wil jou ook graag zien,' zei Florence, die opgelucht was dat haar dochter Gabriel wilde leren kennen. Ze was doodsbang geweest dat haar dochters haar zouden laten vallen. Jane had het overwogen, maar was door Liz tot rede gebracht.

'Zo, en wat vind je van de baby?' vroeg Coco om iets te zeggen. Ze kon zich niet voorstellen dat haar moeder zich bezighield met het feit dat ze oma werd. Het moest haar in verlegenheid brengen.

'Ik ben blij voor ze. Ik had altijd gedacht dat jij degene zou zijn die kinderen kreeg. Het was niet in me opgekomen dat ze zoiets zouden doen. Het is een beetje vreemd om niet te weten wie de vader is.' Maar wat haar moeder deed, vond Coco ook een beetje vreemd.

'Jane zei dat ze opzag tegen de mogelijke complicaties als ze een vriend hadden gevraagd. Nu is het kind alleen van Liz en haar. Ik begrijp het wel. Waarschijnlijk zou het een raar gevoel zijn, een kind van iemand die ze kent. Het lijkt nog heel ver weg.' De bevalling was over een halfjaar. 'Tegen de tijd dat het zover is, zullen we allemaal wel aan het idee gewend zijn.'

'Dat weet ik nog zo net niet,' zei Florence openhartig. 'Ik heb andere dingen aan mijn hoofd, en ik ga aan een nieuw boek beginnen.' Ze klonk al minder deemoedig. Ze vergat zelden of nooit wie ze was, al had ze door Janes woede een paar dagen een toontje lager gezongen. Ze kon bijna geloven dat het feit dat ze nu grootmoeder werd, net nu ze een jongere man in haar leven had, Janes ultieme wraak op haar was. Iedereen die Florence Flowers kende, wist dat haar leven alleen om háár draaide. De enige die ze soms in haar wereldje toeliet, was Jane. Het maakte haar verdrietig dat daar verandering in zou komen wanneer Jane een kind kreeg en ze zich meer op Liz en de kleine zou richten. Florence voelde zich opeens buitengesloten, wat haar nog nader tot Gabriel bracht dan tevoren.

Die avond praatte ze met hem over haar dochters. Hij wist dat ze Coco en Jane over hem had verteld, en het maakte hem nerveus. Hij kon zich niet voorstellen dat hij hun goedkeuring kon wegdragen, en dat had hij goed gezien.

'Zijn ze allebei nog overstuur?' vroeg hij angstig toen ze die avond op het terras van The Ivy zaten te dineren. Florence had een witte spijkerbroek met een turkooiskleurige zijden blouse aan en ze liep op goudkleurige sandalen met hoge hakken. Ze zag er beter uit dan ooit, en toen ze vol bewondering naar hem opkeek, kon hij zich maar moeilijk voorstellen dat ze zich door haar dochters van haar stuk had laten brengen.

'Ze komen er wel overheen. Ze zijn er al overheen,' stelde ze hem gerust. 'Coco schrok ervan, maar het is een lief meisje. Ze zei dat ze alleen maar wil dat ik gelukkig ben, en ze verheugt zich erop je te zien wanneer ze weer hier is. Ze kan nu niet komen, want ze past op het huis van haar zus.' Ze zei niets over de baby, want daar wilde ze mee wachten tot het echt niet anders meer kon. Gabriel mocht haar niet als een omaatje zien. Het leeftijdsverschil was zo al erg genoeg. Ze had het zelf niet zo erg gevonden, maar Jane dacht er duidelijk anders over. 'Mijn oudste dochter is harder,' zei ze terwijl Gabriel champagne voor hen beiden bestelde. Ze hadden iets te vieren: ze hoefden zich niet meer te verstoppen uit angst dat Florence' dochters iets aan de weet zouden komen. Florence had zich ook zorgen gemaakt om de pers. Ze was een grote ster, en hun romance was een sappig verhaal dat uiteindelijk in de roddelpers en fanclubtijdschriften terecht zou komen. Tot nog toe waren ze voorzichtig geweest, en ze hadden geluk gehad.

'Was Jane erg boos op je?' vroeg Gabriel bezorgd toen hij met haar klonk. Hij droeg een witte spijkerbroek, een t-shirt, bruine alligatorleren instappers en geen sokken. Die schoenen had hij maanden geleden van Florence gekregen, en ze vond het fijn als hij ze aanhad. Hij droeg ze vaak als hij haar zag. Ze had ze ook in het zwart voor hem gekocht.

'Eerst wel,' zei ze naar waarheid. 'Ik geloof niet dat het ooit in haar was opgekomen dat er zoiets kon gebeuren. Ik denk dat ze zo schrokken vanwege hun vader. Jij bent de eerste man in mijn leven sinds zijn overlijden.' Het was niet helemaal waar, maar ze dacht dat het beter klonk. Ze had twee vluchtige verhoudingen gehad in het jaar na Buzz' overlijden, maar er niets over tegen haar dochters gezegd. Het waren saaie mannen en ze was op geen van beiden verliefd geweest, maar ze hield krankzinnig veel van Gabriel Weiss, voor wie ze was gevallen zodra ze elkaar zagen. Hij beweerde dat het hem net zo was vergaan. Hun romance was snel en vurig van start gegaan, en zo gebleven. 'Ik denk dat ze zich moeten aanpassen. Jane heeft een lieve, bijzonder intelligente vriendin. De laatste keer dat ik haar zag, heeft ze beloofd een goed woordje voor me te doen bij Jane, en ik denk dat ze dat ook heeft gedaan. Liz was helemaal niet van streek.' Hij glimlachte begripvol naar haar. Als hij af mocht gaan op wat hij zelf van Jane Barrington wist en wat hij in het vak had opgevangen, was ze een kenau.

'Mijn leeftijd zal wel schrikken zijn geweest,' zei hij eenvoudigweg. 'Ik denk er nooit aan als we samen zijn.' Hij glimlachte en drukte een kus in haar hals, zich sterk bewust van het decolleté in haar zijden blouse, dat moeilijk over het hoofd was te zien. Hij hield van haar kledingstijl, die tegelijk sexy en elegant was. Ze was de verleidelijkste vrouw die hij ooit had gekend. 'Het voelt altijd alsof we even oud zijn.' Hij zei precies wat Florence wilde horen, en ze geloofde hem. Misschien was het krankzinnig, maar ze wist zeker dat hij oprecht was. En Liz had gelijk. Als zij een man was geweest, had niemand ervan opgekeken. De mensen hadden haar zelfs groot gelijk gegeven, en haar benijd.

'Het komt wel goed met Jane,' stelde ze hem weer gerust. 'Ze heeft wel iets anders aan haar hoofd. Ze zit tot over haar oren in de zorgen en problemen met de vakbond in New York, waar ze een film opneemt. Onze romance is wel het laatste waar ze zich druk om maakt.' En dan had ze dus nog niets gezegd over de baby, waar Gabriel nog niets van wist en hopelijk voorlopig niets over zou horen. Tegen die tijd waren ze misschien al getrouwd. Gabriel had het er al de hele zomer over, en Florence vond het een heerlijk idee. De meiden waren het enige struikelblok, en ze wilde haar dochters niet nog erger van streek maken door over een huwelijk te beginnen. Ze wilde dat ze hem eerst leerden kennen, en hoopte dat ze dan tot bedaren zouden komen.

Tijdens de rest van het etentje praatten ze over de film waaraan hij werkte. Ze had maandenlang scripts met hem doorgenomen en hem uitstekende adviezen gegeven. Ze waren een goed team. Eigenlijk pasten ze op elk gebied fantastisch goed bij elkaar. Ze zag de afgunstige blikken van een paar andere gasten. Vrouwen keken van haar naar Gabriel en dan weer met onverholen bewondering naar haar, of dat dacht ze tenminste. Niemand was er ooit van uitgegaan dat hij haar zoon was, en hij zag er ook iets ouder uit dan hij was. Ze leken eerder tien jaar te schelen dan vierentwintig, en van een vrouw met een tien jaar jongere man keken de mensen tegenwoordig niet meer op. Demi Moore en Ashton Kutcher hadden de weg vrij gemaakt voor stellen zoals zij. De mensen moesten haar benijden, vond ze, niet bekritiseren of uit de weg gaan.

Na het eten gingen ze zoals gewoonlijk naar haar huis. Sinds een paar maanden sliep hij bijna elke nacht bij haar, maar soms, als ze iets bijzonders wilden doen, brachten ze het weekend in het Bel-Air Hotel door. Gabriel betaalde dan altijd. Hij liet Florence nooit iets betalen, behalve de cadeautjes die ze hem soms gaf. Toen ze een halfjaar bij elkaar waren, had hij haar een diamanten armband gegeven en hij hoopte haar het komende jaar een verlovingsring aan te bieden, maar dat wist ze nog niet. Hij had er al een uitgezocht. Hij hoopte dat haar dochters hem tegen die tijd hadden ontmoet en goedgekeurd. Hij wilde het gezin niet verscheuren, maar hij was smoorverliefd op hun moeder, of zij dat nu leuk vonden of niet. Hij vond haar fantastisch.

Gabriel strekte zich op het bed uit alsof het van hem was, wat inmiddels ook zo was, net zoals zij van hem was. De seks met hem was een heel nieuwe ervaring voor Florence geweest. In haar zesendertig jaar met Buzz was het nooit zo fijn geweest, zelfs niet toen ze nog jong waren. Gabriel was een ongelooflijke minnaar. Kortgeleden had hij zijn moeder over hun verhouding verteld, en die was net zo overstuur geweest als Jane, maar ze begon ook in te zien dat ze er niets tegen kon beginnen. Gabriel had gezegd dat hij van haar hield en dat zijn besluit vaststond, en ze kende haar zoon door en door. Ze wist dat ze niets kon doen om Gabriel af te brengen van wat of wie hij wilde. Hij was de meest vasthoudende man van de wereld. Dat had Florence ook gemerkt in het begin, toen ze zich tegen hem verzette. Dat had ze niet lang volgehouden. Ze was door de knieën gegaan en had zich overgegeven aan de vele genoegens die ze deelden. Seks stond niet boven aan die lijst, al was het wel belangrijk, maar hij vond het ook heerlijk om met haar te praten en te lachen, naar haar te luisteren en haar nog uren vast te houden nadat ze de liefde hadden bedreven. Hij hield van alles aan haar: haar geest, haar lichaam, haar stijl, haar kracht, haar roem, haar reputatie en haar enorme talent. Ze was een unieke vrouw, met niemand te vergelijken. Hij had verwacht zich ondergeschikt te voelen aan haar, maar ze had hem in veel opzichten naar haar eigen niveau getild. Hij leerde veel van haar, of het nu over schrijven, discipline, talent of gevoel voor humor ging. Dankzij haar schreef en regisseerde hij al onmetelijk veel beter, wat niet alleen hemzelf, maar ook Florence was opgevallen. Hij voelde zich alsof hij knielde aan de voeten van de meester, wat in veel opzichten ook zo was.

Die avond trok hij haar sexy goudkleurige sandalen uit en gooide ze op de vloer, waarna de witte spijkerbroek en de turkooiskleurige blouse aan de beurt waren. Daaronder droeg ze een string en een lichtblauwe kanten beha, en hij keek glimlachend naar haar.

'Je bent de meest sexy vrouw op aarde,' zei hij bewonderend. Ze had nog een slank, strak lijf. Ze fitneste nu elke dag onder begeleiding van een van de beste trainers van de stad. Dat ze elke nacht met Gabriel vrijde, was haar motivatie, en ze had hem dingen geleerd waar hij nog nooit van had gehoord.

Ze kleedde hem uit op die langzame, sensuele manier waar hij gek van werd, en toen lagen ze naakt in elkaars armen. Ze stuurde het personeel tegenwoordig 's avonds naar huis, en als het warm genoeg was, vrijden ze in het zwembad, maar die avond bleven ze liever in het enorme hemelbed met roze hemel dat het afgelopen jaar zijn thuis was geweest.

Ze drukte haar lippen op de zijne, gleed boven op hem en bereed hem, en Gabriel begon binnen de kortste keren te kreunen. Ze bleef zitten, afwisselend plagend en behagend om hem te kwellen, en toen gleed ze van hem af en nam hem in haar mond. Hij vond haar ook met zijn tong, en langzaam keerde het tij. Nu had Gabriel de leiding, en hij maakte haar net zo gek als zij hem. Het duurde lang voordat ze bevredigd waren, en daarna lag ze voldaan in zijn armen. Gabriel, die er uitgeput uitzag, hield haar vast en lachte. Hij wist niet wat haar dochters van hem vonden en op dat moment kon het hem niets schelen. Hij had nog nooit zoveel van een vrouw gehouden. Even later vielen ze in elkaars armen in slaap. De rest van de wereld bestond voor hen gewoon niet.

HOOFDSTUK 9

*H*alf augustus kreeg Leslie een telefoontje van Chloe's moeder. Ze had een uitnodiging gekregen om twee weken door te brengen op een jacht in Zuid-Frankrijk. Ze ging in de weekends met Chloe naar Southampton, en ze stond al een jaar in hetzelfde toneelstuk op Broadway.

'Het spijt me dat ik je dit moet aandoen, Leslie,' zei Monica verontschuldigend. Meestal stelde ze hem eerder op de hoogte van haar vakanties. 'Ik ben er echt aan toe, en het kan maanden duren voordat ik weer zo'n kans krijg. Ik heb een goede invalster en ik wil dolgraag in Saint-Tropez op een boot zitten. Zou jij een paar weken op Chloe kunnen passen?' Normaal gesproken had hij zo'n kans met beide handen aangegrepen, maar hij had geen idee hoe Liz en Jane het zouden vinden als er een kind in hun huis kwam logeren. Ze verwachtten er zelf een, maar dat was iets anders. Een zesjarige was sterker aanwezig dan een pasgeborene, en dat was nog zacht uitgedrukt. Hij wilde Chloe graag aan Coco voorstellen, dus hij hoopte dat ze het goed zouden vinden.

'Ik denk dat het wel lukt,' zei hij schutterig. 'Ik logeer momenteel in het huis van vrienden. Ik zal moeten vragen of ze het goedvinden dat er een klein meisje bij komt, en anders kan ik wel een hotel nemen.' Daar zou hij echter niet anoniem kunnen blijven, en dan zou iedereen weten dat hij in de stad was. Hij wilde liever nog een tijdje onderduiken met Coco. Ze hadden geen behoefte aan het gedoe met de pers. 'Ik bel je terug,' beloofde hij, en hij belde meteen naar Jane. Hij kreeg Liz aan de lijn, die Janes mobieltje bewaarde wanneer ze op de set was. Hij deed zijn verzoek, maar zei erbij dat hij ook met zijn dochter naar een hotel kon als ze dat liever hadden. 'Doe niet zo mal,' stelde Liz hem gerust. 'We kunnen maar beter wennen aan kinderen over de vloer. We krijgen er zelf een.' Ze wist niet zeker of Coco het hem al had verteld. Coco had tegen Jane gezegd dat ze Leslie amper zag, maar dat geloofde Liz niet helemaal.

'Ik heb het gehoord. Gefeliciteerd, jullie allebei. En ik stel het zeer op prijs dat ik Chloe hier mag laten komen. Het is een lammetje, en ze gedraagt zich voorbeeldig. Als een kleine volwassene. Haar moeder neemt haar overal mee naartoe.' Maar niet naar een jacht in Zuid-Frankrijk, dacht Liz. 'Ik popel om haar San Francisco te laten zien, en misschien kunnen Coco en ik met haar naar het strand.'

'Dat vindt ze vast enig,' zei Liz. Haar nieuwsgierigheid was gewekt. Wat hij zei, strookte niet met Coco's bewering tegenover Jane dat ze Leslie bijna nooit zag. 'Kunnen Coco en jij goed met elkaar opschieten?' viste Liz, die de verleiding niet kon weerstaan. Om de een of andere vreemde reden zou ze het heerlijk vinden als die twee een stel werden. Ze had veel respect voor Janes kleine zus, veel meer dan Jane zelf. Liz vond Coco geen hopeloos geval; ze was gewoon anders dan haar door en door ambitieuze zus en Liz wist dat de dood van Ian een zware slag voor haar was geweest. Liz mocht Leslie ook heel graag en hoewel hij acteur was, en een grote ster, vond ze hem een goed mens, met goede principes.

'We zijn de dikste maatjes,' bekende Leslie een beetje schaapachtig. 'Het is een verbijsterende vrouw. Ze is zichzelf, en ze is goed, vriendelijk en fatsoenlijk.' Hij stak de loftrompet over haar, hoewel dat tegenover Liz niet nodig was.

'Zo te horen praten jullie heel wat af,' zei Liz goedkeurend.

'Ja, als ze niet op stap is met de 101 dalmatiërs. Het is een beetje een vreemde baan, maar haar cliënten lijken haar goed bezig te houden en voorlopig doet ze het met plezier.' Hij dacht niet dat Coco's huidige werk iets voor het leven was, en hij begreep niet waarom haar moeder en zus er zo op tegen waren. Het was tenslotte winstgevend en fatsoenlijk, en ze deed het goed.

'Ze zijn gek op haar,' beaamde Liz. 'Ze is de hondenvanger van Hamelen.'

'Ik vermoed dat ze dezelfde aantrekkingskracht heeft op kinderen. Mijn dochter zal vast gek op haar zijn. En nogmaals bedankt dat ze hier mag komen. Ik waardeer het echt. Moet ik mijn borgsom verhogen? Eigenlijk zou ik huur moeten betalen.' Hij was nu tien weken in het huis. Liz lachte.

'Je bent goed gezelschap voor Coco. Ik voel me heel schuldig omdat we geen vervanger voor haar hebben kunnen vinden. We hebben allebei ons best gedaan, maar iedereen had plannen voor de zomer, en in de herfst beginnen de scholen weer. Ze woont nu tenminste samen met een aantrekkelijke filmster. Dat lijkt me genoeg compensatie voor het feit dat ze in ons huis moet wonen.' Terwijl Liz het zei, besefte ze dat Coco al tijden niet meer had geklaagd of gesmeekt van haar taak ontheven te worden. Dat was op zich voldoende om Liz' argwaan te wekken. Leslie praatte vriendelijk en enthousiast over haar, maar hij zei niet dat ze smoorverliefd op elkaar waren. Misschien waren ze gewoon vrienden, al kon Liz dat nog steeds niet geloven. Het leek haar waarschijnlijker dat ze hun liefde stilhielden. Liz had er geen idee van dat Leslie de tweede avond dat hij er was hartstochtelijk met Coco had gevrijd in het bed van Liz en Jane. Ze hoefde niet alles te weten, dus hield Leslie het luchtig. Coco zei altijd dat Jane er nooit naar vroeg en dat het waarschijnlijk niet eens bij haar was opgekomen dat ze iets met elkaar konden hebben. Ze had Coco meteen al duidelijk gemaakt dat ze Leslies type niet was.

'Groetjes aan Jane,' zei hij tegen het eind van het gesprek, 'en nogmaals gefeliciteerd met de baby. Het wordt een hele verandering voor jullie.'

'Jane zegt dat ze een halfjaar vrij wil nemen, maar dat moet ik eerst met eigen ogen zien. Ik wil een jaar thuisblijven, als het kan. Ik schrijf toch thuis. Ik heb hier mijn hele leven naar verlangd.' Ze had altijd kinderen gewild, maar niet met de man met wie ze was getrouwd, wat haar zei hoe verkeerd het huwelijk was. Nu voelde het volmaakt. Ze kon bijna niet wachten tot hun kindje er was. Ze vond het alleen jammer dat zij het niet droeg, maar hun arts had Jane geschikter gevonden, en daar had Liz zich bij neergelegd. Jane had een betere conditie, en dat ze vier jaar jonger was dan Liz maakte de kans op een miskraam kleiner. Dat wilden ze niet nog eens meemaken, maar deze keer leek alles goed te gaan. 'Doe Coco de groeten van me. Gaat het goed met haar, na alle opwinding rond haar moeder?' Liz had haar niet vaak gesproken sinds de commotie. Jane wel, en Liz wilde de gesprekken tussen de zussen op gang houden, al had ze wel haar best gedaan Jane tot bedaren te brengen. Het was vrij goed gelukt, vond ze. Jane mopperde nog steeds op haar moeder, maar ze was niet meer zo razend als toen ze het nieuws net had gehoord. Coco had haar ook gekalmeerd. Liz had het wel verwacht. Coco was veel verdraagzamer ten opzichte van menselijke zwakheden dan haar zus.

'Ik geloof niet dat ze ermee zit. In het begin vond ze het wel erg, maar ze beseft dat haar moeder het recht heeft haar eigen leven te leiden, met wie ze maar wil. Het komt wel vaker voor, vandaag de dag. Leeftijd is niet meer zo belangrijk als vroeger, ook niet voor een oudere vrouw.'

'Dat heb ik ook tegen Jane gezegd, maar die vatte het niet zo goed op,' verzuchtte Liz. Gelukkig was Jane iets milder geworden door haar zwangerschap en de gedachte aan de baby.

'Nee,' zei Leslie peinzend. Hij dacht aan Jane, die hij goed kende. 'Dat dacht ik al. Ik heb de indruk dat Jane zich ook heel hard opstelt tegenover Coco.' Hij gaf zich iets te zeer bloot. Liz merkte het wel, maar ze zou er niets over tegen Jane zeggen. Die had al genoeg op haar bordje zonder dat ze zich daar ook nog druk over hoefde te maken, wat ze vast zou doen. Ze was heel bezitterig als het om haar vrienden ging, en Liz voelde intuïtief aan dat ze tegen een relatie tussen Leslie en Coco zou zijn. Het was een vreemd soort rivaliteit tussen de zusjes. Leslie moest Janes vriend zijn, niet die van Coco.

'Heeft Coco dat tegen je gezegd?' vroeg Liz belangstellend. Het had haar altijd dwarsgezeten, en het leek haar niet eerlijk. Coco verdiende steun en begrip van haar familie, niet al die kritiek die ze soms van zowel Jane als haar moeder over zich heen kreeg.

'Niet echt,' krabbelde Leslie terug. Hij was bang dat hij al te veel had gezegd. Liz was niet gek, en als hij niet oppaste, kwam ze erachter, als ze het niet al doorhad. 'Ik maakte het gewoon op uit haar losse opmerkingen.'

'Of ze het heeft gezegd of niet, het is zo. Ik geef je maar een referentiekader,' zei Liz openhartig. 'Ze maken het haar al jaren moeilijk, al sinds ze haar studie heeft afgebroken of nog eerder. Het is twee tegen één, en ze kan er niet tegenop. Ze blijft veel te aardig, maar zo is ze nou eenmaal.' Leslie had bijna gezegd dat hij daarom van haar hield, maar hij slikte het net op tijd in.

'Misschien kunnen ze zich nu tegen de vriend van Florence keren,' zei Leslie met een lach. 'Het is leuk je weer eens te spreken. Ik heb je al een eeuwigheid niet meer gezien. Ik voel me een beetje schuldig omdat ik hier logeer, maar ik geniet ervan.

Geen mens weet dat ik hier zit. Ik moet in september terug. In oktober begin ik aan een nieuwe film. Dat Chloe hierheen komt voordat ik wegga, maakt het helemaal af.'

'Veel plezier,' zei Liz raadselachtig. Hij bedankte haar nog eens en ze namen afscheid. Hij belde Monica meteen terug.

'Het is goed. Ze mag hier logeren,' zei hij blij. 'Wanneer wil je haar sturen?'

'Vanavond? Of schikt dat niet?' vroeg Monica schaapachtig. 'Ik kan morgen met een vriend meevliegen naar Nice. De boot ligt in Monte Carlo en vaart dan naar Saint-Jean-Cap-Ferrat en Saint-Tropez.' Het waren de chicste oorden van Europa.

'Je hebt het maar zwaar,' zei Leslie plagerig.

'Ik heb het verdiend,' zei Monica gedecideerd. 'Ik heb me een jaar lang uit de naad gewerkt op Broadway, zonder vakantie. Twee weken is niet te veel gevraagd. Fijn dat Chloe naar jou toe kan.'

'Ik verheug me erop,' zei hij welgemeend.

'Ik zal je sms'en met welke vlucht ze komt.'

'Ik bel je zodra ik haar heb afgehaald,' beloofde hij. Ze waren een goed ouderteam, zoals ze om beurten voor hun kind zorgden. De geboorte van Chloe was een zegen voor hen beiden gebleken. Hun relatie was al heel lang voorbij, maar ze waren nog steeds goede vrienden, wat prettig was voor Chloe, die het heerlijk vond als Leslie haar in New York kwam opzoeken. Hij popelde om haar twee weken bij zich te hebben.

Zodra Coco thuiskwam, vertelde hij het haar. 'Vanavond?' vroeg ze perplex. Ze had niet verwacht dat ze Chloe al zo snel zou ontmoeten. 'Ik hoop dat ze het niet erg vindt dat ik er ook ben,' zei ze ongerust. 'Misschien wil ze haar vader niet delen.'

'Ze is vast dol op je,' zei hij overtuigend, en hij kuste haar. 'Ik heb leuk met Liz gepraat toen ik belde om te vragen of Chloe hier mocht logeren.'

'Vermoedt ze iets?' vroeg Coco belangstellend.

'Ik weet het niet, maar Liz is heel opmerkzaam.'

'Ze heeft meer door dan mijn zus.' Coco grinnikte. 'Jane gaat zo in zichzelf op dat ze er waarschijnlijk niet eens aan heeft gedacht.'

'Volgens mij heb je gelijk,' zei hij. Ze liepen samen naar de koelkast. Ze hadden twee dagen tevoren proviand ingeslagen, dus ze waren goed voorzien en hadden alles wat Chloe lekker vond. Cornflakes, wafels, diepvriespizza, pindakaas en jam. Ze hadden zelfs croissantjes, waar Chloe gek op was. Leslie had zijn dochter meer dan eens slakken zien eten in een duur Frans restaurant. Haar moeder nam haar overal mee naartoe en behandelde haar als een volwassene, maar als Chloe het voor het zeggen had, koos ze het eten en de bezigheden van ieder ander kind.

Ze aten een salade voordat ze naar het vliegveld gingen, en Leslie zag dat Coco zenuwachtig was. De kennismaking met zijn kind was heel belangrijk voor haar.

'Stel dat ze me niet mag?' vroeg ze angstig toen ze de auto bij het vliegveld parkeerden. Ze waren met Janes Mercedes stationcar gekomen, niet met Coco's aftandse busje. Daar kon Chloe niet in zitten, aangezien ze alle stoelen achterin eruit had gehaald om plaats te maken voor de honden.

'Ze is vast dol op je,' zei Leslie weer. 'En vergeet niet dat ik dat ook ben,' voegde hij eraan toe, en hij knuffelde haar.

Het vliegtuig kwam tien minuten te vroeg aan, en ze waren net op tijd om Chloe op te vangen toen ze de aankomsthal in liep. Ze werd begeleid door iemand van het grondpersoneel, en toen ze haar vader zag, sprong ze opgetogen in zijn armen. Hij hield haar vast en ze keek over haar schouder naar Coco en glimlachte. Ze had enorme blauwe ogen en lange blonde vlechten, en ze droeg een roze jurkje met smokwerk. Ze had een gehavende knuffelbeer bij zich en leek op een reclameplaatje voor het ideale kind. Ze had de teint van haar moeder en Leslies ongelooflijke aantrekkelijkheid. Je kon nu al zien dat ze later een schoonheid zou worden.

Leslie zette haar behoedzaam neer, pakte haar hand en stelde haar aan Coco voor. 'Dit is mijn vriendin Coco,' zei hij simpelweg. Chloe keek nieuwsgierig naar haar op. 'We logeren in het huis van haar zus. Het is heel mooi en ik denk dat je het wel leuk zult vinden. Ze hebben een overdekt zwembad met heel warm water.' Terwijl Leslie zijn dochter over het huis vertelde, drong het opeens tot Coco door dat ze niet met hem zou kunnen slapen zolang Chloe er was. Ze hadden het er niet over gehad, maar ze wilde zijn kind niet choqueren en wist zeker dat hij dat ook niet wilde.

'Zo,' zei Leslie plechtig, 'laten we je bagage maar eens gaan halen. Je zult wel moe zijn.' Ze liepen hand in hand naar de bagageband, gevolgd door Coco. Chloe keek telkens naar haar om, alsof ze probeerde haar in te schatten.

'Ik heb in het vliegtuig geslapen,' zei ze, 'en ik heb hotdogs en ijs gegeten.'

'Dat klinkt lekker. We hebben thuis ook ijs voor je. En twee grote honden, maar ze zijn heel lief. De ene is ontzettend groot.' Hij wilde haar voor Jack waarschuwen, zodat ze niet zou schrikken als ze hem zag. Coco vond dat Leslie heel goed met zijn dochter omging. Nu ze hem in zijn vaderrol zag, leek hij opeens heel volwassen. Het was duidelijk dat Chloe gek op hem was en het fantastisch vond dat ze bij hem was. Ze liet zijn hand niet één keer los.

'Ik hou van honden,' zei ze tegen Coco. 'Mijn oma heeft een poedel. Hij bijt niet.'

'Onze honden ook niet,' zei Coco. 'Ze heten Jack en Sallie. Als Jack op zijn achterpoten gaat staan, is hij net zo groot als je vader.' Chloe lachte.

'Dat klinkt gek,' zei ze terwijl Leslie haar koffers van de bagageband pakte en ze naast Coco neerzette.

'Ik ga de auto halen,' verkondigde hij, en opeens was hij weg. Coco, die alleen met Chloe achterbleef, wist niet goed wat ze moest zeggen, maar Chloe babbelde honderduit.

'Mijn mama is actrice op Broadway,' vertelde ze terwijl ze op haar vader wachtten. 'Ze is heel goed en het stuk is heel droevig. Iedereen gaat dood. Ik vind musicals leuker, maar mijn moeder speelt alleen in droevige stukken. Aan het eind wordt ze vermoord. Ik ben bij de première geweest.' Ze was precies zoals Leslie had gezegd: een betoverend kind en een kleine volwassene. 'Ben jij ook actrice?' vroeg Chloe beleefd.

'Nee, ik laat honden uit.' Coco voelde zich belachelijk. Het was moeilijk uit te leggen aan een kind. 'Ik wandel met de honden van mensen die moeten werken. Het is best leuk.'

Ze kletsten door tot Leslie een paar minuten later terugkwam. Hij zag tot zijn genoegen dat Chloe zich volkomen op haar gemak voelde bij Coco. Hij droeg de koffers naar de auto en stopte ze in de kofferbak. Chloe ging op de achterbank zitten en hij maakte haar gordel vast. Toen reden ze weg.

'Wat gaan we allemaal doen?' vroeg Chloe onderweg. 'Is er een dierentuin?'

Coco, die de stad beter kende, antwoordde namens Leslie. 'Ja, die is er. En er rijden trams, en er is een Chinese wijk. En we kunnen naar het strand.'

'Coco heeft een snoezig huisje aan het strand waar je het vast leuk vindt,' vulde Leslie aan. Coco glimlachte naar hem. Ze besefte dat ze vadertje en moedertje gingen spelen met zijn kind. Ze woonden nu tweeënhalve maand samen en opeens waren ze een gezinnetje geworden. Of hij was een gezinnetje met Chloe, en zij hing erbij. Dit was zijn echte leven. Het was een voorproefje van de werkelijkheid voor hen beiden. Ze vond het een beetje eng, maar het beviel haar wel.

Toen ze thuis waren, maakte Leslie de deur open, schakelde de alarminstallatie uit en keek Chloe breed glimlachend aan. 'Welkom in je huis voor de komende twee weken.' Hij liep met haar naar de keuken en vroeg of ze ijs wilde. Chloe hield haar beer nog steeds vast. Ze had Coco op het vliegveld verteld dat hij Alexander heette. Het was een mooie naam voor een sleetse oude beer. Leslie en Chloe gingen aan de keukentafel zitten en Coco pakte het ijs. Leslie vertelde zijn dochter tot Coco's afgrijzen over de toestand met de stroop bij hun eerste kennismaking. Chloe schaterde het uit terwijl hij vertelde en het ijs droop over haar kin, net als bij hem. Coco vond het hartverwarmend om die twee samen te zien. Chloe zou eigenlijk deel moeten uitmaken van zijn dagelijkse leven. Het was alsof hij in de wieg was gelegd voor het vaderschap.

Toen ze hun ijs ophadden, stelde Coco de honden aan Chloe voor. Ze liet Jack een poot geven, waar Chloe om moest giechelen. Ze was helemaal niet bang voor hem, en toen Sallie in kringetjes om hen heen begon te rennen, legde Coco uit dat Sallie in Australië schapen had gehoed. Toen gingen ze alle drie naar boven. Chloe zou die nacht bij haar vader op de logeerkamer slapen. Leslie knipoogde over het hoofd van zijn dochter naar Coco, die eruit opmaakte dat hij haar een bezoekje zou brengen zodra Chloe sliep.

Coco pakte Chloe's koffers voor haar uit terwijl Chloe onder toeziend oog van haar vader haar tanden poetste. Ze waste haar gezicht en trok haar pyjama aan, en toen hielp Coco haar de vlechten uit haar haar te halen, dat blond en lang was en golfde van de vlechten. Chloe klom in het grote bed. Coco gaf haar een nachtzoen en ging naar haar eigen kamer, terwijl Leslie bij zijn dochter bleef tot ze sliep.

Twintig minuten later kwam hij tevreden glimlachend de grote slaapkamer in en plofte op het bed.

'Ze is aanbiddelijk,' zei Coco met een glimlach. Hij leunde over het bed en kuste haar. 'Ze lijkt sprekend op jou, maar dan in het blond.'

'Dat zeggen ze,' zei hij trots. 'Ze vond jou heel lief en heel mooi. Ze vroeg of ik verliefd op je was, en ik heb ja gezegd. Ik ben altijd eerlijk tegen haar. Ze zei dat ik wel bij jou mocht slapen als ik wilde. Ik heb haar deur opengelaten en het licht in haar badkamer laten branden. We kunnen onze deur ook openlaten, als je het niet erg vindt.'

'Wat volwassen allemaal,' giechelde Coco, die zelf nog een kind leek. Leslie lachte.

'Ja hè? Dat doet het vaderschap met me. Ik voel me heel verantwoordelijk voor haar. Kon ik haar maar vaker zien,' zei hij spijtig. 'Het is zo'n fantastisch kind.'

'Ja, dat is het,' beaamde Coco toen hij naast haar in bed kroop. 'Weet je zeker dat je hier wilt slapen?'

'Ze zei dat het goed was,' antwoordde Leslie zelfverzekerd. 'Het is een voorlijk kind.' Hij vond het prettig dat Chloe zich ook op haar gemak voelde bij Coco, en hij vond dat Coco leuk met haar praatte. Ze ging zacht en vriendelijk om met honden en kinderen, en met hem. Nu hij haar samen met zijn dochter had gezien, hield hij nog meer van haar. Het was heerlijk voor hem om met twee mensen van wie hij hield onder één dak te zijn. Hij verheugde zich op de komende twee weken met hen beiden. Hij trok Coco in zijn armen en ze lagen nog een tijdje te fluisteren, al kon Chloe hen niet horen vanuit de aangrenzende slaapkamer en sliep ze als een roos.

Een halfuur later sliepen Coco en Leslie ook. De honden lagen beneden in de keuken te slapen. Coco had ze daar opgesloten zodat ze Chloe niet lastig konden vallen door op haar bed te springen.

Het was stil in het slapende huis, en toen Coco zich de volgende ochtend omdraaide voordat de wekker was gegaan en haar ene oog opendeed, zag ze Chloe's glimlachende gezicht. Ze was wakker geworden toen het meisje bij haar in bed kroop. Leslie was nog in diepe rust, en Coco lachte toen ze Chloe zag.

'Heb je honger?' fluisterde Coco. Chloe grijnsde breed en knikte. 'Zullen we beneden iets gaan eten?' Ze slopen de kamer uit om Chloe's vader niet wakker te maken. Coco liet de honden naar buiten en Chloe ging aan de keukentafel zitten alsof ze nooit anders had gedaan. 'Wat wil je eten?' vroeg Coco. Ze keken elkaar glimlachend aan.

'Cornflakes, een banaan, geroosterd brood en een glas melk.'

'Komt eraan,' zei Coco, die alles pakte en water opzette. 'Heb je goed geslapen?' Chloe knikte tevreden en keek Coco toen aandachtig aan.

'Mijn pappie zegt dat hij verliefd op je is. Ben jij ook verliefd op hem?' vroeg ze ernstig.

'Ja,' zei Coco terwijl ze het ontbijt voor Chloe neerzette. 'Heel erg. En hij houdt ook van jou, het meest van iedereen,' zei ze om Chloe gerust te stellen.

'Ik mag van mammie naar zijn films kijken wanneer ik maar wil,' zei Chloe terwijl ze op haar cornflakes aanviel en melk dronk.

'Ik kijk ook graag naar zijn films,' bekende Coco, die tegenover Chloe ging zitten. 'We hebben een heel groot scherm boven, als je zijn films wilt zien, of andere. Het is leuk om ze op zo'n groot scherm te zien.'

'Mijn pappie ziet ze niet graag,' vertelde Chloe, en Coco knikte.

'Ik weet het. We kunnen met hem naar andere films kijken.'

'Wat zitten jullie te smiespelen?' Ze schrokken allebei toen Leslie de keuken binnenkwam. Ze hadden hem niet horen aankomen op zijn blote voeten.

'We hebben het over je films op het grote scherm,' vertelde Coco terwijl Chloe een te grote hap banaan nam en probeerde iets te zeggen. Leslie deed haar na, waar ze alle drie om lachten, en toen kwamen de honden binnen en gingen weer naar buiten. Het was alles wat een gezinnetje moest zijn.

'Zullen we vanmiddag met Chloe naar het strand gaan, als jij klaar bent met je werk?' stelde Leslie voor. Het was zaterdag, en ze vonden het alle drie een prima idee.

'Mogen we zwemmen?' vroeg Chloe enthousiast, en Leslie legde uit dat het water te koud was. Hij zei niets over de haaien,

maar voegde eraan toe dat ze thuis kon zwemmen, in het over-
dekte bad.

Terwijl hij Chloe het zwembad liet zien, maakte Coco de keuken aan kant en ging zich boven aankleden. Toen Leslie en
Chloe terugkwamen, bood Coco aan haar haar te vlechten
voordat ze aan het werk ging. Het was leuk om voor haar te
zorgen en bij haar en Leslie te zijn. Voordat ze wegging, liet
ze het bad vollopen voor Chloe. Ze beloofde dat ze gauw terug zou komen. Toen ze in haar busje wegreed, wuifde Chloe
haar na. Het was fijn om te weten dat die twee op haar wachtten wanneer ze terugkwam. Het was een heel ander leven dan
haar eenzame bestaan in Bolinas van de afgelopen twee jaar.
Ze vond het heerlijk om vadertje en moedertje te spelen met
Leslie en zijn dochter.

Coco was op tijd terug voor het middageten, en meteen daarna gingen ze naar het strand. Chloe keek tijdens de rit geïnteresseerd naar buiten, stelde vragen en vertelde haar vader wat
ze de hele zomer in de Hamptons had uitgevoerd. Ze vertelde dat haar moeder een nieuwe vriend had, met een boot, en
dat ze met hem had afgesproken in Monte Carlo en dat ze dan
naar Saint-Tropez gingen varen. Coco deed haar best om niet
te glimlachen. Chloe deed verslag van de mensen in haar leven, en hoogstwaarschijnlijk zou ze haar moeder ook over Coco vertellen wanneer ze weer terug was.

'Hij ziet er een beetje gek uit,' zei Chloe over Monica's nieuwe vriend. 'Hij heeft een dikke buik en hij is kaal, maar hij is
heel aardig. En mammie zegt dat zijn boot heel groot is.' Monica was er de vrouw niet naar om de materiële voordeeltjes
van haar mannen te negeren, dacht Leslie terwijl Chloe haar
beschrijving gaf, maar waarom ook niet, als ze er gelukkig van
werd? Hij zag dat Coco haar lachen probeerde in te houden.
'Hij is ook oud,' besloot Chloe. Ze had haar beer bij zich, en
ze tilde hem op zodat hij de zee kon zien onder aan het klif
waar ze langs reden. Toen richtte ze haar belangstelling op Co-

co. Leslie reed deze keer. 'Waarom ben jij niet getrouwd en heb je geen kinderen?' vroeg ze nieuwsgierig. Ze had haar vader die ochtend nog eens verteld dat ze Coco lief vond.

'Ik heb de goede man nog niet ontmoet,' antwoordde Coco naar waarheid. 'Mijn moeder vraagt er ook steeds naar.'

'Heb je broertjes en zusjes?' Chloe wilde alles weten, en ze was niet bang om ernaar te vragen.

'Ik heb een zus, Jane. Ze is elf jaar ouder dan ik.'

'Wat oud,' zei Chloe medelijdend.

Ze reden de heuvel naar Stinson Beach af. Er hingen mistsluiers boven zee, maar de lucht was blauw en het was nog mooi weer. Het klimaat was hier altijd onvoorspelbaar in augustus, wanneer het in de stad al koud en winderig was. De lokale bevolking was eraan gewend en de toeristen waren altijd teleurgesteld, maar Chloe leek zich er niets van aan te trekken. Ze was gewoon blij dat ze bij haar vader en Coco was. Ze leek het niet erg te vinden dat ze hem met een vrouw moest delen. Ze had in de loop der jaren veel vriendinnetjes van haar vader gezien, had ze Coco tijdens het ontbijt verteld. Coco had alleen maar geknikt.

'Is je zus wel getrouwd en heeft ze kinderen?' vroeg Chloe hoopvol. Ze speelde graag met andere kinderen, maar ze voelde zich ook op haar gemak tussen de volwassenen, zoals Leslie al had gezegd. Al was ze pas zes, ze leidde een mondain leventje.

'Nee, die is ook niet getrouwd,' zei Coco verontschuldigend. 'En ze heeft geen kinderen. Ze woont samen met Liz, een vriendin. '

'Is ze homo?' vroeg Chloe, die grote ogen opzette. Coco viel bijna van haar stoel. Ze draaide zich om en keek behoedzaam glimlachend naar het kind, terwijl Leslie grinnikte. Hij was vaak door zijn dochter aan zo'n verhoor onderworpen, maar voor Coco was het allemaal nieuw.

'Wat betekent dat?' vroeg Coco onschuldig om te zien wat Chloe wist.

'Weet je dat niet? Dat is als een jongen met een jongen samenwoont, of een meisje met een meisje, en dan kussen ze elkaar soms. Maar ze kunnen geen kinderen krijgen, want dat kan alleen als je een jongen en een meisje bent. Zal ik vertellen hoe mensen kindjes maken? Mammie heeft het me uitgelegd,' verkondigde ze wijs, en toen drukte ze haar beer tegen zich aan. Het was een vreemde mengeling van kind en volwassene, snoezige ondeugd en vrouwtje in de dop. Coco had nog nooit zoiets gezien, en ze was nu al dol op haar. Hoe kon het ook anders? Het was een bijzonder meisje.

'Ik geloof niet dat je me dat hoeft te vertellen,' zei Coco snel. 'Mijn mammie heeft het mij ook verteld, toen ik iets ouder was dan jij.' Coco was veertien geweest, en tegen die tijd had ze de benodigde technische informatie al van Jane gekregen.

'Het klinkt raar, hè?' zei Chloe terwijl ze langs Stinson Beach naar Bolinas reden. 'Ik wil niet dat iemand zijn penis in me stopt als ik groot ben. Dat is vies,' zei ze verontwaardigd, en toen keek ze Chloe weer met grote ogen aan. 'Doet mijn pappie dat bij jou?' vroeg ze met haar heldere stemmetje. Leslie verslikte zich en keek naar Coco, die over haar woorden struikelde.

'Eh... nee, nee, dat doet hij niet.' Ze loog, maar ze wilde het niet toegeven. Sommige dingen kon je niet zeggen tegen een meisje van zes, hoe goed ze ook was voorgelicht.

'Daarom heb je geen kinderen,' zei Chloe praktisch. 'Als je een baby wilt, moet je het toch een keer doen. Mijn mammie heeft het met mijn pappie gedaan.' Ze zei het alsof het iets mals was dat ze heel lang geleden hadden gedaan, of een uitstapje dat ze hadden gemaakt. Ze begreep duidelijk niet alles wat haar was verteld, of de volle omvang ervan, al had ze de principes begrepen.

'Nou, ik ben heel blij dat ze jou hebben gekregen,' zei Coco opgewekt terwijl ze van het gesprek probeerde te bekomen. Leslie nam de afslag naar Bolinas en ze volgden de smalle, on-

147

effen weg tot aan haar huis. 'We zijn er,' zei Coco, en ze stapte uit voordat Chloe nog een gevoelig onderwerp kon aansnijden, want ze was er niet klaar voor.

Toen ze alle drie waren uitgestapt, ontsloot Coco haar huisje. Chloe huppelde achter haar aan naar binnen. De honden, die achter in Janes stationcar opgesloten hadden gezeten, renden naar het strand.

'O, wat mooi!' zei Chloe, die met haar beer onder haar arm in haar handen klapte. Ze zette hem op de bank en keek om zich heen. 'Het lijkt wel het huis van Goudlokje, of van Sneeuwwitje.' Coco lachte. Ze waren binnen vijf minuten omgeschakeld van seks naar Sneeuwwitje. Chloe liep naar het terras en Leslie glimlachte naar Coco.

'Zo ken ik mijn meisje,' fluisterde hij. 'Ik had toch gezegd dat ze heel volwassen was? Haar moeder behandelt haar als een volwassene, maar tegelijkertijd is ze nog heel kinderlijk. Je hebt het goed aangepakt. En ik beloof je dat ik nooit meer dat vieze met je zal doen waar ze het over had, tenzij we een baby willen.' Coco schaterde en ze liepen achter Chloe aan naar het terras.

'Mogen we op het strand spelen?'

'Natuurlijk, daarom zijn we hier. Wil je een zandkasteel bouwen of gewoon rondrennen?' vroeg Coco.

'Een kasteel!' juichte Chloe, en ze klapte weer in haar handen. Coco pakte pannen en kommen uit de kast, en een emmertje om water in te dragen. Ze trokken hun schoenen uit en zetten koers naar het strand.

Coco haalde water, en Leslie verzorgde het grootste deel van de bouw. Chloe versierde het kasteel met steentjes, schelpen en stukjes wrakhout en zeeglas. Ze was heel creatief, en tegen de tijd dat ze klaar waren, was het een heel indrukwekkend kasteel, waar ze alle drie trots op waren. In de namiddag gingen ze terug naar huis.

Coco had twee diepvriespizza's in de vriezer en genoeg sla om een salade te maken. Coco en Chloe roosterden marshmallows op het fornuis voordat ze gingen eten, en Coco beloofde voor toe crackers met geroosterde marshmallows en gesmolten chocola te maken. Ze aten de pizza's aan de gehavende oude keukentafel en daarna gingen ze in de schemering op het terras zitten om hun toetje op te eten.

Later vertelde Leslie verhalen over hoe grappig Chloe als baby was geweest. Chloe kende ze allemaal al, maar hoorde ze graag nog eens. Toen stopten ze haar in Coco's bed. Coco had aangeboden die nacht op de bank te slapen, al stond Leslie erop haar plaats in te nemen, maar ze vond dat hij bij zijn kind moest zijn en ze vond het niet erg. Het was knus in de woonkamer, en er stond een kachel. Toen Chloe in bed lag, staken ze de open haard aan. Coco was haar een nachtzoen gaan geven, en Chloe had haar beer opgehouden zodat ze die ook kon zoenen.

'Dank je wel. Het was leuk,' zei ze gapend.

'Ik vond het ook leuk,' zei Coco met een glimlach. Bijna nog voordat ze de kamer uit was, sliep Chloe al.

'Het is een bijzonder kind,' fluisterde Coco tegen Leslie toen ze samen op de bank zaten.

'Ik weet het,' zei hij trots. 'Ik ben gek op haar. Ik had het nooit gedacht, maar Monica is een uitstekende moeder. Soms iets te modern naar mijn zin, met die seksuele voorlichting en alles, maar volgens mij is Chloe een goed aangepast kind. Dat heeft ze niet aan mij te danken, vrees ik. Als ze bij mij woonde, zou ik haar door en door verwennen en haar elke dag thuishouden om met haar te spelen.' Hij glimlachte verzaligd, en Coco nestelde zich dicht tegen hem aan.

'Je bent een heel goede vader.' Hij was geduldig, vriendelijk en liefdevol tegen zijn dochter, net als tegen haar.

'Dat was een mooi zandkasteel dat we hebben gebouwd,' zei hij met een glimlach. 'Je had architect moeten worden.'

'Ik ben liever een strandhippie.' Ze grinnikte.

'Daar ben je ook heel goed in.' Hij kuste haar en liet zijn hand onder haar sweatshirt glijden om haar borsten te strelen.

'Je gaat toch niet die vieze dingen met me doen waar Chloe het over had, hoop ik?' zei ze plagerig. Hij trok een quasi ernstig gezicht, maar ging gewoon door.

'Nooit! Dat zou ik nooit doen, zeker niet terwijl Chloe vlak naast ons ligt te slapen… al zou je me onder andere omstandigheden wel kunnen overhalen… als je een baby wilt…' Zijn stem stierf weg en Coco glimlachte mysterieus.

'Misschien wil ik dat nog wel eens.' Ze speelde met de gedachte, en het idee van een klein meisje zoals Chloe was vreemd aanlokkelijk.

Ze lagen tot middernacht op de bank te praten, en gingen toen naar het terras om naar de lucht te kijken. Ze zagen miljoenen twinkelende sterren en een grote, mooie maan. Ze gingen op de ligstoelen zitten en praatten nog een uur over van alles en nog wat, waarna Leslie haar onwillig in de woonkamer achterliet en bij zijn dochter ging slapen, terwijl Coco in een slaapzak op de bank kroop.

De volgende ochtend werden ze alle drie vroeg en fris wakker. Leslie maakte het ontbijt: Mickey Mouse-vormige pannenkoeken met banaan erin, zoals Chloe ze het liefst at, zei ze. Daarna ging hij naar Jeff om hem te helpen met zijn auto. Hij had hem de hele ochtend zien prutsen en popelde om mee te sleutelen. Coco glimlachte toen ze hem door het keukenraam zag terwijl Chloe en zij de keuken opruimden. Daarna las ze haar verhaaltjes voor op het terras.

Twee uur later kwam Leslie terug, met smeerolie aan zijn handen en een opgetogen gezicht. Ze hadden Jeffs auto weer aan de praat gekregen, vertelde hij. Hij had zich die ochtend volmaakt geamuseerd, onder de motorkap van Jeffs auto.

Ze reden naar Stinson, waar ze een lange strandwandeling maakten met de honden, en waren op tijd terug voor de lunch. Leslie en Chloe damden, en Coco keek toe, waarna ze brood en chips aten en op het terras in de zon gingen liggen. 's Avonds aten ze hotdogs en geroosterde marshmallows. Ze vonden het alle drie jammer dat ze weer terug moesten. Chloe viel op de terugweg op de achterbank in slaap. Het was een heerlijk weekend geweest.

Die avond keken ze samen naar *Mary Poppins* op het grote scherm, en toen Chloe in slaap viel, droeg Leslie haar naar haar eigen bed in de logeerkamer. Coco had beloofd de volgende dag met haar naar Chinatown te gaan, waar ze in een Chinees restaurant zouden gaan eten, 'met stokjes', drong Chloe aan. Later die week wilden ze nog naar de dierentuin, en Chloe moest echt een ritje met de tram maken voordat ze wegging.

'Dank je wel dat je zo lief voor haar bent,' zei Leslie toen hij weer bij Coco in bed kroop.

'Zo moeilijk is dat niet,' zei Coco blij, en met die woorden stond Leslie weer op en deed de slaapkamerdeur op slot. 'Wat doe je nou?' vroeg ze glimlachend toen hij zich weer onder het dekbed nestelde. Ze genoot van die kostbare dagen met hen beiden.

'Ik dacht dat we wel een paar minuten voor ons samen konden gebruiken. Het valt niet mee met een kind in huis.' Tot nog toe waren ze met zijn tweeën geweest, en nu moesten ze zich aanpassen, maar ze vonden het allebei fantastisch dat Chloe er was.

Leslie deed het licht uit en nam Coco in zijn armen. Tot zijn genoegen had ze haar pyjama al uitgetrokken toen hij Chloe in bed stopte. Hij deed zijn boxershort uit en even later gingen ze weer op in hun liefde voor elkaar. Het leek bijna alsof Chloe's komst hen nog nader tot elkaar had gebracht. Coco besefte dat ze nooit het gevoel had gehad dat er iets ontbrak, maar dat ze zich nu pas compleet voelde.

HOOFDSTUK 10

*I*n de twee weken dat Chloe bij hen logeerde, deden ze alles met haar wat ze hadden beloofd, en meer. Ze gingen naar de dierentuin in Oakland en in San Francisco en naar het wassenbeeldenmuseum aan Fisherman's Wharf. Coco was bang dat het te eng was, maar Chloe vond het prachtig. Ze gingen twee keer naar Chinatown en ze dwaalden door Sausalito. Ze gingen naar de film, reden in de tram en gingen in het weekend weer naar Bolinas, waar ze een nog groter en ingewikkelder zandkasteel bouwden. Coco bezocht met Chloe een speelgoedfabriek waarover ze had gelezen, waar Chloe haar eigen knuffelbeer mocht ontwerpen en vullen. Alexander kreeg een vriendin, een meisjesbeer in een roze jurk die Chloe Coco doopte, het hoogst haalbare compliment. Ze liet hem trots aan haar vader zien. De laatste avond zwommen ze met zijn drieën in het zwembad en verzorgde Coco het avondeten. Ze had zelfs een taart met roze glazuur en gekleurde muisjes gebakken. Hij was een beetje scheef, maar Chloe vond hem toch heel mooi. Coco had haar naam erop gespeld in M&M's.

Tijdens het eten vroeg Chloe aan hen of ze gingen trouwen. Haar vader keek weifelend. Coco en hij waren nog niet zover, al hadden ze het wel vluchtig over kinderen gehad. Hij probeerde haar nog steeds over te halen bij hem in Los Angeles te komen wonen, maar ze had nog niets toegezegd. De stad van haar jeugd en de levenswijze van de mensen die er woonden stonden haar tegen. Ze moesten nog een aantal obstakels overwinnen voordat er sprake kon zijn van een huwelijk, maar hij had eraan gedacht. Hij wilde nog niets tegen Chloe zeggen, want dan zou ze teleurgesteld zijn als het toch niets werd. Ze was gek op Coco, en Coco op haar, en ze vond zelfs de honden leuk.

'Ik denk dat je zus homo zou kunnen zijn,' zei ze op een dag bedachtzaam tegen Coco, 'met zo'n hond. Meisjes hebben liever een poedel of een yorkshireterriër, of een schoothondje. Alleen jongens nemen zo'n grote hond als Jack.'

'Misschien heb je wel gelijk,' zei Coco vrijblijvend. 'Ik zal het haar eens vragen.' Ze wilde niet tegen Chloe liegen, maar ze kon haar ook nog niet uitleggen hoe de vork in de steel zat, want ze wilde niet dat Chloe straks aan haar moeder vertelde dat Coco's zus lesbisch was. Monica zou kunnen denken dat ze het kind te veel had verteld, al leek ze er zelf niet voor terug te deinzen elk onderwerp met haar dochter te bespreken, maar zij had dat recht, Chloe was háár kind. Coco wilde meer grenzen stellen, en Leslie was ook strikter en behoudender. Ook wat dat betreft leken ze er dezelfde ideeën op na te houden.

Tijdens die hele twee weken gebeurde er maar één keer een ongelukje. Op de allerlaatste avond brandde Chloe een vinger toen ze marshmallows met Coco roosterde boven het fornuis. In haar enthousiasme probeerde ze de gesmolten massa marshmallow van de roodgloeiende vork te pakken. Ze slaakte een gil en prompt kwamen het gekerm en de tranen van een zesjarige terwijl er een blaar op de vinger verscheen. Coco reageerde snel en hield de vinger onder de koude kraan. Leslie, die Chloe hoorde brullen, rende de keuken in.

'Wat is er gebeurd?' vroeg hij geschrokken toen hij de be-

traande wangen van zijn dochter zag. 'Heeft ze zich gesneden?'
'Ze heeft haar vinger gebrand,' zei Coco, die Chloe dicht tegen zich aan drukte en de blaar onder de koude kraan hield.
'Heb je haar alleen met het fornuis laten spelen?' vroeg Leslie verwijtend. Chloe draaide zich om naar haar vader en hield op met huilen.
'Zij kon er niets aan doen!' verdedigde ze Coco, want ze had het verwijt in de stem van haar vader gehoord. 'Ze had gezegd dat ik niet aan de vork mocht komen, en toen deed ik het toch.' Ze leunde in de warmte en bescherming van Coco's armen. 'Het is al beter,' vervolgde ze dapper, en ze keken alle drie naar de kleine witte blaar. Coco deed er zalf en een pleister op, en Leslie keek haar berouwvol aan.
'Sorry, dat was stom van me. Ik was gewoon bang dat er iets ergs was gebeurd.' Hij vond het vreselijk dat hij had geïnsinueerd dat Coco niet goed had opgelet, maar Chloe's gepijnigde kreten hadden hem door zijn ziel gesneden. Hij zag nu wel dat Coco net zo bezorgd was als hij, en dat ze voortreffelijke eerste hulp had geboden.
'Het geeft niet,' zei Coco geruststellend terwijl ze Chloe van de kruk bij de gootsteen tilde waarop ze haar had gezet.
'Ik vind jou lief, Coco,' zei Chloe. Ze sloeg haar armen om Coco's middel en omklemde haar stevig. Leslie zag het glimlachend aan.
'Ik vind jou ook lief,' fluisterde Coco, en ze bukte zich om een kus op Chloe's kruin te drukken.
'Gaan we nu weer marshmallows roosteren?' vroeg Chloe blij terwijl ze haar gewonde vinger opstak.
'Nee!' riepen de volwassenen eenstemmig, en ze schoten in de lach. Leslie schaamde zich nog steeds diep voor zijn opmerking tegen Coco, maar ze had zich eroverheen gezet in het besef dat hij het alleen uit angst en bezorgdheid om zijn kind had gezegd.
'Wat dacht je van ijs?' stelde Leslie voor, en Coco keek hem

opgelucht aan. Ze was geschrokken toen Chloe zich brandde en ze voelde zich schuldig, maar na het eten was het kind weer zo vrolijk alsof er niets was gebeurd. Die avond keken ze vanuit bed tv, Chloe in het midden, genietend van hun laatste avond. Coco besefte hoe erg ze het meisje zou missen. Chloe had zich diep in haar hart genesteld.

Op weg naar het vliegveld waren ze alle drie verdrietig. Chloe had zowel haar oude als haar nieuwe beer in haar armen. Coco barstte bijna in tranen uit toen ze afscheid van haar nam en ze haar overdroegen aan de stewardess die haar naar het vliegtuig naar New York zou begeleiden.

'Ik hoop dat je gauw terugkomt,' zei Coco toen ze Chloe omhelsde. 'Het is niet hetzelfde zonder jou.' Ze meende het echt. Chloe knikte, maakte zich uit de omhelzing los en keek Coco ernstig aan. 'Is mijn pappie er nog als ik terugkom?'

'Ik hoop het. Soms. Jullie zijn allebei altijd welkom.'

'Ik vind dat jullie moeten trouwen.' Die mening had ze al eerder uitgesproken, kort na haar aankomst. De band die Coco en Chloe meteen hadden gevoeld, was met de dag hechter geworden.

'Daar hebben we het nog wel eens over,' zei Leslie. Hij drukte Chloe tegen zich aan. 'Ik zal je missen, aapje. Doe de groetjes aan je moeder en bel me vanavond.'

'Ja,' zei Chloe triest.

'Ik hou van je,' zei hij. Hij gaf haar een laatste zoen en riep haar naam toen ze door de controle was en zich met een stralende glimlach omdraaide en naar hen wuifde. Coco blies kushandjes naar haar toe, legde een hand op haar hart en wees naar haar. Ze bleven staan tot Chloe, die hand in hand liep met de stewardess, was opgegaan in de massa.

Ze wachtten tot het vliegtuig was opgestegen, voor het geval er een vertraging optrad, en gingen toen de auto halen. Ze zwegen allebei een tijdje, denkend aan Chloe en hoe leeg het huis zou zijn zonder haar.

'Ik mis haar nu al,' zei Coco verdrietig toen ze het vliegveld achter zich lieten. Ze had nooit eerder twee weken met een kind doorgebracht, maar nu kon ze zich het leven zonder Chloe niet meer voorstellen.

'Ik ook,' verzuchtte Leslie. 'Ik ben jaloers op mensen die hun kinderen bij zich hebben. Monica boft maar dat ze haar altijd heeft.' Toch kon hij zich niet voorstellen dat hij met haar getrouwd zou zijn. Dat had hij nooit gewild. 'Als ik er nog eens aan begin, wil ik erbij blijven. Telkens als we afscheid nemen, breekt mijn hart.' Ze besloten naar de bioscoop te gaan om het lege huis nog even te mijden. Ze voelden zich een paar verdoolde zielen.

De film, die gewelddadig was en vol actie zat, bood afleiding, en tegen de tijd dat ze thuiskwamen, was Chloe al halverwege New York.

Coco ging baantjes trekken in het zwembad en Leslie trok zich met een script terug in de werkkamer om te beslissen of hij de aangeboden rol wilde hebben. Ze troffen elkaar weer in de keuken, waar ze droevig naar de taart keken die Coco de avond tevoren voor Chloe had gebakken. Ze konden het gevoel van gemis moeilijk afschudden. Ten slotte maakte Leslie voor hen allebei een kop thee en ging glimlachend weer zitten.

'Dit moet wel betekenen dat de logeerpartij een succes was,' zei Leslie iets vrolijker. 'We hebben ons alle drie vermaakt.'

'Hoe kan het anders, met zo'n meisje?' Coco nipte van haar thee. 'Als het kind van Liz en Jane over zes jaar half zo leuk is, ben ik al blij.' Ze verheugde zich erop.

'Wat vond je trouwens van Chloe's suggestie?' vroeg hij langs zijn neus weg. 'Over trouwen?' Hij vroeg het jongensachtig en nerveus, als een gewone sterveling, niet als een beroemde filmster. 'Ik vond het wel een boeiend idee,' zei hij zelfverzekerder dan hij zich voelde. Hij kon heel Brits klinken, en Coco glimlachte erom. Zijn zelfspot en bescheidenheid maakten hem niet alleen heel aantrekkelijk op het witte doek, maar ook in het echte leven. Dat had ze vanaf hun eerste ontmoeting in hem gewaardeerd.

'Heel boeiend,' zei ze zacht. Ze glimlachte en keek hem liefdevol aan. 'Maar misschien iets te voorbarig. Ik denk dat we eerst moeten bepalen waar we gaan wonen en hoe we het gaan aanpakken.' Het was een belangrijke kwestie voor Coco. Ze woonden nu drie maanden samen in Janes huis, wat een goed begin was, en zelfs met Ian was de omgang niet zo goed en makkelijk geweest, maar ze maakte zich nog steeds zorgen om Leslies roem en de pers die hen continu zou achtervolgen, zeker in Los Angeles. Zij wilde een veel anoniemer bestaan, want de aandacht kon kapotmaken wat ze nu hadden. Ze hadden nog geen oplossing voor het probleem gevonden, en misschien vonden ze die wel nooit.

Afgezien van die ene prangende kwestie waren Leslie en Coco het over alles eens, tot de honden een keer kletsnat uit het zwembad kwamen en op het bed sprongen, wat ze volgens Leslie de vorige drie avonden ook al hadden gedaan. Afgezien van die kleine onenigheid en Chloe's ongelukje op de avond voordat ze wegging, waren ze al drie maanden gelukkig samen. Ze vonden het heerlijk om bij elkaar te zijn en samen te wonen; zij was geïnteresseerd in zijn werk en hij hoorde graag wat zij vond van de scripts die hij kreeg toegestuurd, en stond altijd open voor haar commentaar. Hij respecteerde haar in alle opzichten, en zij was dol op zijn dochter. Het enige wat tussen hen kon komen, was zijn roem, en wat die met hun leven zou kunnen doen.

Er waren nog dingen die ze niet van elkaar wisten, zoals wie ze aardig vonden en hoe het zou zijn om een gezamenlijk sociaal leven te hebben, want ze leefden in afzondering. Ze hadden nooit samen gereisd of een crisis het hoofd geboden, en zij wist nog niet hoe moe en gestrest Lelie kon zijn wanneer hij aan een film werkte, maar wat de gewone facetten van het samenwonen betrof, pasten ze meer dan goed bij elkaar. Ze waren allebei vriendelijk en attent, en ze vermaakten zich samen. Ze genoten van elkaars gevoel voor humor. Ze moesten alleen nog afwachten hoe bestendig hun relatie zou zijn. Het enige wat haar echt zorgen baarde, was dat hij in Los Angeles woonde, en het leven dat hij daar leidde, maar ook in dat opzicht was hij inschikkelijk. Hij had San Francisco en Santa Barbara voorgesteld als alternatieven, en aangeboden naar Bolinas te komen wanneer het maar kon. Hij was zelfs bereid New York in overweging te nemen. Hij was voor rede vatbaar, zijn ideeën waren verstandig en hij was bereid compromissen te sluiten voor Coco. Hij leek de ideale echtgenoot, en hij had allang vastgesteld dat Coco de ideale vrouw voor hem zou zijn. Ze wilde er alleen nog even over nadenken. Drie maanden leek haar niet lang genoeg voor een beslissing die de rest van hun leven zou beïnvloeden, en zijn sterrenstatus stelde hen voor onvermijdelijke uitdagingen.

'Ik weet niet of het wel zo belangrijk is waar we wonen,' zei Leslie zacht. Hij wilde haar niet onder druk zetten, maar hij had zijn besluit al genomen. Chloe had hem alleen maar een zetje gegeven met haar vraag, en het feit dat hij haar met Coco samen had gezien, en nu wilde hij het met haar bespreken. 'Je kunt niet bij een man weggaan, of niet meer van hem houden, vanwege de stad waar hij woont,' redeneerde hij.

'Het gaat ook niet om de stad, maar om het soort leven dat bij jouw werk hoort,' zei ze zorgelijk. Het was het enige waar ze bang voor was. 'Ik weet niet hoe het is om met een grote filmster te leven, en alles wat erbij komt. Dat jaagt me angst aan, Leslie. De pers, de paparazzi en al die druk en openbaarheid maken levens kapot. Het is afwachten of ik dat aankan. Ik heb geen zin om jouw carrière te gronde te richten, of mezelf. Wat we nu hebben is heerlijk, maar het is een droom,' zei ze openhartig. 'We zitten ondergedoken. Wanneer we zeggen hoe het zit, barst er een bom over de hele wereld. Dat maakt me doodsbang. Ik wil je niet kwijtraken doordat andere mensen het voor ons verpesten, en dat zou kunnen gebeuren.'

'Laten we er dan openlijk voor uitkomen om te zien hoe het voelt. Waarom ga je niet met me mee naar de opnames in Italië? Ik blijf minstens een maand in Venetië, misschien twee. Je kunt me daar gezelschap houden, als je iemand kunt vinden die de honden wil uitlaten. Wil je erover nadenken? En misschien moeten we eerst een paar dagen naar Los Angeles gaan om te zien hoe dat voelt.' Hij was eraan toe om de hele wereld te vertellen dat hij van haar hield. Hij verheugde zich er zelfs op overal met Coco gezien te worden en iedereen te vertellen hoe gelukkig hij was. 'Coco, ik hou van je,' zei hij teder. 'En wat er ook gebeurt, en hoe de pers er ook mee omgaat, ik sta achter je.' Ze glimlachte met tranen in haar ogen naar hem.

'Ik zal wel gewoon bang zijn. Stel dat ze een hekel aan me hebben, of ik bega een stommiteit, of ik verknal het voor je? Ik heb nooit zo in de belangstelling gestaan. Ik weet wat het met de cliënten van mijn vader deed, en ik wil niet dat ons hetzelfde overkomt. Het is nu allemaal heel simpel, maar wanneer de mensen het eenmaal van ons weten, kan het nooit meer hetzelfde worden.' Ze wist wel dat hun idyllische leventje nog maar twee weken zou duren, want dan ging hij naar Los Angeles voor de voorbereidingen van de film. Na deze twee weken zouden ze loslopend wild zijn, en dat wist Leslie ook. Hij kon het niet ontkennen, en haar zorgen waren de zijne. Zij was eenzelvig en leidde een teruggetrokken bestaan, en in zijn wereld was privacy een schaars goed en anonimiteit iets ongekends. Ze waren de afgelopen drie maanden heel voorzichtig geweest en ze hadden veel geluk gehad, maar wanneer hij terugging naar Los Angeles, en vervolgens naar Venetië, zou alles wat ze deden breed worden uitgemeten in de pers. Coco moest in elk geval een voorproefje hebben voordat ze kon besluiten of ze het een leven lang kon verdragen.

'Doe het gewoon stap voor stap,' zei hij. Haar mobieltje ging. Het was Jane, die even wilde bijpraten. Sinds de toestand rond hun moeder belde ze iets vaker, waardoor de lucht tussen hen een beetje was geklaard. Leslie stond op, liep om de tafel heen en gaf Coco een kus voordat hij de keuken uit liep. Hij had nog geen bevredigend antwoord gekregen op zijn vraag over een huwelijk, maar hij wist dat Coco tijd nodig had om te wennen aan de realiteit van zijn leven. Ze leek er minder tegen op te zien dan in het begin, maar hij had haar nog niet overtuigd. Hij liet haar met haar zus praten, maar wat hem betrof was het laatste woord nog lang niet gezegd. Hij was vast van plan het onderwerp opnieuw ter sprake te brengen. Coco was blij dat hij haar niet onder druk zette. Ze vond het al erg genoeg dat hij binnenkort weg zou gaan.

Coco vroeg Jane hoe haar zwangerschap verliep, en Jane zei dat het goed ging. Liz en zij vonden het heel spannend en konden nog steeds maar moeilijk geloven dat ze over vijf maanden een baby zouden hebben. Coco vond het ook nog steeds een raar idee. Ze had Jane nooit in de moederrol gezien, en ze kon het zich nog altijd niet voorstellen. Daarvoor kende ze haar te goed, of misschien niet goed genoeg.

'Ik kan je in elk geval vertellen dat het huis heel geschikt is voor een kind van zes. Leslies dochter heeft hier twee weken gelogeerd, en ze heeft genoten. Het was één groot feest.' Het bleef even stil aan de andere kant van de lijn.

'Hoe was het?' vroeg Jane toen ijzig.

'Super. Je hebt nog nooit zo'n schatje gezien. Ik hoop dat jullie ook zo'n meisje krijgen.'

'Zo te horen was het een groot succes,' zei Jane omzichtig. 'Ik hoop dat ze niets kapot heeft gemaakt?'

'Natuurlijk niet. Ze heeft zich voorbeeldig gedragen.' Janes toon maakte Coco een tikje zenuwachtig, zeker na het gesprek met Leslie, en ze merkte dat ze probeerde over haar onbehagen heen te praten. 'We zijn overal met haar geweest, in de dierentuin, de tram, Chinatown, Sausalito, het wassenbeeldenmuseum. We hebben het heerlijk gehad met haar.'

'"We"? Verzwijg je iets voor me, Coco?' Jane kon nog steeds niet geloven dat Liz' vermoedens klopten, maar wat ze nu hoorde, baarde haar zorgen. 'Speelt er iets tussen Leslie en jou?' vroeg ze botweg. Het bleef lang stil aan Coco's kant. Ze zou kunnen liegen, zoals ze wel vaker had gedaan, maar dit was juist wat Leslie en zij hadden besproken. Het was tijd er eerlijk voor uit te komen. Het leek logisch met de familie te beginnen, dus besloot ze een proefballonnetje op te laten door Jane de waarheid te vertellen.

'Ja,' zei ze onomwonden. Ze had geen idee wat er nu zou komen. Verbijstering, waarschijnlijk, maar misschien ook goedkeuring, want Leslie was Janes vriend. Deze keer kon Jane eens niet zeggen dat haar vriend ongeschikt was en uit een andere wereld kwam, zoals ze in het geval van Ian en alle anderen had gedaan, dacht Coco, maar ze had zich weer vergist.

'Ben je niet goed wijs? Heb je enig idee wie hij in de buitenwereld is? De grootste ster van de wereld. De media zullen je levend opvreten. Je komt uit Bolinas en je laat honden uit, godbetert, heb je er wel bij stilgestaan wat ze daarvan zullen maken?'

'Ik ben ook de dochter van Buzz Barrington en Florence Flowers, en jouw zus. Ik ben in die wereld opgegroeid.'

'En eruit gestapt om hippie te worden. Hij is in verband gebracht met de helft van de glamourvrouwen van de wereld en elke nog levende actrice. Ze maken gehakt van je en spugen je uit. Je zet hem voor schut. Hoe heb je zo stom kunnen zijn? Ik vraag je in mijn huis te wonen en voor mijn hond te zorgen, en jij moet zo nodig het bed in duiken met mijn logé, die toevallig een wereldberoemde filmster is. Wat bezielt jullie allebei?' Ze brandde Coco net zo vals en tactloos af als altijd, en Coco hoorde het met tranen in haar ogen aan.

'Eigenlijk dachten we dat we verliefd op elkaar waren,' zei ze zacht. Ze vervloekte Jane en alles wat ze zei, maar het ergste was nog wel dat ze bang was dat ze gelijk had.

'Hoe heb je zo stom kunnen zijn? Ik heb nog nooit zoiets onnozels gehoord. Als hij weer aan het werk gaat, is hij je binnen vijf minuten vergeten. Hij krijgt iets met zijn tegenspeelster, de roddelbladen staan er vol van, en dan ben jij alleen nog maar een grap, zijn zoveelste verovering. Geloof me, ik ken Leslie goed.' Leslie, die net op dat moment de keuken in liep, zag Coco's verdrietige gezicht en begreep meteen dat haar zuster weer bezig was. Het was altijd hetzelfde liedje. Goed, Leslie was bevriend met Jane, maar hij wist ook dat ze verschrikkelijk tekeer kon gaan, zeker tegen haar kleine zusje. Hij haalde een hand over Coco's schouders, maar ze wendde zich af, wat hem ongerust maakte. Dat had ze nog nooit gedaan.

'We moeten maar zien hoe het verdergaat als hij terug is,' zei Coco cryptisch terwijl Leslie weer wegliep. Hij wilde niet storen. Hij was altijd beleefd, respectvol en discreet.

'Het gaat niet verder,' zei Jane hardvochtig. 'Neem maar van mij aan dat het voorbij is zodra hij weggaat. In feite is het al voorbij, alleen heb jij het nog niet door. Hier zit geen toekomst in voor jou. Hij zal wel fantastisch in bed zijn, maar meer zul je er nooit uit kunnen halen. In zijn eigen wereld zou je hem maar in verlegenheid brengen.' Coco wilde zeggen dat ze het net over een huwelijk hadden gehad, maar ze durfde niet, en Janes woorden maakten haar misselijk. Jane had gelijk. Als ze dacht dat ze het kon bolwerken in Leslies wereld, draaide ze zichzelf een rad voor ogen. 'Ik hoop dat je tot rede komt en die roze bril eens afzet, Coco. Verneder jezelf in elk geval niet door je aan hem vast te klampen. Als hij gaat, laat hem dan waardig los. Je had nooit iets met hem moeten beginnen. Ik dacht dat je slimmer zou zijn, of te veel zelfrespect zou hebben om een lekker wipje te worden voor zo'n stuk als hij.' Het was wreed, maar dat was Jane vaak als ze de kans kreeg. Tegen Coco, tenminste. Altijd al. Haar zwangerschap veranderde er niets aan.

'Dank je wel,' zei Coco, die bijna stikte van ellende en alleen nog maar wilde ophangen. 'Tot gauw.' Ze verbrak de verbinding om Jane niet de voldoening te gunnen haar te horen huilen, want de tranen stroomden al over haar wangen. Leslie, die net weer binnenkwam, keek haar aan.

'Wat is er in godsnaam gebeurd? Wat heeft ze je nou weer aangedaan? Ik mocht haar altijd graag, maar ik zweer je dat ik haar niet meer moet sinds ik jou ken en zie wat ze met je doet. Ze is altijd een goede vriendin voor me geweest, maar ze behandelt jou als een stuk stront en daar baal ik van,' zei Leslie.

'Het is iets tussen zusjes,' sprong Coco voor Jane in de bres, al kon die in een paar minuten een hoopje ellende van haar maken. Leslie wilde hetzelfde met Jane doen, dan had ze eens iemand van haar eigen formaat om mee te vechten.

Hij nam Coco, die hevig snikte, in zijn armen om haar te troosten.

'Ze heeft gelijk,' zei Coco, die op zijn trui huilde terwijl ze in zijn armen lag. 'Ze zegt dat ik een slet ben, een krankzinnige, en dat ik jou maar in verlegenheid zou brengen, en dat ik maar een van je vele veroveringen ben, en dat je de meest glamoureuze vrouwen van de wereld hebt gehad, en dat de media gehakt van me maken en me uitspugen en dat het tussen ons voorbij is zodra je weg bent.' Alle pijn die haar zus haar had gedaan, stroomde er in één lange zin uit, over hen beiden heen. Coco was ontroostbaar, haar hart was gebroken, en Leslies ogen fonkelden van woede.

'Ik vermoord dat mens. Hoe kan zij nou weten wat de media zullen doen? En wie geeft er ook maar iets om, verdomme? Je bent een fantastische, beeldschone, intelligente, waardige, elegante vrouw, en naast jou zou ik me trots voelen. Ik hoor aan je voeten te liggen. Je zus is het nog niet waard om je schoenen te poetsen, en het is een gemene, harteloze trut. Ze

163

is gewoon jaloers op je. Jij zult altijd jonger zijn dan zij. Het kan me geen reet schelen wat ze allemaal tegen je heeft gezegd, Coco. Er klopt geen woord van. En het is niet voorbij zodra ik weg ben. Dan begint het pas echt voor ons. Ik wil dat je met me meegaat, en ik wil iedereen vertellen hoe blij ik met je ben. En dan valt iedereen voor je, en wie dat niet doet, is gek. Vraag maar aan Chloe,' zei hij, naar haar glimlachend terwijl hij haar in zijn armen hield, 'die weet het wel. En kinderen laten zich niet bedriegen, en het mijne al helemaal niet.' Hij zei de goede dingen, precies wat ze wilde horen, maar de valsheid van wat haar zus had gezegd, had haar tot in haar ziel gekwetst.

'Je hebt het mis,' hield Coco vol, maar al minder overtuigd. Leslie had Janes steken net genoeg verzacht. 'Het zal je carrière schaden.' Ze klonk als een gewond kind, wat ze ook werd in de buurt van haar grote zus.

'Nee, jou kwijtraken zou schadelijk zijn voor mijn carrière, want dan zou ik een hopeloze dronkenlap worden.' Ze giechelde door haar tranen heen, maar Jane had haar veel pijn gedaan door alles te zeggen waar Coco bang voor was en wat ze niet wilde horen. 'Jane is een monster,' zei Leslie vol overtuiging. 'Je moet niet meer met haar praten. Ze zou ons allebei haar excuses moeten aanbieden. Ik hou van je, punt uit.' Even later bracht hij haar zorgzaam naar boven en trok haar op het bed. Het kostte hem nog een uur om haar te kalmeren, maar ze had tenminste haar hart bij hem uitgestort, en hij werd met de minuut woedender. Hij overwoog Jane zelf op te bellen en haar te vertellen hoe hij dacht over haar boosaardige, ondoordachte aanval op haar zusje en haar gebrek aan respect voor hen beiden, maar hij besloot dat ze het niet waard was en dat hij zich beter op Coco kon richten. Het interesseerde hem geen moer hoe Jane over hen dacht.

Dankzij zijn lieve woorden en kussen kwam Coco ten slotte tot rust. Hij glimlachte naar haar en kleedde haar voorzichtig uit terwijl ze naar hem opkeek. Ze herinnerde zich maar al te goed dat Jane haar zijn lekkere wipje had genoemd.

'Wat doe je?' vroeg ze zacht toen hij haar hals kuste en er een huivering over haar rug liep.

'Ik wilde dat vieze nog eens proberen. Ik wil zeker weten dat ik het goed doe. Er is veel oefening voor nodig,' zei hij. Coco lachte, en tegen de tijd dat hij haar had uitgekleed, kon het haar niet meer schelen wat Jane had gezegd. Leslie was de liefde van haar leven.

HOOFDSTUK 11

*N*a Chloe's vertrek gingen de laatste twee weken van Leslies verblijf in San Francisco veel te snel voorbij. Ze probeerden elk moment te koesteren en weken geen moment van elkaars zijde. Leslie moest veel doen voordat hij aan zijn volgende film begon, en hij bleef tot de laatste minuut bij Coco. Hij zou maar tien dagen in Los Angeles zijn voordat hij naar Venetië ging, en hij wilde dat Coco hem daar kwam opzoeken. Ze beloofde een paar dagen te komen.

Na Janes aanval wilde Coco haar zus een paar dagen niet spreken. Toen Jane de volgende dag belde, nam Coco niet op. Ze had genoeg van haar gehoord en had geen behoefte aan meer van hetzelfde. Jane vertelde het de volgende ochtend voordat ze naar de set ging aan Liz, die niet verbaasd was over de romance tussen Leslie en Coco, maar Janes reactie zorgwekkend vond.

'Waarom vind je het zo erg?' vroeg Liz terwijl ze koffie inschonk. 'Hij is mijn vriend, niet de hare,' zei Jane bijna zichtbaar pruilend, alsof ze zich buitengesloten voelde.

'Hij mag dan jouw vriend zijn,' wees Liz haar terecht, 'maar hij is nu haar vaste vriend. Dat is een andere relatie, een speciale band. Leslie is een aardige, serieuze vent en volgens mij is hij niet zo'n schuinsmarcheerder als je denkt. Ik geloof niet dat hij haar onfatsoenlijk zal behandelen, hij is een man van eer.'

'Hij ging vroeger van de een naar de ander,' hield Jane vol.

'Zoals iedereen,' pareerde Liz, die bezorgd naar haar levensgezel keek. Ze moest er niet aan denken wat Jane allemaal had gezegd en hoe kwetsend het moest zijn geweest. 'Ben je daar bang voor? Dat hij haar gebruikt? Wil je je zus beschermen, of wil je niet dat ze met jouw vrienden omgaat? Dat zou niet eerlijk van je zijn. Ze bewijst ons een dienst, en wij hebben hem in het huis laten logeren. Wat er vervolgens tussen die twee gebeurt, is hun zaak, niet de onze.'

'Hij zet haar voor gek,' zei Jane, die Liz woedend aankeek.

'Ik ben het niet met je eens,' zei Liz met klem. 'Ik vind het niet eerlijk van je om daarvan uit te gaan. Ze zijn allebei volwassen, ze weten waar ze aan beginnen en wat ze willen, net als wij.'

'Waarom kies jij altijd partij tegen mij? Mijn moeder, Coco... Telkens als ze iets stoms of schandaligs doen, verdedig jij ze,' zei Jane verongelijkt.

'Ik hou van je, maar ik ben het niet altijd met je eens, en in dit geval vind ik dat je het mis hebt.'

'Wat wil hij van haar? Ze laat honden uit, godbetert.'

'Doe niet zo snobistisch. Ze heeft veel meer in haar mars, en dat weet je best. En anders heeft hij nog het recht om verliefd op haar te worden. Ik denk dat hij goed voor haar zou zijn, als ze zijn succes en alles wat daarbij komt kijken kan hanteren.'

'Dat kan ze niet,' zei Jane vol overtuiging. 'Ze heeft er het lef niet voor. Ze is uit Los Angeles gevlucht en ze heeft haar studie niet afgemaakt. Het is geen doorzetter.'

'Wel waar!' ging Liz ertegenin. 'En ze mogen zelf weten wat ze doen.'

167

'Zodra hij aan zijn nieuwe film begint, en dat is geloof ik al over een week of twee, laat hij haar als een baksteen vallen. Hoe lang zou het daarna nog duren, denk je? Hij gaat met zijn tegenspeelster naar bed en vergeet die Coco die als een hippie aan het strand woont.'

'Misschien niet. Misschien is het echte liefde,' hield Liz vol. Om de een of andere reden had ze het gevoel dat het goed zat. Ze hadden hun geheim zo zorgvuldig bewaakt dat ze wel serieus moesten zijn, dacht Liz. Ze hoopte het maar. Ze mocht Coco en Leslie allebei graag. 'Ze heeft het recht er zelf achter te komen wat dit inhoudt en wat het voor hen beiden betekent. Als hij het niet echt meent, heeft ze dat gauw genoeg door.'

'Net als de halve wereld, als het in de roddelbladen komt. Ze kunnen die toestanden niet gebruiken, en wij ook niet. Ik hou van Leslie, maar ik heb geen zin om te lezen dat mijn zus zijn laatste avontuurtje was.'

'Ik denk dat ze meer voor hem betekent. Hij geeft ook om jou, en hij zou geen misbruik maken van je zus en voor de lol iets met haar beginnen.'

'Als ze denken dat dit iets kan worden, zijn ze allebei knettergek. Neem maar van mij aan dat het er niet in zit, ook al menen ze het nu echt. Hij staat zwaar onder druk, en dat kan Coco niet aan. Ze zal instorten als een kaartenhuis.'

'Ik vind dat je haar tekortdoet. Ze is ook niet ingestort toen Ian doodging.'

'Nee, ze heeft de afgelopen twee jaar alleen als een kluizenaar geleefd. En wat gebeurt er als de bladen bij ons huis en het hare gaan posten? Wie zit daarop te wachten? Ze woont in een droomwereld, Liz, en hij ook als hij denkt dat ze in zijn echte leven zal passen. De pers zal haar belachelijk maken.'

'Misschien niet. Als ze wil, kan ze sterk zijn.'

'Zij zal nooit teruggaan naar Los Angeles, en hij kan niet bij haar in dat krot aan het strand wonen. Hij heeft een gigantische carrière, nog groter dan de onze.'

'We zullen zien,' zei Liz bedaard. 'En ik denk dat zulke dingen maar bijzaken zijn. Als Coco dit echt wil proberen, heeft ze onze steun nodig. Ze zit er niet op te wachten dat jij haar de grond in trapt.'

'Dat heb ik helemaal niet gedaan,' snauwde Jane, maar ze wisten allebei dat ze loog. Liz zag het in haar ogen. Janes hele gezicht drukte schuldgevoel uit. 'Ik heb haar gewoon gezegd hoe ik erover dacht.'

'Dat is bij jou soms hetzelfde. Je beseft niet hoe kwetsend je woorden kunnen zijn. Je kunt een vlijmscherpe tong hebben.'

'Al goed, al goed. Ik zal haar bellen,' beloofde Jane terwijl ze aanstalten maakten om hun huurappartement te verlaten. Ze schoten goed op met de film, en ze zouden eerder naar huis gaan dan ze hadden verwacht. Uiteindelijk had Coco de hele tijd op hun huis gepast, maar het was haar goed bevallen. Nu wisten ze waarom.

Toen Jane Coco later die dag belde, nam ze niet op, en later die middag evenmin. Twee dagen later had Jane door dat Coco haar niet wilde spreken. Tegen die tijd was ze gekalmeerd en voelde ze zich schuldig. Ze besloot Leslie te bellen om te horen wat hij te zeggen had.

Hij herkende haar nummer op het scherm en nam ijzig op.

'Zeg het maar,' zei hij kortaf. Hij klonk nog Britser dan anders. Jane maakte uit zijn reactie op hoeveel verdriet ze haar zus had gedaan, waardoor ze zich aangevallen voelde.

'Coco zegt dat jullie al de hele zomer een vurige romance hebben,' zei Jane, die probeerde het te bagatelliseren, want ze geloofde nog steeds dat het niet meer was dan een vakantieliefde, wat Liz ook beweerde.

'Zo zou ik het niet willen noemen,' zei hij bot. 'Ik hou van je zus. Het is een bijzondere vrouw, en een lieve vrouw. Ze bewijst jou al drie maanden een dienst en daar heb ik ook baat bij, door je gastvrijheid. Je had niet zulke dingen tegen haar mogen zeggen. Ik vind het onvergeeflijk. Ik weet niet waar jij mee zit, Jane, maar ik raad je aan er iets aan te doen. Als je ooit nog eens zo tegen haar uitvaart, ben ik je vriend niet meer. Ik heb geen behoefte aan mensen die anderen kwetsen om het kwetsen zelf. Zie je het als een soort sport? Je woont samen met een van de liefste vrouwen van de wereld, en je zus is ook zo'n schat. Probeer eens iets van hen te leren.' Zijn woorden troffen doel. Jane voelde zich alsof ze een klap in haar gezicht had gekregen, en dat was ook zijn bedoeling. Hij wilde niet dat Jane Coco van streek maakte, of tegen haar zei dat hij haar zou dumpen, vergeten of bedriegen zodra hij weg was. Hij was nog nooit van zijn leven zó verliefd geweest.

'Je hoeft mij niet te zeggen hoe ik tegen mijn zus moet praten. Ik heb tegen haar gezegd hoe ik erover dacht, en daar blijf ik bij. Mij hou je niet voor de gek, Leslie. Zodra je aan je nieuwe film begint, duik je met je tegenspeelster het bed in, en een week later geef je geen moer meer om Coco, die je dan al helemaal vergeten bent.' Ze kenden elkaar al heel lang.

'Bedankt voor je motie van vertrouwen,' zei Leslie kwaad. 'Je hoeft niet zo onbeschoft tegen mij te doen, of tegen Coco. Ik heb je niets meer te zeggen tot je wat manieren leert, of een hart krijgt. Misschien kan Liz je de helft van het hare lenen, want dat is groot genoeg voor twee. Jij hebt maar twee grote dingen, Jane: je talent en je mond. Voor het eerste heb ik veel bewondering, maar het tweede wil ik niet meer horen. Laat Coco met rust.'

'Waarom? Omdat ik haar heb gezegd waar het op staat? Als het niet waar was, zou je niet zo kwaad op me zijn. Heb ik je spelletje bedorven?'

'Dit is geen spelletje,' zei hij kalm. 'Ik hou van je zus, en ik hoop haar over te halen bij me in Los Angeles te komen wonen.'

'Reken daar maar niet op. Ze heeft een fobie voor Los Angeles en alles waar het voor staat. Haar jeugd tussen beroemde, succesvolle mensen heeft haar getraumatiseerd. Ze haat ons allemaal, en uiteindelijk zal ze jou ook gaan haten. Ze kan het niet aan, en als ik Coco een beetje ken, zal ze het niet eens willen proberen.'

'Ik sla haar hoger aan,' zei hij ijzig, maar stiekem bad hij dat Jane ongelijk had. Jane wist altijd precies je gevoelige plek te vinden.

'Ze zal je teleurstellen, Leslie,' zei Jane iets kalmer. Coco kon niet tegen haar op, maar Leslie wel, zoals ze allebei wisten. Coco was geen partij voor Jane. Ze was niet hard en gemeen. 'Ze heeft ons allemaal teleurgesteld. Misschien is ze wel iets met je begonnen, maar ze maakt het niet af. Ze krabbelt terug. Ze heeft het uithoudingsvermogen niet om door te zetten, of jouw soort leven te leiden. Daarom is ze geen jurist geworden, maar laat ze honden uit, en woont ze tussen de surfers die veertig jaar geleden de werkelijkheid al gedag hebben gezegd. Zo wordt ze zelf ook nog eens. Zo is ze al.' Er klonk verbittering in haar stem door.

'Waarom vind je het zo erg dat ze haar studie niet heeft afgemaakt en honden uitlaat?' Hij sloeg de spijker op zijn kop. Jane was zo'n streber, zo bezeten van prestaties en succes, dat ze niet kon omgaan met Coco's keuzes. 'Ik zit er absoluut niet mee. Ik bewonder de moed die ze heeft getoond door de concurrentie met jullie niet aan te gaan. Het is geen eerlijke strijd voor haar. Zij is niet zo hard als jullie. Of zo vals, goddank. Ze is een zachtmoedige ziel die haar eigen weg heeft gevonden.'

'Bedankt voor je analyse van mijn zus. Geloof me, ik ken haar beter dan jij. Ik hou van haar, maar ze is geschift. En ze is al haar hele leven de weg kwijt.'

'Ik denk dat ik haar zo langzamerhand beter ken dan jij. Ze is een veel beter mens dan jij of ik. Zij verkoopt haar ziel niet. Ze is trouw aan haar overtuigingen, en daar leeft ze naar.'

'Als jij haar wilt wijsmaken dat ze de stress die jij dagelijks te verduren krijgt wel aankan, neem je jezelf en haar in de maling. Zodra de camera's in haar gezicht flitsen of ze jou in de armen van een sterretje ziet, zakt ze in als een soufflé. Ze zal er als een haas vandoor gaan.'

'Ik zal al het mogelijke doen om dat te voorkomen,' verzekerde hij Jane, maar hij was er zelf ook bang voor, net als Coco. Het was niet makkelijk om het leven van een ster te leiden, of van een ster te houden, zoals Coco maar al te goed wist.

'Succes,' zei Jane sarcastisch. Het gesprek had hen beiden geërgerd. Hij vond het vreselijk hoe Jane haar zus behandelde en wat ze over haar zei. Ze was onbarmhartig en genadeloos in haar aanvallen. Jane gaf niemand een kans, en ze vond het vreselijk dat hij Coco verdedigde. Wie dacht hij dat hij was? Toen ze het die avond aan Liz vertelde, was ze nog steeds verontwaardigd, maar Liz wist tenminste dat Leslie zijn mannetje stond. In tegenstelling tot Coco, die zich elke keer weer liet kwetsen door Janes vlijmscherpe tong.

Leslie vertelde Coco over zijn gesprek met Jane toen ze die middag met Sallie en Jack op Krissy Field wandelden. Coco luisterde zwijgend. Hij vertelde niet alles, om Coco niet nog dieper te kwetsen, maar ze moest wel weten dat hij voor haar was opgekomen. Het werd tijd dat iemand dat deed, vond hij. Ze liepen hand in hand.

'Dat had je niet hoeven doen,' zei ze zacht. 'Ik kan mezelf wel verdedigen.' Maar niet zo goed als ik, dacht Leslie, die zich herinnerde wat Jane allemaal had gezegd. Geen mens overleefde zo'n spervuur. Het leek hem een zegen dat Jane het huis al uit was gegaan toen Coco nog een kind was.

'Het zou niet nodig mogen zijn dat je je tegen je zus moet verdedigen. Zo horen familieleden niet met elkaar om te gaan.'

'Ze waren allemaal zo,' zei Coco, denkend aan haar ouders en haar zus. 'Ik stond te trappelen om weg te gaan.'

'Daar kan ik in komen. Ik vind het verschrikkelijk wat ze allemaal tegen je zegt, haar veronderstellingen. Ik vind het ondraaglijk dat ze denkt dat ik maar met je speel, dat dit voor ons allebei een tussendoortje is. Jij bent de vrouw van mijn dromen,' zei hij. Hij leunde naar haar over om haar te kussen, midden op het pad. De mensen die langs hen heen jogden en wandelden, glimlachten bij het zien van het knappe jonge stel in innige omhelzing. Niemand herkende hem in Coco's armen.

Die avond belde Liz op om namens Jane haar verontschuldigingen aan te bieden. Ze zei dat Jane de hele tijd dat ze op locatie waren al gestrest was, en dat de zwangerschap een grote verandering voor haar was, maar dat het haar speet dat ze zulke harde woorden tegen hen had gezegd. Leslie verzekerde haar dat hij serieuze plannen had met Coco, en Liz zei dat ze het begreep en dat ze hun echt veel geluk gunde.

Het was gewoon nog iets om over na te denken en mee om te gaan tijdens hun laatste dagen samen in San Francisco. De avond voordat Leslie weg zou gaan, ging hij met Coco uit eten. Hij reserveerde op Coco's naam en vroeg om een onopvallende tafel achterin.

Ze waren allebei somber. Ze hadden drieënhalve maand een sprookjesachtig leven geleid, en ze wisten allebei dat het nooit meer hetzelfde zou worden. Het echte leven diende zich aan, en mogelijk met grote gevolgen. Het joeg vooral Coco angst aan, maar hij maakte zich ook zorgen. Niet alleen om haar reactie; het zou voor hen allebei heel moeilijk worden om elkaar een paar maanden niet te zien. Hij zag net zo tegen het afscheid op als zij, en hij vond het verschrikkelijk dat de afstand tussen hen zo groot zou zijn wanneer hij in Venetië zat.

'Wanneer kom je naar Los Angeles?' vroeg hij voor de zoveelste keer.

'Janes vriendin Erin kan eind deze week drie dagen voor me invallen.' Het was een opluchting voor hem. Hij was bang geweest dat Coco, na alles wat Jane had gezegd, helemaal niet meer wilde komen. 'Ze zal Jack en Sallie ook uitlaten, maar ze mag van Jane niet in het huis slapen.'

173

'Ik zal proberen zo min mogelijk afspraken te maken, maar ik zal zo af en toe toch op de set moeten zijn. Je kunt met me mee als je dat leuk vindt.' Hij wilde haar geen minuut missen, en hij hoopte dat de producer en de regisseur niet te veel beslag op zijn tijd zouden leggen. Hij wilde zo veel mogelijk doen voordat Coco kwam.

'We zien wel hoe het gaat als je eenmaal begonnen bent. Ik kan ook in het hotel op je wachten.' Ze gingen weer naar het Bel-Air, waar ze de vorige keer toen ze samen in Los Angeles waren ook hadden geslapen. 'Ik kan mijn moeder opzoeken als ze het niet te druk heeft, of aan een boek werkt.' Coco wist dat haar moeder geen mens wilde zien wanneer ze schreef. 'Ik zal haar bellen wanneer ik weet wat jouw plannen zijn. Jij gaat vóór mijn moeder,' zei ze. Ze glimlachte naar hem en zijn hart smolt weer.

Hun laatste nacht samen was lief en teder. Ze vrijden verschillende malen, en 's ochtends vroeg werd Coco wakker en keek naar de zonsopkomst terwijl Leslie in haar armen lag te slapen. Ze kon zich geen leven meer zonder hem voorstellen. Het zou heel eenzaam zijn, en zelfs haar huis in Bolinas zou anders aanvoelen. Hij was nu een deel van alles, onlosmakelijk verweven met haar bestaan, maar ze wist ook dat zijn leven veel drukker was dan het hare. Hij moest andere dingen doen. Hun tijd in het huis aan Broadway Street was een kostbaar geschenk geweest en daar was ze Jane dankbaar voor, ook al had die weinig vertrouwen in wat ze voor elkaar betekenden of hoe het verder zou gaan. Ze had Coco een sms'je gestuurd waarin ze zich verontschuldigde voor haar grote mond, zoals altijd. Coco had een bedankje teruggestuurd, maar ze hadden elkaar niet meer gesproken. Janes gesprek met Leslie had het resultaat gehad dat hij voor Coco beoogde. Jane had zich teruggetrokken, wat makkelijker voor hen was. Wat Jane ervan vond interesseerde hem niet, maar wat ze tegen Coco zei wel. Hij wilde niet dat Jane haar ooit nog van streek maakte. Liz had haar ook aangeraden de zaak een tijdje te laten rusten, en ze had het toch druk met de afronding van de film in New York.

Coco had Leslie de avond tevoren helpen inpakken. De auto met chauffeur kwam veel te vroeg. Leslie had die dag productiebesprekingen op de set, en hij was tot het laatste moment bij haar gebleven. Zijn vlucht vertrok om negen uur, en hij moest om halfacht die ochtend weg. In de deuropening kuste hij haar voor het laatst.

'Pas goed op jezelf,' zei hij met een glimlach. 'Tot gauw. Ik bel je later, zodra ik pauze heb, en over een paar dagen zit je al in Los Angeles.' Hij wilde niet alleen Coco, maar ook zichzelf geruststellen. Hij vond het verschrikkelijk om haar achter te laten.

'Ik hou van je, Leslie,' zei ze in het plotselinge besef dat hij niet langer alleen van haar was. Hij keerde terug naar zijn eigen wereld, waar hij door anderen werd opgeëist. Producers, regisseurs, filmmaatschappijen, fans, agenten en vrienden. Of ze het leuk vond of niet, van nu af aan moest ze hem delen.

'Ik hou ook van jou,' zei hij. Hij gaf haar een laatste kus en haastte zich naar de auto. Hij mocht zijn vlucht niet missen. De producer had aangeboden een privévliegtuig voor hem te sturen, maar het leek niet nodig en hij had gezegd dat hij een lijnvlucht zou nemen, zoals iedereen. En aangezien Coco hem niet vergezelde, hoefde hij haar niet tegen nieuwsgierige blikken te beschermen.

Ze wuifde toen de limousine wegreed, en hij stak een arm door het raam en wierp haar kushandjes toe. Bij Divisadero Street sloeg de auto rechts af en verdween uit het zicht.

Coco, die wel kon huilen, liep naar boven en ging op het bed liggen dat binnenkort weer van Liz en haar zus zou zijn. Het zou ook niet meer hetzelfde zijn zonder Leslie. Uiteindelijk stond ze op en trok een sweatshirt en een spijkerbroek aan. Ze moest aan het werk, maar ze kon alleen maar aan Leslie denken. Het voelde alsof iemand haar halve hart uit haar borst had gescheurd.

Toen ze de grote honden uitliet, belde Leslie vanaf het vliegveld. Ze was buiten adem van het rennen, en hij moest bijna instappen.

'Vergeet niet dat ik van je hou!' drukte hij haar op het hart.

'En ik van jou,' zei ze met een glimlach. Ze praatten door tot hij in de eerste klas zat en de stewardess zei dat hij zijn mobieltje moest uitschakelen.

Ze volgde de gewone routine van haar leven, maar zonder hem was het leeg. Ze vroeg zich af hoe ze nog maar vier maanden geleden had kunnen denken dat het genoeg was. Het was niet meer genoeg.

Ze liet alle honden volgens haar schema uit en ging om vier uur naar het centrum. Ze moest inkopen doen. Als ze hem in Los Angeles opzocht, moest ze er netjes uitzien. Ze had al jaren geen fatsoenlijke kleren meer gedragen. Ze winkelde tot sluitingstijd en reed terug met een bestelbusje vol tassen achterin. Ze had zelfs twee koffers gekocht om de kleren in te stoppen. Hij kon trots op haar zijn.

HOOFDSTUK 12

*H*et vliegtuig vertrok om tien uur 's ochtends van de luchthaven San Francisco en landde om elf uur op LAX. Ze had om twaalf uur met Leslie afgesproken in het Bel-Air, en hij had een auto met chauffeur gestuurd om haar af te halen. Hij hoopte twee uur met haar te kunnen doorbrengen voordat zijn volgende bespreking begon. Die avond wilden ze niet uitgaan, maar de volgende dag had Leslie een diner van de producer voor de hele bezetting van de film, en hij wilde Coco meenemen. Het was bij de producer thuis. Ze zouden voor het eerst zien wie er allemaal aan de film meewerkten. Er speelden veel sterren in, maar Leslie was de grootste. Voor Coco werd het de eerste keer dat ze echt met hem uitging. Ze had voor de gelegenheid een sexy zwart jurkje en fantastische schoenen met hoge hakken gekocht.

De auto stond zoals beloofd op haar te wachten toen ze uit de aankomsthal kwam, en de chauffeur laadde haar koffers in. Terwijl ze naar het Bel-Air zoefden, probeerde Coco niet te denken aan wat er de volgende dag zou kunnen gebeuren, maar zich op het weerzien met Leslie te concentreren. Ze vroeg zich af of hij hier anders zou zijn. Misschien was alles in die paar

177

dagen al anders geworden. Stel dat Jane gelijk had? Het was haar grootste angst.

Ze hadden deze keer een nog grotere suite in het Bel-Air en dezelfde zwanen zwommen en waggelden nog rond. Het hotel was rustig en de kamers waren spectaculair. Coco's bagage was naar boven gebracht, maar ze was de suite nog aan het bekijken toen ze de deur hoorde, omkeek en Leslies stralende gezicht zag. Hij was doodsbang geweest dat ze zich zou bedenken en hun afspraak op het laatste moment zou afzeggen, en hij omhelsde haar zo stevig dat ze bijna geen lucht meer kreeg. Ze waren als twee kinderen die elkaar na een oorlog terugvonden. De afgelopen dagen waren een marteling voor hen geweest.

'Ik dacht dat je nooit zou komen!' zei hij. Hij drukte haar dicht tegen zich aan en hield haar toen op armlengte om haar te bekijken. Ze zag er heel volwassen uit. Ze droeg een spijkerbroek met een zachte witte trui waarin haar figuur goed uitkwam, een suède jasje en sexy hoge hakken. Haar lange haar was geföhnd en ze droeg diamantjes in haar oren. Hij had haar nog nooit zo opgedoft gezien, en hij was onder de indruk van haar goede smaak. Zelfs wanneer ze in San Francisco uit eten gingen, hadden ze allebei vrijetijdskleding gedragen. Zo had hij Coco nog nooit gezien. 'Wauw!' zei hij vol bewondering. 'Je bent een stuk!'

'Ik voel me net Assepoester op het bal. Ik kan elk moment in een pompoen veranderen.'

'Nou, maar dan ben je mijn pompoen, en ik zal je door het hele koninkrijk achtervolgen met het glazen muiltje.' Ze droeg schoenen van Louboutin die elke ster waardig waren. Als kenner van stijlvolle vrouwen herkende Leslie de schoenen aan de rode zolen, het handelsmerk van Louboutin. 'Ik vind deze ook mooi, trouwens.' Hij was een en al lof en bewondering voor haar, en ze vond dat hij er ook prima uitzag. Hij droeg een van zijn Engelse maatoverhemden, een spijkerbroek, alligatorleren instappers en een kasjmieren trui over zijn schouders. Hij was naar de kapper geweest, en ze hadden hem een kleurspoeling gegeven om de paar grijze plukjes te verdoezelen, zodat het nu nog donkerder was. Hij leek op de Leslie Baxter die ze al honderd keer op het witte doek had gezien, maar zijn ogen zeiden dat hij van haar was. Meer hoefde ze niet te weten.

Ze complimenteerde hem met de mooie suite en hij vertelde dat ze die aan de producer te danken hadden. 'Hij heeft gezegd dat we dit weekend zijn huis in Malibu kunnen gebruiken. Daar kunnen ze ons niet vinden. Het is in de Colony, dus goed beschermd.' Hij had aan alles gedacht om haar gelukkig te maken en hen tegen nieuwsgierige blikken te beschermen. Hij schonk champagne in. 'Op onze toekomst,' zei hij blij, en hij kuste haar. Ze nam een enorme aardbei en voerde hem er eentje, en binnen tien minuten lagen ze in bed. Het leek een eeuwigheid geleden sinds Coco in zijn armen had gelegen, en ze wilden de verloren tijd allebei inhalen. Ze kwamen er niet aan toe een lunch te bestellen, en hij moest zich naar de studio haasten voor zijn bespreking met de regisseur over de veranderingen in het script. Hij beloofde om zes uur terug te zijn. Toen hij weg was, nam Coco eerst een bad.

's Middags belde ze haar moeder. Ze kreeg de secretaresse aan de lijn, die zei dat Florence aan een nieuw boek werkte. Coco zei niet dat ze in Los Angeles was. De rest van de middag wandelde ze in de tuin van het hotel en las een boek dat ze had meegebracht. Het was warm buiten. Leslie kwam om zeven uur terug, een uur later dan hij had gezegd. Ze bleven in hun suite, lieten eten naar boven brengen, keken tv en praatten over Leslies bespreking. Hij was tevreden over de bezetting en de producer. Hij kende de regisseur, die naar zijn zeggen lastig was, maar meestal fantastische resultaten behaalde. Hij had vaker met hem gewerkt. In Venetië zouden ze pas echt beginnen. Hij klaagde een beetje over een van zijn medespelers en merkte op dat Madison Allbright, de hoofdrolspeelster en een megaster, zo wist Coco, een heel knap meisje was.

'Moet ik me zorgen maken?' vroeg ze. Ze lagen op de bank in de zitkamer van de suite, hij met zijn hoofd op haar schoot. Ze streelde zijn haar en hij leek net een lome kat, bijna spinnend van genot. Hij had haar de afgelopen vier dagen verschrikkelijk gemist.

'Je hoeft over niets of niemand in te zitten,' stelde hij haar gerust. 'Ík zou me zorgen moeten maken, zoals je eruitzag toen je aankwam.' Ze had al haar nieuwe kleren in de kast gehangen en het zwarte jurkje zou geperst worden, zodat het onberispelijk zou zijn voor het feestje van de producer de volgende avond. Leslie had haar nog niet verteld dat er journalisten bij aanwezig zouden zijn, om haar niet af te schrikken, maar er was geen reden tot ongerustheid. Ze wisten niet beter of ze was zijn gezelschap voor die ene avond. Pas als ze haar vaker hadden gezien, zou het tot ze doordringen dat ze zijn nieuwe vlam was. De gestoorde ex was al verloofd, dus dat was oud nieuws dat niemand meer boeide. Hun korte verhouding was kenmerkend voor de vluchtige romances in Hollywood, al had hij er meer mee te stellen gehad dan anders. Dát had hij tenminste uit de pers kunnen houden, afgezien van haar verklaringen en aantijgingen dat hij homo zou zijn, maar dat was iedereen allang vergeten.

Ze gingen vroeg naar bed, want Leslie had de volgende ochtend weer een bespreking. Voordat ze in slaap vielen, belde Chloe op. Haar moeder was uit, vertelde ze, en zij mocht lekker lang opblijven van de oppas. Ze was die dag voor het eerst naar school gegaan. Ze zat nu in groep drie, en ze zei dat ze al heel veel vriendjes en vriendinnetjes had. Ze vertelde aan Coco dat de naar haar vernoemde beer in de roze jurk het goed maakte. Voor Coco kwam de zomeridylle even terug tijdens het gesprekje.

Ze sliepen allebei als een roos in het gerieflijke bed, tot ze de volgende ochtend om zeven uur door de receptie werden gewekt. Leslie moest die ochtend al om acht uur in de studio zijn, en hij had een lange dag voor de boeg. Hij vertelde haar spijtig dat hij niet met haar kon lunchen omdat ze aan één stuk moesten doorwerken om alle opmerkingen van de regisseur te behandelen. Hij zou pas om zes of zeven uur terugkomen, en het feestje begon om acht uur. Leslie zou naar het hotel komen om zich om te kleden en haar op te halen. Ze beloofde dat ze dan klaar zou staan. Ze wilde die middag naar de kapper.

'Red je je wel vandaag?' vroeg hij bezorgd aan het ontbijt. Hij had een kop koffie genomen om wakker te worden, en zij dronk thee.

'Ja hoor.' Ze glimlachte naar hem. 'Ik ga wat winkelen en ik wil naar het museum.' Het was haar stad geweest, en ze wist de weg. Ze had oude vrienden kunnen opzoeken, maar daar had ze geen zin in. Ze kwam hier nog maar zo zelden dat de meeste vriendschappen waren verwaterd, en haar leven was heel anders dan dat van haar vroegere klasgenoten, die nu huisvrouw waren of zelf als acteur of producer in de filmindustrie werkten. Coco was een van de weinigen die Los Angeles waren ontvlucht. De meeste mensen wilden nergens liever zijn. Leslie gaf haar een afscheidskus en zei dat hij een auto met chauffeur voor haar had besteld. Ze douchte, kleedde zich aan en ging om tien uur de deur uit. Geen mens lette op haar, want er was nog niets wat haar in verband bracht met Leslie. Ze liep anoniem de winkels aan Melrose Avenue in en uit, lunchte bij Fred Segal en bezocht het Los Angeles County Museum of Art. Om vier uur zat ze bij de kapper in het hotel, en om zes uur was ze weer in hun suite. Ze had net genoeg tijd om een bad te nemen, zich aan te kleden en haar make-up te doen voordat Leslie stipt om zeven uur terugkwam. Hij zag er uitgeput uit, en hij had zijn beduimelde script met wel een miljoen aantekeningen bij zich. De volgende dag zouden ze een nieuw script krijgen waarin alle aanpassingen waren verwerkt. Hij moest veel ingewikkelde teksten leren.

'Hoe was je dag?' vroeg hij toen hij haar een kus had gegeven.

181

Het was heerlijk voor hem om haar na zijn werk te zien. Ze was zijn veilige haven, bij haar kwam hij los van de druk waaronder hij leefde wanneer hij aan het werk was. Hij genoot ervan dat ze deel uitmaakte van zijn dagelijkse leven. Het was alles waar hij op had gehoopt toen ze het erover hadden, en hij had het nooit durven dromen.

'Leuk,' antwoordde Coco, die er ontspannen en opgewekt uitzag. Hij glimlachte bewonderend naar haar. Ze droeg een string, een zwartkanten beha, haar oorknopjes en hoge hakken, en haar haar was lang en glanzend. Ze wilde haar jurk pas op het laatste moment aantrekken, om hem niet te kreuken.

'Leuke jurk,' zei hij plagerig terwijl hij haar lange, welgevormde benen en volmaakte figuur bewonderde. Hij vond dat ze er fantastisch uitzag. Ze had ook een manicure en een pedicure laten doen bij de kapper. Nog voordat ze haar jurk aanhad, zag ze er al beeldschoon en elegant uit. De hondenuitlaatster op wie hij verliefd was geworden in San Francisco was een zwaan geworden. Hij was dol op het origineel, maar hij moest bekennen dat deze versie hem ook wel aanstond.

Hij haastte zich naar de badkamer om te douchen en zich te scheren en toen hij een paar minuten later terugkwam, was hij frisgeschoren, met nat haar, en knoopte hij een smetteloos wit overhemd dicht. Hij trok een zwarte broek aan, een zwarte kasjmieren blazer en zwarte alligatorleren instappers, en terwijl hij daarmee bezig was, trok Coco haar zwarte jurkje aan. Het was zowel sexy als ingetogen, met een hals die laag genoeg was om iets van haar decolleté te laten zien, maar toch discreet. Ze zag er adembenemend mooi uit, en ze bewonderden elkaar tevreden. Het was voor het eerst dat ze zich samen in het openbaar vertoonden, in Leslies wereld.

'Je bent de mooiste vrouw die ik ooit heb gezien,' zei hij toen ze de kamer verlieten. Hij vond haar oogverblindend. Ze had een zwartsatijnen enveloptasje onder haar arm. Alles wat ze had gekocht, was chic en stond haar perfect, zodat ze nog mooier leek. Toen ze over de oprijlaan naar de wachtende auto liepen, drukte hij haar hand onder zijn arm. Een fotograaf legde het vast. Coco keek even geschrokken op, maar herstelde zich snel en stapte in de auto. Ze zei er niets over, en Leslie gaf een klopje op haar hand en praatte met haar tot aan het huis van de producer, dat niet ver weg was, ook in Bel-Air.

Ze stapten uit bij de vorstelijke villa, waar bedienden klaarstonden om de auto's te parkeren. Het was duidelijk een groter feest dan ze hadden verwacht, maar er deden dan ook veel grote sterren mee aan de film. Tot Leslies opluchting stonden er geen paparazzi buiten, en hij loodste Coco snel naar binnen, een marmeren hal in met een voorname trap en een verzameling kunst die in het Louvre niet zou hebben misstaan. Er hingen twee Renoirs, een Degas en een Picasso. In de woonkamer stond al een hele groep mensen tussen schitterend antiek en kunst van onschatbare waarde. De producer begroette hen hartelijk en gaf Coco een zoen op haar wang.

'Ik heb al veel over je gehoord,' zei hij met een vriendelijke glimlach. 'Ik heb je vader gekend. Hij heeft me jaren vertegenwoordigd. Je moeder en je zus ken ik ook. Je stamt uit een geslacht van Hollywoodlegendes, kindlief.' Terwijl hij het zei, glimlachte Leslie naar een spectaculair uitziende vrouw die naar hen toe kwam, en Coco herkende haar meteen. Het was Madison Allbright, Leslies tegenspeelster.

'Maddie, mag ik je aan Coco voorstellen?' zei Leslie. Hij stelde de vrouwen aan elkaar voor en hun gastheer liep weg om nieuwe gasten te verwelkomen.

'Hij heeft het de hele week al over je,' zei Madison met een glimlach. Ze droeg een spijkerbroek, hoge hakken en een topje met stras. Ze had een ongelooflijk figuur en lange blonde manen. Ze was net zo oud als Coco en zag eruit of ze pas achttien was, met grote ogen en een gave huid.

De vrouwen praatten even met elkaar. Coco probeerde zich niet te laten intimideren door de beroemde mensen die ze ontmoette. Ze wees zichzelf erop dat ze in haar ouderlijk huis net zulke belangrijke mensen had ontmoet, maar dat was lang geleden. Ze was nerveuzer dan ze leek, maar Leslie, die haar geen moment alleen liet, stelde haar aan iedereen voor en hield bijna de hele tijd zijn arm om haar middel geslagen om haar te laten voelen dat hij haar steunde. Hij wist dat dit niet makkelijk voor haar was.

Nog voordat het eten werd opgediend, doken er schijnbaar uit het niets fotografen in de menigte op die alle grote sterren vastlegden. Leslie stond boven aan hun lijst. De eerste verslaggeefster keek naar Coco en trok vragend een wenkbrauw op. Ze keek Leslie recht aan en stelde de vraag waarop zijn fans het antwoord wilden horen: 'Een nieuwe liefde?'

'Niet zo nieuw,' antwoordde Leslie met een lach. 'We kennen elkaar al heel lang. Ik ben al jaren een vriend van de familie,' zei hij. Hij hield zijn arm stevig om Coco's middel geslagen. Toen hij voelde dat ze beefde, nam hij haar hand in de zijne.

'Hoe heet ze?' vroeg de verslaggeefster.

'Colette Barrington,' zei Coco zelf. Ze gebruikte haar volledige naam.

'Ben je een dochter van Florence Flowers?' vroeg de vrouw, die haastig aantekeningen maakte.

'Inderdaad.'

'Ik heb al haar boeken gelezen. En ik ben gek op de films van je zus,' zei de vrouw met een gehaaide glimlach. Coco kende haar type wel. 'Van wie is die jurk?'

Van mij, wilde Coco zeggen, maar ze wist dat ze het spelletje moest meespelen. Ze had erin toegestemd mee te gaan, en ze moest zich omwille van Leslie gedragen. Dat was ze hem wel verschuldigd. 'Oscar de la Renta,' zei ze dus.

'Mooi,' merkte de vrouw op. Ze noteerde het en wendde zich weer tot Leslie. Intussen nam een fotograaf een foto van hem met zijn arm om Coco. 'Zo, Leslie, is het serieus of wat?' Met 'wat' bedoelde ze: of gewoon weer een knap snoetje.

'Mevrouw Barrington is zo vriendelijk me vanavond te vergezellen, wat een zware taak is voor ieder beschaafd mens,' zei hij met een oogverblindende glimlach naar de verslaggeefster. 'Het lijkt me niet nodig haar reputatie nu al te verwoesten.' De verslaggeefster lachte erom en leek er voorlopig genoegen mee te nemen.

'Wanneer ga je naar Venetië?' vroeg ze belangstellend.

'Volgende week.' Leslie had alle antwoorden paraat en wist hoe hij vragen kon ontwijken die hij niet wilde beantwoorden.

'Vind je het spannend om met Madison Allbright te werken?'

'Ontzettend,' zei hij met een overdreven verrukt gezicht, en de verslaggeefster lachte weer. 'Ik bedoel, moet je dat topje zien. Iedere man zou al die glitters oogverblindend vinden.' Leslies gezicht werd ernstig. 'Het is een geweldige actrice en ik vind het een eer om met haar te werken. Ze zal het vast fantastisch doen.'

'Veel succes met de film,' zei de verslaggeefster, en ze ging naar iemand anders. Ze stelde iedereen hetzelfde soort vragen, net als de stuk of vijf andere journalisten die waren uitgenodigd in het heiligdom van het huis van de producer. Ze waren zorgvuldig geselecteerd; hun publicaties zouden het gunstigst zijn voor de film. Leslie fluisterde naar Coco dat het een veemarkt was. Er waren ook een stuk of tien fotografen die iedereen vereeuwigden. Ze kwamen allemaal aan de beurt bij Leslie en Coco; ze namen foto's van haar en anderen die met Leslie praatten, en er waren er drie die hem met Madison samen wilden fotograferen. De sterren waren iedereen ter wille, waarna de verslaggevers en fotografen werden uitgelaten en het diner werd opgediend aan tafels rond het zwembad. Op alle tafels stonden orchideeën, en er dreven er honderden in het water. Leslie nam Coco aandachtig op toen ze ging zitten.

'Gaat het nog?' Ze had het fantastisch gedaan met de pers, precies vriendelijk en beleefd genoeg, met een warme glimlach en zonder ook maar iets prijs te geven, behalve dan over haar jurk. Het was een opluchting voor hem dat zijn gezelschap zich nu eens niet aan hem vastklampte, hem kuste of zich als een slang om hem heen drapeerde, zoals de meeste actrices deden om hun carrière vooruit te helpen. Ze probeerde niet zijn plaats in de schijnwerpers in te nemen en deed niet alsof ze een relatie met hem had, hoewel dat wel het geval was, maar ze was zo elegant en beheerst dat je niet kon zeggen of ze gewoon een afspraakje voor één avond was of meer. Hij was dankbaar voor haar discretie, en hij zag aan haar dat ze dit vaker bij de hand had gehad en er goed mee omging, beter dan ze zelf wist.

'Het gaat prima,' zei ze met een glimlach. Zonder de pers was het een volmaakte avond geweest, maar je kon er niet omheen. Ze had wel vermoed dat de pers zou komen, maar er niet naar durven vragen om zichzelf niet banger te maken dan ze toch al was.

'Je hebt het geweldig gedaan,' fluisterde hij, waarna hij haar aan iedereen aan hun tafel voorstelde. Het waren voornamelijk acteurs, actrices en hun wederhelften.

Het was een mooie avond, en na afloop bedankten ze de producer en zijn vrouw. Ze waren bijna de eersten die weggingen. Leslie was het zat, hij had opgezeten en pootjes gegeven en hij zag dat Coco ook moe was.

Buiten stonden vier fotografen de vertrekkende gasten op te wachten, en ze sprongen op Leslie af, die onverstoorbaar glimlachte en Coco's hand pakte. 'Hoe heet ze?' riep een van de fotografen naar hem.

'Assepoester!' riep Leslie terug. 'Pas op, anders verander je in een muis,' grapte hij terwijl hij elegant in de auto schoof en Coco net zo snel naast zich trok. Ze trokken het portier dicht en toen ze wegreden, keek Leslie haar aan en slaakte een zucht van verlichting. 'Schat, misschien vind je het fijn om te horen dat ik die avondjes ook een bezoeking vind. Het is verdomd hard werken. Als ik nog één keer moet glimlachen, valt mijn gezicht eraf.'

'Je was fantastisch,' zei ze en ze glimlachte trots naar hem.

'Jij ook. Vond je het heel vreselijk?' vroeg hij bezorgd.

'Nee,' zei ze naar waarheid. 'Op een rare manier was het wel leuk, al had het niet langer moeten duren. Madison is beeldschoon.' Ze probeerde niet zorgelijk te kijken, maar ze was wel degelijk ongerust. Ze herinnerde zich haarfijn wat haar zus had gezegd over hem en zijn tegenspeelsters, en hij ook.

'Ik vind jou stukken mooier. Ze zag er ordinair uit in dat topje, en haar nieuwe borsten zijn een maat of vier te groot. Ik zweer je dat ze twee keer zo groot zijn geworden sinds de laatste keer dat ik haar zag. Jij zag er veel aantrekkelijker en eleganter uit dan zij. Ik was er heel trots op dat ik naast je mocht staan,' zei hij, en het was duidelijk dat hij het meende. 'Fijn dat je het met me volhoudt.'

'Ik vond het heerlijk om naast je te staan,' zei ze. Ze had zelfs de pers minder erg gevonden dan ze had gedacht. 'Als het niet erger wordt dan dit, kan ik het wel aan.'

Hij wilde het niet graag bekennen, maar hij wilde eerlijk tegen haar zijn. 'Het wordt stukken erger. Vanavond moesten ze hun beste beentje voorzetten omdat ze er anders uit waren geschopt.' Hij glimlachte weer naar haar. Ze waren bij hun hotel en liepen snel terug naar hun suite, voor het geval ze door een fotograaf waren gevolgd. Leslie huurde soms een bodyguard, maar dat had hij die avond niet gedaan. Het was een goed georganiseerd, tam feest geweest.

Leslie trok zijn colbert en schoenen uit en plofte op de bank. Toen schoot hem te binnen dat de producer hem iets had gegeven, en hij viste het uit zijn zak om het aan haar te laten zien. 'Ik heb de sleutels van het huis in Malibu. We mogen er het hele weekend blijven,' zei hij triomfantelijk, en hij gooide de sleutels op tafel. Het was vrijdagavond en hij wilde de volgende ochtend met haar naar het huis gaan, nadat ze hopelijk eerst hadden uitgeslapen.

Coco trok haar jurk uit, hing hem op en liep met Leslie naar de slaapkamer. De avond was een succes geworden, en ze leefde nog. Het was spannend om bij hem te zijn en ze had gevoeld dat hij net zo trots was op haar als zij op hem. Een paar minuten later kropen ze allebei dankbaar in bed. Hoe leuk het ook was geweest, het was een uitputtingsslag voor hem geweest, en zelfs voor haar, en ze waren blij dat het achter de rug was. De rest van het weekend konden ze spelen. Leslie was zo moe dat hij al sliep voordat ze het licht had uitgedaan. Hij bewoog niet eens toen ze hem zacht op zijn wang kuste. Hij was helemaal van de wereld na die lange dag.

Toen ze de volgende ochtend wakker werden, lieten ze ontbijt naar hun suite brengen. Leslie bladerde de krant door en reikte hem haar zwijgend aan. Ze zag een grote foto van hen beiden in gesprek met Madison Allbright. Coco's naam stond onder de foto, maar zonder verder commentaar. Het zag er heel onschuldig uit.

'Goed gedaan,' zei Leslie tevreden.

Een halfuur later liepen ze het hotel uit en gingen naar Malibu. Het huis van de producer was makkelijk te vinden. De koelkast was voorzien van alles wat ze nodig konden hebben en het huis zelf, vlak aan het strand in de Colony, was spectaculair. Coco voelde zich weer Assepoester. Met hem leidde ze een sprookjesleven.

'Het is niet hetzelfde als Bolinas,' merkte ze grinnikend op. Het enorme huis was ontworpen door een beroemde architect en binnenhuisarchitect. Alles was wit en lichtblauw, en in hun kamer stond een gigantisch hemelbed.

Het werd een volmaakt weekend. Ze liepen langs het strand, doezelden in luie stoelen op het terras, deden kaartspelletjes, keken naar films, vrijden en praatten over van alles en nog wat. Het was precies het uitstapje dat ze nodig hadden, en Leslie beloofde het weekend daarop naar Bolinas te komen. Hij wilde vanuit San Francisco naar Venetië vertrekken. Het was ingewikkelder voor hem, maar hij wilde tot het laatste moment bij haar zijn.

'Kom je me opzoeken als ik alles daar op orde heb?' vroeg hij loom toen ze na een lange strandwandeling op het terras lagen. 'Ik denk niet dat ik weg kan voordat Jane en Liz terug zijn, en ik weet niet of ik zo lang een invaller kan krijgen, maar ik zal mijn best doen. Je zult trouwens toch hard moeten werken,' zei ze praktisch. Hij keek haar teleurgesteld aan. Hij wilde haar niet pas weer zien als hij uit Italië terugkwam.

'Ik moet op een gegeven moment toch terug naar het hotel, en jij kunt op de set rondkijken, of Venetië verkennen. Het is een schitterende stad.'

Wat Coco belangrijker vond, was dat Leslie een schat van een man was. 'Ik zal mijn best doen, ik beloof het. Liz heeft gezegd dat ze over een week of twee weer thuis zouden zijn.' Een week na zijn vertrek. 'Ik zal Erin vragen of ze me wil vervangen.' Erin werkte dat weekend ook voor Coco, en ze leek blij te zijn met het geld en het werk, wat een zegen was voor hen. Coco had het gevoel dat ze Erin vaak nodig zou hebben, als Erin het wilde. Ze had nog een deeltijdbaan, en ze moesten het nog regelen.

'Ik word gek zonder jou,' zei Leslie verdrietig. 'Ik vind het vreselijk om niet bij je te zijn,' bekende hij. Zij vond het net zo erg. De vier dagen zonder hem waren een kwelling geweest, en dat was nog maar het begin. Hij had vaak opnames op locatie, soms maanden achter elkaar.

'Ik zal jou ook missen,' zei ze. Ze probeerde er niet aan te denken hoe het zou zijn. Hij zou in elk geval het weekend voor zijn vertrek nog naar Bolinas komen.

Hij wilde vragen of ze al een beter gevoel had over een verhuizing naar Los Angeles om bij hem te zijn, maar hij durfde het niet. Het was nog te vroeg, en het zou niet altijd zo soepel gaan als de vorige avond. Dat was een zorgvuldig geregisseerde circusvoorstelling geweest. Wanneer de media hun gang konden gaan, liep het soms uit de hand en ontstonden er uitzinnige toestanden. Hij wist hoe vreselijk Coco dat zou vinden. Hij had er ook een hekel aan, maar voor hem hoorde het erbij, en voor haar niet. In het ergste geval was het krankzinnig, en geen leven voor een normaal mens.

Zondagmiddag gingen ze terug naar het hotel. Ze werden opgewacht door een fotograaf die hun foto nam toen ze uit de auto stapten. Coco zag dat Leslie zich ergerde, maar hij glimlachte stralend in de lens. Hij vond dat als ze je toch te pakken kregen, je maar beter kon zorgen dat je niet op de foto kwam als een moordenaar die op het punt staat iemand aan mootjes te hakken. Zodoende stond hij glimlachend en vriendelijk op bijna alle foto's die Coco van hem in de pers had gezien.

Ze haastten zich naar hun kamer. De fotograaf liet hen verder met rust, want paparazzi werden niet toegelaten op het terrein van het Bel-Air. Ze bleven in hun suite, met de gordijnen dicht, tot Coco weg moest. Ze vrijden en deden een dutje, tot hij haar met tegenzin wekte. Ze pakte haar koffers, douchte met hem en kleedde zich aan. Ze nam het laatste vliegtuig terug naar San Francisco. Erin kon niet langer voor haar invallen. Ze hadden drie dagen gehad, en Leslie had de komende week elke dag besprekingen.

Leslie sjouwde Coco's koffers zelf, zodat ze geen piccolo hoefden te laten komen. Hij droeg de bagage over aan de chauffeur en toen hij zich omdraaide om iets tegen Coco te zeggen, ging er een reeks flitslichten af in hun gezicht. Het was een staccato van stroboscooplicht dat Coco even verblindde. Ze voelde dat ze een duw kreeg en voor ze het goed en wel besefte, vloog ze door de lucht de auto in. Leslie landde boven op haar en riep naar de chauffeur dat hij weg moest rijden, wat hij deed. Leslie nestelde zich op de achterbank en Coco keek hem hijgend aan.

'Wat was dát?' vroeg ze verbijsterd.

'Paparazzi. Een hele horde. Schat, dat was je reputatie. Nu ben je geen afspraakje voor één avond meer. De pret kan beginnen,' zei hij berustend. Hij had het al ontelbare keren meegemaakt, maar voor haar was het een voorproefje van wat haar te wachten stond. 'Heb ik je pijn gedaan toen ik je duwde?' vroeg hij bezorgd. Ze schudde haar hoofd.

'Het ging allemaal zo snel dat ik niet wist wat er gebeurde. Ik wist niet eens of zij me hadden geduwd of jij.'

'Ik wilde niet dat ze je zouden omsingelen, en dat hadden ze gedaan. Het waren er een stuk of tien. Het gerucht zal zich wel hebben verspreid, of ze kwamen gewoon een kijkje nemen. Ze hebben gekregen wat ze wilden hebben, dus nu laten ze voorlopig niet meer los. Ik ben blij dat je vanavond teruggaat. Het zou hinderlijk voor je zijn.' De paparazzi hadden gelukkig geen idee waar ze haar in San Francisco konden vinden. Leslie zat er onverstoorbaar bij, en Coco probeerde het zich ook niet aan te trekken, maar het leed geen twijfel dat hun geheim aan het licht was gekomen. Welkom in Leslies wereld. En hij had gelijk, het was niet altijd zo tam als de avond tevoren. Dit was iets ruiger geweest, al had hij haar dankzij zijn ervaring en oefening snel in bescherming kunnen nemen.

Hij liep met haar mee naar de rij voor de bewakingspoortjes en kuste haar. Binnen waren geen fotografen, alleen mensen die hem aankeken, opschrokken toen ze hem herkenden en met elkaar begonnen te fluisteren. Pas toen hij Coco had gekust en wegliep, hield iemand hem staande om een handtekening te vragen. Hij wuifde naar Coco, die naar hem glimlachte en toen door het poortje verdween. Ze miste hem nu al, en toen ze in haar eentje naar de vertrekhal liep, voelde ze de koets in een pompoen veranderen.

HOOFDSTUK 13

*T*ot Coco's grote verbazing werd ze de volgende ochtend om acht uur, toen ze op het punt stond om aan het werk te gaan, door haar moeder gebeld.

'Lieve hemel, waar ben jij mee bezig?' Coco had geen idee wat haar moeder bedoelde. Ze was de vorige avond laat thuisge-komen, waardoor ze zich had verslapen, en ze moest zich haas-ten om de eerste groep honden op te halen.

'Ik ben op weg naar mijn werk, hoezo?'

'Nou, je schijnt de laatste tijd wel meer te doen. Er staan al-lemaal roddels over Leslie Baxter en jou in de ochtendkrant. Je schijnt het weekend met hem te hebben doorgebracht in het Bel-Air, als zijn nieuwe vlam. Is dat al lang aan de gang?' vroeg haar moeder nieuwsgierig.

'Sinds de zomer,' zei Coco omzichtig. Ze had geen zin om het met haar moeder te bespreken, of het soort opmerkingen te horen dat Jane had gemaakt. Haar moeder zong een toon-tje lager sinds ze zelf een verhouding had met een veel jon-gere man, maar verder was ze geen spat veranderd, en ze had nog nooit een vriendje van Coco goedgekeurd. Als ze dat de-ze keer wel deed, zou het voor het eerst zijn, en het leek Co-

co niet waarschijnlijk. Sommige dingen veranderden nooit.
'Vind je hem niet een beetje te opvallend naar je zin?'
'Als hij niet in Los Angeles is, is hij heel gewoon.'
'Dat zijn ze allemaal, of de meesten althans, wanneer ze ergens
anders zijn, maar Coco, hij is een grote ster en dat ben jij niet.
Uiteindelijk zal hij zijn eigen soort weer opzoeken. Je zult nu
wel een verademing voor hem zijn, maar dat blijft niet,' waar-
schuwde haar moeder haar. Het was een beleefde echo van wat
haar zus had gezegd.
'Bedankt voor je motie van vertrouwen,' zei Coco kortaf. 'Ik
kan er nu niet over praten, ik ben al te laat.'
'Nou, veel plezier met hem, maar neem het niet te serieus.'
'Denk jij ook zo over je relatie met Gabriel?' vroeg Coco.
'Natuurlijk niet, hoe kom je erbij? We zijn al een jaar samen
en we hebben een diep respect voor elkaar. Het is niet zomaar
een bevlieging,' zei ze verontwaardigd.
'Nou, dit misschien ook niet. We zullen zien hoe het gaat.'
'Als hij je laat zitten voor een beroemde actrice, is jouw hart
gebroken. Bovendien is hij te oud voor je.' Coco wendde de
blik hemelwaarts.
'Ongelooflijk dat uitgerekend jíj zoiets zegt. Ik moet ophangen, mam.'
'Als je maar voorzichtig bent. Geniet ervan zo lang het duurt.'
Ze hingen op en Coco stapte woest in haar busje. Waarom
dacht iedereen dat Leslie alleen maar met haar wilde spelen en
haar dan de bons zou geven? Waarom kon een filmster niet
ook verliefd worden, of een echt mens zijn, of meer willen dan
een korte verhouding met een medespeelster? Waarom dacht
iedereen dat ze niets voor hem betekende? Eigenlijk zei het nog
meer over hoe ze over háár dachten dan over hem. Ze vonden
haar zo onbeduidend dat ze niets voor hem kon betekenen, en
hun relatie zou van korte duur zijn omdat ze hem niet verdiende. Ze bleef er de hele dag over tobben en ze kon Leslie
pas laat in de middag spreken, want hij had besprekingen.

Toen hij haar ten slotte om zes uur belde, klonk hij afgemat. 'Dag liefje, hoe was je dag?' vroeg hij, en ze vertelde hem onmiddellijk over het telefoontje van haar moeder. Jane had ook gebeld, maar ze had niet opgenomen.

'Het is allemaal zo clichématig,' tierde Coco. 'De filmster en de hondenuitlaatster. Mijn moeder doet alsof ik alleen maar goed ben voor een wipje tussendoor.'

'Onderschat jezelf niet,' zei hij ernstig. 'Volgens mij zou je ook heel geschikt zijn voor wipjes op de lange termijn.'

'O, hou je kop,' zei ze, en voor het eerst die dag glimlachte ze. 'Trek het je niet aan. De kranten stonden bol van ons vandaag. Er was een fantastische foto waarop ik je met twee handen op je achterste de auto in duw. Dat vond ik de mooiste, geloof ik.'

'Wat schreven ze?' vroeg Coco ongerust.

'In een van de kranten stond dat je mijn "nieuwste schoonheid" bent. In een andere werd je mijn nieuwe, mysterieuze vriendin genoemd. Het is allemaal vrij gewoontjes. We hebben niets verkeerds gedaan. Jij was niet ladderzat en ik ook niet. We hebben niet in het openbaar gevrijd, al zouden we het eens kunnen proberen. Er staat alleen maar dat je mijn nieuwe spannende vriendin bent, of mijn huidige vlam of wat dan ook. Als we een tijdje samen zijn, waait het wel over. Het is nu nog spannend en iedereen wil weten wie je bent en waar je woont, maar je woont niet in Los Angeles en ik ga weg, dus je hoeft nergens bang voor te zijn.' Maar stel dat ze wél in Los Angeles woonde, samen met hem? Dan zouden ze elke dag worden belaagd door de pers. Dat was nu precies waarom ze niet naar Los Angeles wilde verhuizen. 'Maak je niet druk. Het moest er vroeg of laat een keer van komen. We zijn er nu voor uitgekomen en dat is dat. Het is zoiets als je maagdelijkheid verliezen voor de pers, het doet alleen de eerste keer pijn, en zolang we ons fatsoenlijk gedragen in het openbaar, is er niets aan de hand.' Coco vond hem iets te optimistisch, maar ze wilde er niet over bekvechten. Ze was er nog volop mee bezig toen haar moeder die avond nog een keer belde. Coco had bijna niet opgenomen, maar deed het uiteindelijk toch. Haar moeder belde om te zeggen dat er een verslaggeefster had gebeld om haar te vragen waar haar dochter woonde. Coco vroeg zich af of het de vrouw was die op het feest had gevraagd of ze een dochter van Florence Flowers was. Het was in een van de kranten vermeld, volgens Leslie. Haar moeder had haar secretaresse laten doorgeven dat Coco in Europa woonde en maar een paar dagen in Los Angeles was.

'Wat slim, mam. Dank je wel.' Ze was er echt dankbaar voor, al dacht haar moeder dat ze Leslie niet lang zou kunnen boeien.

'Dat zet ze even op het verkeerde been. Wanneer zie je hem weer?' Haar moeder was nu nieuwsgierig naar hen.

'Dit weekend, in Bolinas. Hij gaat maandag naar Venetië voor opnames, en hij blijft een maand of twee weg.'

'Dat zou het eind voor jullie kunnen zijn. Hij werkt de hele tijd samen met zijn medespeelsters en jij zit tienduizend kilometer verderop. Daar zijn die Hollywoodromances meestal niet tegen bestand. Uit het oog, uit het hart. Het is een soort cruise.'

'Bedankt voor de geruststelling,' zei Coco mismoedig. Ze had het vaker gehoord.

'Als je iets begint met een man zoals hij, moet je realistisch zijn.' Coco wilde haar moeder vragen hoe realistisch zij was als het om haar vriendje van twaalf ging, maar ze deed het niet. Ze had altijd meer respect voor haar moeder dan andersom.

'Met wie speelt hij allemaal in die film?' vroeg Florence belangstellend.

Coco dreunde de namen van de andere sterren op, onder wie Madison Allbright. 'Die zal het wel worden,' zei haar moeder. 'Ze is beeldschoon. Geen man kan haar weerstaan.'

'Dank je, mam,' zei Coco neerslachtig. Ze bedankte haar moeder nog een keer voor de manier waarop ze haar tegen de pers had beschermd en hing op. Ze lag nog uren in bed te piekeren over wat haar moeder had gezegd, en de volgende ochtend was ze in paniek over Leslies tegenspeelster. Ze geneerde zich er zo voor dat ze het niet eens tegen hem durfde te zeggen, maar het zat haar erg dwars, met een ellendige week tot gevolg. Ze noemde Madisons naam niet eens als ze Leslie aan de lijn had, en toen hij op vrijdagavond het huis binnenliep, barstte ze bijna in tranen uit. Hij had zichzelf binnengelaten met zijn sleutels, en trof Coco in bad aan, met haar frisgewassen haar in een handdoek gewikkeld. Hij wierp een blik op haar, grijnsde breed, trok zijn kleren uit en klom bij haar in bad. Ze grinnikte.

'Dat noem ik pas een warm welkom,' zei hij genietend, en hij kuste haar. Binnen de kortste keren werd het een vrijpartij, en ondanks al haar angsten van die week werd het een volmaakte avond. Het was alsof hij nooit weg was geweest. Alles voelde nog net zo goed als altijd.

De volgende ochtend gingen ze met de honden naar Bolinas. Het was zalig weer, en zoals meestal was het nu, in september, warmer dan het de hele zomer was geweest. Ook de nachten waren warm, wat zelden voorkwam, en Coco en Leslie waren verliefder dan ooit. Niets wees erop dat Leslie voor Madison Allbright was gevallen, maar ze waren ook nog niet in Venetië. Coco maakte zich er nu minder ongerust om. Toen ze in zijn armen op het terras onder de sterren lag, twijfelde ze er niet aan dat hij net zoveel van haar hield als zij van hem. Hij zei het keer op keer, en ze geloofde hem. Waarom ook niet? Hij had haar gesmeekt naar Venetië te komen, en ze had hem beloofd dat ze het zou doen.

Hij had alle knipsels over hen uit de pers van de afgelopen week bij zich. Er was een aantal foto's van hen geplaatst, en de media zaten hen onmiskenbaar op de hielen.

Ze bespraken het op zondagochtend bij het ontbijt.

'We wisten dat het vroeg of laat zou gebeuren,' zei Leslie gelaten. 'Een nieuw gezicht wekt altijd belangstelling. Ze hebben niets beters te doen dan op roddels en sappige verhalen jagen.'

'Zo sappig ben ik niet,' zei Coco terwijl ze de foto's uit alle kranten nog eens bekeek en van haar thee nipte. 'Wacht maar tot ze horen dat ik honden uitlaat. Dan lusten ze me niet meer.' In plaats daarvan waren de media erachter gekomen wie haar moeder was, wat haar juist boeiender maakte. Ze had Leslie al verteld dat haar moeder was gebeld.

'Je bent juist wel sappig!' verzekerde hij haar, en hij leunde naar haar over om haar te kussen. 'Wat zou Jane zeggen als ze haar belden?'

'Dat ik een hippie, een kneus en een grote nul ben, of iets in die charmante trant,' zei Coco verdrietig.

'Als ze dat doet, vermoord ik haar,' zei Leslie fel. 'Weet je, volgens mij is ze gewoon jaloers op je,' zei hij terwijl hij peinzend over de zee uitkeek. Hij richtte zijn blik op Coco. 'Ik denk dat ze het niet kan hebben dat jij mooi bent, doet waar je zin in hebt en altijd elf jaar jonger zult blijven dan zij. Ik denk dat ze zo narcistisch is dat ze dat als een belediging ziet. Misschien was ze vroeger al jaloers op je en had je het gewoon niet door. Ik denk niet dat het iets te maken heeft met je afgebroken studie of je verhuizing naar Bolinas. Daar verschuilt ze zich achter, volgens mij.

Als puntje bij paaltje komt, is ze kwaad op je om wat jij wél bent en zij niet, te beginnen met jonger. Jij bent zacht, vriendelijk, goedaardig en meelevend. Iedereen is dol op je. Jane is spijkerhard, dat moest ze wel zijn om te komen waar ze nu is. Het enige wat warm en wollig aan haar is, is Liz. Zonder Liz zou ze niet te harden zijn. Iedereen vindt Liz en jou aardiger dan haar. Dat moet onverteerbaar voor haar zijn. Daar komt nog bij dat zij een aanbeden enig kind was tot jij op de proppen kwam, toen zij elf was. Je hebt het allemaal voor haar verpest. Ik denk dat ze je dat nog steeds niet heeft vergeven, en dat dat achter haar misselijke praatjes en verwijten zit. Ze kleineert je altijd, en ze behandelt je als een kleuter.' Er leek een kern van waarheid in te zitten, moest zelfs Coco toegeven, en zijn theorie verklaarde waarom Jane al zo lang ze zich kon heugen zo negatief tegen haar deed.

'Het ergste is nog wel dat ik me ook als een kleuter gedraag als zij erbij is. Toen ik nog klein was, was ik doodsbang voor haar. Ze dreigde altijd me zwart te maken bij pap en mam, en ze behandelde me als haar slaafje. Dat doet ze nog steeds.' Coco zuchtte. 'En ik laat het toe. Ik weet niet waarom ze zo de pest in heeft. Ze is altijd mams lievelingetje geweest, en pap dacht dat ze op water kon lopen, zeker toen ze films ging produceren. En voor die tijd was hij al apetrots toen ze naar de filmacademie ging. Ik geloof dat hij niet half zo onder de indruk was toen ik naar Princeton ging. Dat vond hij maar gewoontjes. Ik maakte het goed door rechten te gaan studeren aan Stanford. Ik geloof dat ik het nooit echt heb gewild. Ik deed het voor zijn plezier, maar ik vond het er vreselijk. Ik moest daar wel mislukken. Het enige wat ik echt wilde, was kunstgeschiedenis studeren en in een museum werken, maar hij zei dat daar geen droog brood mee te verdienen was, en dat het stom was.'

'Waarom doe je het niet alsnog?' opperde Leslie, wiens ogen oplichtten bij het idee. 'En anders moet je maar dierenarts worden,' zei hij plagerig. Ze hield van alle honden die ze uitliet en ze behandelde ze als haar kinderen, maar hij wist dat ze ook een passie had voor kunst. Haar kleine huis puilde uit van de kunstboeken.

'Nu nog? Het is een beetje laat om weer te gaan studeren.'

'Welnee. Waarom niet, als je er gelukkig van wordt? Je zou naar de universiteit van Los Angeles kunnen gaan, als je bij mij komt wonen, en als ik hierheen kom, kun je naar Stanford of Berkeley gaan.' Hij wilde haar nog steeds overhalen bij hem te komen wonen. Voor hem was het makkelijker als ze in Los Angeles woonden, maar hij was ook bereid voor haar naar San Francisco te verhuizen.

'Misschien,' zei ze nadenkend. 'Ik ben altijd geïnteresseerd geweest in het restaureren van kunst. Ik heb er een bijvak in gedaan op de universiteit, en ik vond het fascinerend.' Hij was de eerste aan wie ze het bekende. Ian had geen belangstelling gehad voor kunst, alleen voor het buitenleven, en zij was toen jonger en dat kwam haar destijds ook goed uit, en haar vader vond elke andere studie dan rechten zonde van de tijd.

'Waarom probeer je er niet meer over te leren? Je kunt later altijd nog beslissen wat je ermee wilt. Misschien niets, maar ik ben het met je eens. Het lijkt mij ook boeiend.' Ze was heel anders dan haar familie, en zelfs Coco zag wel in dat hij daar respect voor had, en haar familie niet. Hij gaf haar een goed gevoel over zichzelf, en zijn theorieën over Janes woede naar haar toe vonden bij haar ook weerklank. 'Als je geïnteresseerd bent in restauratie, zou Venetië heel leuk voor je kunnen zijn. Ze vechten er al jaren om de boel overeind te houden. Het is een juweeltje van een stad.' Hij was er vaker geweest, zij niet. Ze had Florence en Rome bezocht, en Pompeii, en ze was een keer met haar ouders op een jacht in Capri geweest, maar Venetië kende ze niet.

'Ik ga er niet heen voor de kunst.' Ze glimlachte naar hem. 'Ik ga voor jou.'

'Het kan allebei. Ik ben toch een groot deel van de tijd aan het werk. En als je iets met kerken hebt, daar staan er een stuk of tien miljoen van, de ene nog mooier dan de andere.' Het klonk opwindend, en ze had hem beloofd dat ze zou komen wanneer Liz en Jane weer terug waren. Ze waren er nog niet uit waar ze uiteindelijk zouden gaan wonen, áls ze samen gingen wonen, maar ze begonnen langzamerhand gezamenlijke plannen te maken, en Coco dacht dat de rest vanzelf zou volgen, als het zo moest zijn. Als ze uit San Francisco wegging, zou ze haar bedrijfje moeten opdoeken. Haar vader had haar genoeg nagelaten voor een gerieflijk bestaan, maar ze voelde zich altijd schuldig als ze niet zelf de kost verdiende, en het honden uitlaten was lucratiever gebleken dan ze had verwacht. Ze kon in al haar behoeften voorzien, en de rest kon ze sparen en investeren als appeltje voor de dorst. Ze wilde niet afhankelijk zijn van Leslie. Haar moeder en zus verdienden allebei een fortuin met hun werk. Zoveel had Coco nooit verdiend, maar ze leefde ook een stuk bescheidener dan die twee.

Hij vroeg haar die middag nog een paar keer wanneer ze naar Venetië kwam. Ze kon alleen toezeggen dat ze snel zou komen, hopelijk binnen een paar weken. Jane en Liz hadden nog niet doorgegeven wanneer ze precies terugkwamen, maar Coco had Erin al gewaarschuwd dat ze voor haar moest invallen. Ze wilde een week of twee bij Leslie in Italië blijven, al hoopte hij haar te kunnen overhalen langer te blijven.

Kort na zonsondergang gingen ze terug naar de stad. Leslie reed en Coco keek naar de zee en de kliffen, het uitzicht dat haar lief was, en bedacht hoe blij ze mocht zijn dat ze daar woonde. Ze was er nog niet aan toe om het achter zich te laten. Ze was de afgelopen drie jaar gelukkig geweest in Bolinas. Het zou een opoffering voor haar zijn om haar prettige, veilige wijkplaats aan het strand op te geven. Daar viel niemand haar lastig, drong niemand zich op. Wanneer ze daar met hem was, hoefden ze niet bang te zijn voor de pers. Het was er totaal en volmaakt rustig. Toch wist ze dat ze zich er nu eenzaam zou voelen zonder hem. Leslie was een deel geworden van alles wat ze deed, en zijn leven was lichtjaren verwijderd van het hare. Ze vroeg zich af of ze in de toekomst niet toch nog naar Bolinas konden gaan wanneer hij tussen twee films in zat. Hij had die zomer van het strand genoten, maar hij was gewend aan grotere steden, en een veel groter leven. Ze wist dat ze haar leven in zekere mate zou moeten aanpassen aan het zijne. Het was onvermijdelijk, want hij had een veeleisende carrière. Voorlopig had zij alleen maar een baantje.

Die avond keken ze naar een oude film die Coco nog nooit had gezien, en ze genoot ervan. Leslie zei dat het een klassieker was, en hij had gelijk. Hij kende zo ongeveer alle films die er ooit waren gemaakt, en Coco vond het heerlijk om hem erover te horen vertellen. Hij was niet zomaar een knappe acteur die in commerciële hitfilms speelde, hij had een diepe belangstelling en passie voor zijn vak, en hij had zowel belangrijke als obscure films bestudeerd om te achterhalen wat een film de moeite waard maakte. Hij had haar ooit bekend dat hij sir Laurence Olivier wilde worden als hij groot was, maar wist dat het er nooit van zou komen. Hij wilde in elk geval zo goed mogelijk zijn in het soort films dat hij maakte. Producers gaven hem doorgaans rollen waarin zijn uiterlijk en charme werden benadrukt, maar desondanks was hij een goed acteur en was hij altijd gespitst op zwaardere rollen. Jane had ook min of meer toegegeven dat hij goed speelde, en ze had een diep respect voor zijn werk. Hij deed ook graag komische rollen, en hij had er slag van. Hij bracht zijn eigen humor in, en het publiek was gek op zijn komische films, maar in zijn hart verlangde hij altijd naar iets met meer diepgang. Het geld had hem onvermijdelijk verlokt tot het maken van commerciële films. De bedragen die daarmee te verdienen waren, waren moeilijk te weerstaan.

Die avond bleven ze laat op. Ze aten ijs in de keuken en praatten over zijn rol in de nieuwe film. Hij wilde er iets aan toevoegen en legde Coco een aantal ideeën voor, waarvan ze er een paar heel goed vond klinken. Ze was ervan onder de indruk hoe goed hij over zijn rollen nadacht en hoeveel voorbereiding en studie hij eraan besteedde. Ze vroeg hem of alle acteurs dat deden, en Leslie lachte en zei: 'Nee, alleen de goeie.' Hij gaf toe dat de samenwerking met Madison hem zorgen baarde. Hij had van anderen die met haar hadden gewerkt gehoord dat ze haar tekst nooit kende. Dat zou het moeilijker voor hem maken, en hij had al een paar aanvaringen gehad met de regisseur over de manier waarop hij tegen zijn rol aan keek. Ze schreven zijn personage verschillende drijfveren toe, en tot nu toe stond de scenarioschrijver achter Leslie, wat niet goed viel bij de regisseur, die een groot ego had en wilde dat iedereen het met hem eens was. De opnames in Venetië zouden een uitdaging worden voor Leslie, en hij hoopte op haar steun wanneer ze overkwam.

Tegen de tijd dat ze naar bed gingen, was het twee uur 's nachts, en hij moest de volgende ochtend om zeven uur op. Toen ze wakker werden, vrijden ze snel en namen samen een douche. Hij propte gehaast zijn ontbijt naar binnen, kuste Coco vurig en beloofde haar te bellen zodra hij er was. Ze wenste hem succes met de film. Toen hij weg was, leek het griezelig stil in huis, en toen ze tussen de middag thuiskwam, was het nog erger. Ze vond het afschuwelijk dat hij zo ver weg was, maar als ze een plekje in zijn leven wilde, zou ze eraan moeten wennen. Hij had vaak opnames op locatie. Als ze er niet aan wende, zou ze met hem mee moeten gaan, wat inhield dat ze dan geen baan of zelfs maar een eigen leven meer zou hebben. Ze zag ertegen op haar leven voor hem op te geven en een bestaan in zijn schaduw te leiden, maar hij zei al maanden tegen haar dat hij dat ook niet wilde. Hij wilde iemand die zijn gelijke was, geen groupie, bediende of slavin. In tegenstelling tot haar zus, die dacht dat Coco voornamelijk op aarde was om al haar wissewasjes voor haar op te knappen, alsof zij minderwaardig was, wat ze in Janes ogen ook echt was. Coco dacht dat Leslie de vorige dag gelijk had gehad toen hij zei dat Coco's komst in het gezin het voor Jane had bedorven, en dat ze haar jongere zus nog niet had vergeven. Misschien vergaf ze het haar wel nooit.

Die avond was het pijnlijk stil in huis. Coco zette een film van Leslie op, een van haar favorieten, in de hoop zich minder eenzaam te voelen, maar het gemis werd er alleen maar sterker door. Ze zat in het bed van haar zus naar zijn gezicht op het scherm te kijken toen ze plotseling ten volle besefte van wie ze hield. 'O mijn god,' zei ze hardop. Ze was tot over haar oren verliefd op een van de meest geslaagde acteurs van de wereld. Hij mocht dan geen Laurence Olivier zijn, in de ogen van zijn fans was hij nog groter. Plotseling hoorde ze alles wat haar zus had gezegd weer in haar hoofd en vroeg zich af wat haar bezielde, en wat hij met haar moest. Ze was niets en niemand, ze was gewoon een hondenuitlaatster die in een keetje in Bolinas woonde. Misschien had Jane gelijk. Ze werd overspoeld door een golf van angst en huilde zichzelf in slaap. Haar enige troost was dat Leslie midden in de nacht belde om te zeggen dat hij in Venetië was aangekomen. Hij was uitgeput na de twee lange vluchten en een vertraging in Parijs.

Coco probeerde hem uit te leggen wat er allemaal door haar hoofd had gespeeld voordat ze in slaap viel, de primitieve angst van het besef wie hij was en wie zij niet was.

'Flauwekul,' zei hij toen ze was uitgepraat. 'Jij bent de vrouw van wie ik hou, als je dat maar niet vergeet.' Toch kon ze na het gesprek alleen maar denken aan de vraag die al door haar hoofd maalde sinds ze zijn film had gezien: hoe lang nog? En als Jane gelijk had, welke beeldschone, glamoureuze filmster zou dan haar plaats innemen? Coco huiverde bij het idee.

HOOFDSTUK 14

*E*en week nadat Leslie naar Venetië was vertrokken, kwamen Jane en Liz terug. Coco ging de avond tevoren terug naar Bolinas en bracht op maandagochtend op weg naar haar werk de sleutels terug. Ze had alles zo netjes mogelijk achtergelaten, de keuken geboend, het bed verschoond en schone handdoeken klaargelegd, en ze had zelfs bloemen neergezet. Liz had haar zondagavond gebeld om haar te bedanken. Coco kon haar ogen niet geloven toen Jane die maandagochtend de deur voor haar opende. Jane droeg een zwarte legging en een strakke zwarte trui, en ze had een enorme buik. Ze was vijf maanden zwanger. Verder was ze nog net zo dun als altijd, maar het leek alsof ze een voetbal in haar legging had gestopt. Haar buik leek gigantisch in verhouding tot de rest. Coco schoot in de lach.

'Wat valt er te lachen?' vroeg Jane kribbig. Coco glimlachte naar haar.

'Niets. Je ziet er gewoon zo snoezig uit,' zei ze, wijzend naar haar neefje of nichtje. Liz kwam met een brede glimlach op haar gezicht naar de deur gelopen.

'Indrukwekkend, hè?' zei ze trots, en toen knuffelde ze Coco.

De zusjes zoenden elkaar vluchtig, waarbij Janes buik tegen die van Coco drukte.

'Het ziet er prachtig uit,' beaamde Coco terwijl ze Jane de sleutels teruggaf.

'Bedankt dat je ons vierenhalve maand hebt geholpen,' zei Liz spontaan. Ze waren een maand eerder teruggekomen dan ze hadden verwacht, zo voorspoedig waren de opnames verlopen.

'Het is voor mij ook goed uitgepakt,' zei Coco. Er trok een blos naar haar gezicht. 'Ik bedoel... nou ja... ik heb het leuk gehad.'

'Dat zal best,' zei Jane afgemeten. 'Waar is Leslie?'

'In Venetië. Hij blijft er tot eind november, of misschien zelfs tot Kerstmis.'

'Dan hebben jullie allebei de tijd om tot bezinning te komen,' zei Jane bot. 'Mam heeft me alle knipsels gestuurd. Je hebt je in de nesten gewerkt door naar Los Angeles te gaan. Als jullie bij elkaar blijven, wordt het alleen maar erger. Ik hoop dat je het aankunt.'

'We doen het stap voor stap,' zei Coco. Dat had Leslie ook gezegd.

'Heb je zin om morgen te komen eten?' vroeg Jane.

'Geen tijd. Ik heb het druk,' zei Coco zonder ook maar een seconde te aarzelen. Ze had er geen behoefte aan zich door haar zus te laten kleineren, of haar te horen zeggen hoe snel Leslie haar de bons zou geven wanneer hij eenmaal voor zijn tegenspeelster in Venetië was gevallen. Ze wilde het niet horen. Ze zat er al genoeg over in zonder dat een ander het zei.

'Een andere keer dan. Trouwens, volgend weekend moet je hier weer komen,' zei Jane nonchalant. Het kwam niet eens in haar hoofd op om Coco te vragen of het schikte. Ze vond het vanzelfsprekend. Coco had nog nooit geweigerd.

'Dat zal niet gaan,' zei Coco genietend van de ongewone woorden. Het was moeilijk om nee te zeggen, maar ze had het gedaan. Jane zou altijd de overheersende, een beetje beangstigende grote zus voor haar blijven. Het leeftijdsverschil was zo groot dat Coco zich in haar omgang met Jane geen volwassene met haar eigen behoeftes kon voelen.

'Het moet. We gaan naar Los Angeles om de postproductie te regelen. We moeten een paar huurhuizen bekijken en ik wil dat speeltje van mam wel eens zien. Ik neem aan dat jij hem nog niet hebt ontmoet?' Jane keek haar onderzoekend aan, klaar om haar aan te vallen als ze hem wel had ontmoet maar het niet had verteld.

'Nee,' bevestigde Coco. 'Mam was aan het schrijven toen ik Leslie opzocht, dus ik heb haar niet gezien.' Ze vroegen zich allebei af of hun moeder Gabriel ook niet te woord stond of wilde ontvangen wanneer ze aan het schrijven was. Misschien golden die regels voor hem niet. Ze golden in elk geval wel voor hen. Jane vertelde dat hun moeder haar boek net af had en Liz en Jane wel wilde zien.

'Maar goed, je moet het weekend op Jack passen. Als het echt niet anders kan, neem je hem maar mee naar Bolinas. Als we een huurhuis hebben gevonden, kunnen we hem meenemen.' Coco wist dat ze een aantal maanden in Los Angeles zouden blijven. 'Maar we vliegen dit weekend, dus hij kan niet mee.'

'Ik ben er niet,' zei Coco simpelweg. Ze keek haar zuster recht aan, want het was waar.

'Waarom niet?' vroeg Jane verbluft. Ze kon zich niet heugen dat Coco haar ooit iets had geweigerd. Dit was nieuw. Leslie had haar bevrijd. Liz kon wel juichen, maar ze hield zich in en glimlachte bemoedigend over Janes schouder naar Coco.

'Ik vertrek vrijdag voor een paar weken naar Venetië. Erin wil Jack vast wel voor je uitlaten. Ze neemt mijn cliënten ook van me over. Ik wilde vragen of Sallie bij jullie kon logeren, maar dat zal wel niet.'

'Jawel, dat kan wel,' zei Liz meteen. Ze wilde Coco's gedurfde zet bekrachtigen. 'Erin kan ze allebei uitlaten, en met Sallie erbij voelt Jack zich vast minder eenzaam.' De honden hadden vierenhalve maand onder één dak gewoond en konden het goed met elkaar vinden. Jane keek Coco afkeurend en ongelovig aan, zonder een woord te zeggen. Diensters en slavinnen konden er niet zomaar vandoor gaan en hun eigen plannen maken. Hier moest Jane goed over nadenken.

'Heb je erover nagedacht hoe het straks in Venetië met de paparazzi zal gaan?' vroeg ze ijzig. Het leek alsof ze Coco wilde straffen voor haar zelfstandigheid.

'Ja,' zei Coco kalm. 'We willen er het beste van maken. We willen proberen een paar dagen naar Florence te gaan, als Leslie even vrij heeft.'

'Wat leuk!' zei Liz enthousiast. Jane keek alleen maar naar Coco en vroeg zich af wie en wat haar zus was geworden. Jane was uiterlijk opvallend veranderd. Coco's verandering was minder zichtbaar en ging dieper. Het moederschap leek Jane nog niet milder te hebben gemaakt. Ze was nog net zo hard als altijd.

'We hebben de uitslag van de vruchtwaterpunctie,' zei Jane opeens. 'Het kind is gezond.' Er trok even iets van teleurstelling over haar gezicht. 'Het is een jongetje.' Ze hadden allebei een meisje gewild, maar Liz zei dat het haar niets uitmaakte, zolang het kind maar gezond was. 'Dat wordt een stuk moeilijker. Jongens zijn niet echt mijn ding.' Jane glimlachte en Coco schoot in de lach.

'Ik denk dat je het prima zult doen.' Stiekem dacht Coco dat Jane veel te hard was om over een meisje te moederen. Ze kon zich Jane zelfs helemaal niet als moeder voorstellen. Ze had een boeiende keus gemaakt, tot ieders verbazing. Hun moeder was nog steeds niet van de schrik bekomen. Ze verheugde zich er niet op oma te worden. Het gaf haar alleen maar het gevoel dat ze oud was, en ze was nooit dol op baby's geweest, ook niet toen ze nog jong was en het haar eigen kinderen waren. Nu ze een man in haar leven had die vierentwintig jaar jonger was dan zij, kon het idee haar helemaal niet meer bekoren. 'Hoe gaan jullie hem noemen?' Jane en Liz hadden er veel over gepraat, en ze overwogen het kind naar Janes vader te vernoemen. Liz' vader heette Oscar, een naam die ze geen van beiden mooi vonden.

'Waarschijnlijk vernoemen we hem naar pap, maar we willen hem eerst zien.'

'Daar verheug ik me ook erg op,' zei Coco, die nog steeds moeilijk kon geloven dat haar zus een baby kreeg. Het was de meest onverwachte wending die ze zich kon denken. 'Je ziet er trouwens uitstekend uit. Het enige verschil is die voetbal onder je trui.'

'De dokter zegt dat het een flinke knaap is,' zei Jane ongerust. Ze verheugde zich niet op de bevalling. Ze vond het een beangstigend idee, maar Liz zou haar bijstaan. Jane had meer dan eens gewenst dat ze haar hadden bevrucht. 'Zijn vader is een meter zesennegentig, dus hij zal ook wel groot worden.' Jane was zelf ook tamelijk lang, net als Coco, maar in haar gedachten was Jane altijd een stuk groter gebleven, zoals toen ze nog een kind was. Die herinnering was blijven hangen.

Op donderdagmiddag bracht Coco Sallie naar Liz en Jane, die de volgende dag naar Los Angeles zouden gaan. Coco vloog via Parijs naar Venetië. Ze had al gepakt en verheugde zich er ontzettend op. Leslie en zij belden twee of drie keer per dag, en hij vond het geweldig dat ze kwam.

Toen Coco Sallie kwam afzetten, was Jane niet thuis, maar Liz vroeg of ze een kop thee wilde. Coco was net klaar met haar werk en ze zou de volgende ochtend in alle vroegte vertrekken.

'Hoe gaat het met Leslie en jou?' vroeg Liz toen ze aan de thee zaten.

'Ongelooflijk goed,' zei Coco stralend. 'Ik kan nog steeds niet geloven dat het echt is, en ik snap niet wat hij in me ziet.'

'Hij mag van geluk spreken dat hij je heeft,' zei Liz vol overtuiging. Ze vond het vreselijk dat Jane het Coco altijd zo moeilijk maakte. De wisselwerking tussen de zusjes deed haar verdriet, en ze had altijd gehoopt dat Coco zich op een dag uit haar ketenen zou bevrijden, maar daar was Coco nog niet aan toe. Het leeftijdsverschil en hun verleden waren haar altijd parten blijven spelen.

'Tot nog toe lijken we er goed af gekomen te zijn met de pers,' zei Coco voorzichtig. 'Ik ben er bang voor, maar hopelijk maken ze zich niet al te druk om ons. Ik weet dat Jane denkt dat ze me levend zullen verslinden, maar ik heb nog nooit in de gevangenis gezeten en ik ben ook niet aan de drugs of zo.'

'Voor zover ik weet, is het geen misdaad om je studie eraan te geven, in Bolinas te wonen en honden uit te laten,' zei Liz verstandig, 'al heeft je zus die indruk misschien gewekt. Je bent een fatsoenlijk mens, je werkt voor de kost en je bent een fantastische vrouw. Daar kunnen ze niet veel mee,' zei Liz geruststellend, en Coco zuchtte.

'Jane denkt dat hij me binnen de kortste keren de bons zal geven voor iemand anders, en daar ben ik zelf ook bang voor,' bekende ze. 'Er is veel verleiding in zijn vak, en hij is ook maar een man.'

'Maar wel een man die erg veel van je lijkt te houden,' merkte Liz op. Jane had haar verteld hoe Leslie haar op haar nummer had gezet, wat Liz opvatte als een bewijs van zijn liefde voor Coco. 'Er zijn genoeg duurzame relaties en goede huwelijken in dit vak, alleen hoor je daar nooit iets over, omdat de roddelpers liever over de mislukkingen schrijft. Heb een beetje vertrouwen in jezelf, en in Leslie. Het is een goede vent.' Coco koesterde zich in de warmte van die woorden en ontspande zichtbaar.

'Ik verheug me er zo op om hem in Venetië te zien,' zei ze met een blije glimlach.

'Je hebt het verdiend. Ik zou niet weten wanneer jij voor het laatst met vakantie bent gegaan.' Voor zover Liz het zich kon herinneren, was het drie jaar geleden geweest, met Ian samen.

Het was tijd dat Coco weer eens begon te leven, en het was duidelijk dat ze dat nu deed. 'Ik wil er alles over horen als je terug bent.'

Ze praatten nog wat over de baby, en hoe spannend Liz het vond. Jane ook, zei ze en ze wende al aan het idee dat het een jongetje zou worden. Ze wilden een babykamer maken van de logeerkamer, en ze zouden in Los Angeles op zoek gaan naar een verzorgster. Coco, die nooit had gedacht dat ze een neefje of nichtje zou krijgen, vond het ook spannend. Chloe had haar er die zomer van doordrongen hoe leuk kinderen konden zijn.

Net toen ze wegging, kwam Jane terug, die er nu eens vrolijk en ontspannen uitzag, in kleren waarin haar bolle buik goed uitkwam. Coco kon een glimlach niet onderdrukken toen ze het zag. Ze vertelde Jane dat ze Sallie net had gebracht.

'Veel plezier in Venetië,' zei Jane, die voor de verandering eens iets vriendelijker klonk. Ze was in een goede bui, en ze vertelde dat ze net van de dokter kwam. Alles was in orde, en het kind had een krachtige hartslag. Ze had al een album aangelegd van de echo's, wat Coco een gek idee vond. Het was zo'n vreemd sentimenteel gebaar voor Jane dat ze zich afvroeg of haar zus misschien toch een goede moeder zou zijn. Ze hadden geen van tweeën een goed voorbeeld gehad, want hun eigen moeder was allesbehalve moederlijk geweest. Ze was competent en verantwoordelijk, maar haar huwelijk en haar carrière waren altijd veel belangrijker voor haar geweest dan haar kinderen. Uiteindelijk had ze een band met Jane gekregen, toen die wat ouder werd, maar met Coco was het nooit gelukt. Ze hadden te weinig dingen gemeen. Coco was altijd de vreemde eend in de bijt geweest. Ze was te laat gekomen en ze was te anders dan de anderen om zich ooit welkom te kunnen voelen in hun midden. 'Bel ons als je terug bent!' zei Jane toen Coco wegging.

Coco reed terug naar Bolinas, denkend aan Leslie, Venetië en alles wat ze daar samen gingen doen. Ze wilde hem dolgraag op de set zien en een paar dagen met hem door Italië reizen. Hij had haar al een tochtje per gondel onder de Brug der Zuchten door beloofd, wat ervoor zou zorgen, zo had hij gehoord en aan haar verteld, dat ze eeuwig samen zouden blijven. Het klonk haar als muziek in de oren.

Die avond belde haar moeder om haar voor het weekend uit te nodigen, aangezien Jane en Liz ook kwamen, en Coco vertelde dat ze Leslie in Venetië ging opzoeken.

'Is dat wel een goed idee?' vroeg haar moeder op bedenkelijke toon. 'Je moet hem niet achternalopen, kind. Dan zou hij het gevoel kunnen krijgen dat je hem stalkt.'

'Ik stalk hem niet, mam,' zei Coco, die vertwijfeld de blik hemelwaarts wendde. 'Hij wil zelf dat ik kom. Hij heeft het me gevraagd.'

'Goed dan, als je het zeker weet. Maar hij zal het wel heel druk hebben met die film. Mannen vinden het niet prettig als een vrouw zich aan hen vastklampt. Dan voelen ze zich verstikt.'

Coco wilde vragen of Gabriel zich ook verstikt voelde bij haar, maar deed het niet. Ze wilde niet van streek raken door een ruzie met haar moeder, en trouwens, haar moeder en Jane wonnen toch altijd.

'Bedankt voor je raad,' zei Coco kortaf, maar ze vroeg zich af waaraan ze zulke adviezen had verdiend. Haar zus dacht dat ze maar een verovering was voor Leslie, en geen bijster aantrekkelijke, die binnenkort vervangen zou worden door een mondainere, knappere vrouw, en haar moeder dacht dat ze een filmster stalkte die haar liever niet wilde zien. Waarom konden ze zich geen van beiden voorstellen dat ze hem waard was, en dat hij echt van haar hield? 'Hoe is het met Gabriel?' vroeg ze om haar moeder van het onderwerp af te leiden.

'Geweldig!' zei Florence enthousiast. Ze vond haar eigen romance veel boeiender dan die van Coco, en ze kon zich moeiteloos voorstellen dat Gabriel haar aanbad. Dat Leslie net zo dol was op Coco, kon ze zich veel moeilijker voorstellen. 'We gaan dit weekend eten met Jane en Liz.' Ze zag er een beetje tegen op, want ze wist hoe hard en kritisch haar oudste dochter kon zijn, maar ze verheugde zich erop Gabriel aan Jane en Liz voor te stellen en haar geluk met hen te delen. Coco, die haar naïef vond, vermoedde dat Jane haar uiterste best zou doen om zijn tekortkomingen te vinden en die later tegen haar moeder te gebruiken.

'Veel plezier,' zei ze tegen haar moeder voordat ze ophingen. Pas later besefte ze geërgerd dat haar moeder haar toch weer onderuit had gehaald. Opeens was ze bang dat ze zich aan Leslie opdrong en dat hij haar helemaal niet zo graag wilde zien als hij zei.

'Ik luister níét naar die twee,' zei ze tegen zichzelf toen ze om middernacht haar koffer dichtritste. 'Moeder en Jane kletsen maar wat. Ze hebben de pest aan me, altijd al gehad, en het kan me niet schelen wat ze zeggen. Hij houdt van mij en ik van hem, en meer hoef ik niet te weten. Hij wil me wél zien, en we krijgen het heerlijk in Venetië.' Ze had het allemaal hardop gezegd, en ze was trots op zichzelf. Coco liep het terras op, keek naar de sterren en bad dat alles goed zou gaan wanneer ze er was. Ze liep weer naar binnen, ging naar bed en wees zichzelf erop dat ze over vierentwintig uur in Venetië zou zijn, samen met de liefde van haar leven. Beter kon niet, of hij nu filmster was of niet. Ze wilde niet twijfelen of nog langer stilstaan bij wat haar moeder had gezegd. Ze ging naar Italië, en het zou de tijd van haar leven worden.

HOOFDSTUK 15

$\mathcal{C}$oco maakte dezelfde reis die Leslie bijna twee weken eerder had gemaakt, met als enige verschil dat hij eersteklas had gereisd, en zij in de toeristenklasse zat. Leslie had haar een eersteklas ticket aangeboden, maar Coco betaalde haar rekeningen graag zelf en had geweigerd. De vlucht van San Francisco naar Parijs duurde elf uur, en de passagiers zaten als haringen in een ton. Coco, die onrustig had geslapen, voelde zich verfomfaaid en vies toen ze aankwam. Ze was te opgewonden geweest om echt te kunnen slapen en had vier films gezien. In Parijs moest ze drie uur wachten op haar overstap, en ze slaagde erin een douche te nemen in een openbare badkamer en een hapje te eten bij een café. Toen ze in het vliegtuig naar Venetië stapte, was ze echt slaperig. Ze sukkelde meteen na het opstijgen in slaap en moest door een stewardess gewekt worden toen ze gingen landen. Voor haar was het midden in de nacht, en ze voelde zich alsof ze dagen had gereisd.

Ze was in Parijs al door de douane gekomen, dus in Venetië hoefde ze alleen maar uit het vliegtuig te stappen en haar paspoort te laten afstempelen door de immigratiedienst. Ze poetste haar tanden, waste haar gezicht en kamde haar haar voordat ze uitstapte. Ze had de vlucht naar Parijs in een oud sweat-shirt gemaakt, maar na haar douche had ze een nieuwe zwar-te trui en zwarte leren ballerina's aangetrokken. Toen ze met een grote schoudertas uit het vliegtuig stapte, zag ze Leslie aan de andere kant van de immigratiedienst staan wachten. Het was lunchtijd in Venetië en de herfstzon scheen fel, maar zijn ogen straalden nog meer. Hij was dolblij haar te zien, nam haar in zijn armen, droeg haar zware tas voor haar en liep met haar door de aankomsthal naar een wachtende limousine. Hij gaf de chauffeur haar bagagetickets, en hij ging de koffers ha-len terwijl Leslie haar hartstochtelijk kuste en zei hoe blij hij was haar te zien. Ze gedroegen zich allebei alsof ze elkaar maan-den niet hadden gezien, hoewel ze elkaar maar twaalf dagen hadden moeten missen.

'Ik was heel bang dat er iets tussen zou komen,' bekende hij. 'Ongelooflijk dat je er echt bent!' Hij was in de wolken.

'Ja. Hoe gaat het met de film?'

'We hebben twee dagen vrij, en ik geloof dat we dit weekend ook vrij hebben.' Het kon niet beter. 'Ik heb voor volgende week een kamer in een hotel in Florence voor ons gereser-veerd,' zei hij stralend. Ook toen de chauffeur terugkwam met de koffers, ze inlaadde en in de auto stapte, kon Leslie zijn handen amper van Coco af houden. Ze reden in een verleng-de Mercedes die de producer speciaal voor Leslie uit Duits-land had laten overkomen. Hij zei dat het goed ging met de film, al had hij een paar problemen met Madison, maar daar ging hij verder niet op in. Nu Coco er was, wilde hij zich vol-ledig op haar concentreren.

Het was een betrekkelijk korte rit van het vliegveld naar een immens parkeerterrein, waar ze moesten uitstappen. Leslie had voor de rest van de rit een grote *motoscafo* gehuurd, een speed-boot, die hen naar het Gritti Palace bracht, waar hij verbleef. De andere medewerkers en een paar van de sterren logeerden in andere, kleinere hotels, maar Madison en hij hadden allebei een suite in het Gritti gekregen, dat als het meest luxueuze hotel van Venetië werd beschouwd. Madison was liever naar het Cipriani gegaan, maar de producer vond het te ver weg, waardoor het vervoer te ingewikkeld werd. De regisseur had zijn heil gezocht in het Bauer Grunwald omdat hij het daar prettiger vond, maar Leslie was verrukt van het Gritti.

Terwijl de motoscafo over het Canal Grande scheurde, keek Coco vol ontzag om zich heen. Zodra ze het parkeerterrein achter zich lieten, ontvouwde de stad zich voor hen. Kerken, koepels, basilieken, eeuwenoude paleizen en uiteindelijk de San Marco en het plein schitterden in de najaarszon. Het was veruit de mooiste stad die Coco ooit had gezien, en Leslie glimlachte toen hij haar verwonderde gezicht zag.

'Mooi, hè?' zei hij, en toen trok hij haar in zijn armen en kuste haar. Hij had geen betere plek voor hun samenzijn kunnen verzinnen. Hij had al een gondel voor die avond gehuurd om mee onder de Ponte dei Sospiri, de Brug der Zuchten, door naar hun restaurant te varen, als ze dan nog wakker was. Er waren wel duizend dingen die hij met haar wilde doen en aan haar wilde laten zien. Dit was nog maar het begin. Hij was blij dat hij het komende weekend vrij had. Ze hadden hard gewerkt.

Bij het Gritti Palace aangekomen gingen ze snel naar binnen, en Leslie nam Coco mee naar hun kamers. Coco had verwacht dat hij een suite zou hebben, maar hij had er een paar gekregen, onderling verbonden, zodat hij een vorstelijk appartement voor zich alleen had. Het stond in zijn contract, maar Coco had nog nooit zulke elegante, weelderige kamers gezien. Hij had ook een spectaculair uitzicht over het kanaal op andere paleizen, waarvan er veel nog in het bezit waren van adellijke Venetianen. Het was een opmerkelijke, unieke stad.

Twee kamermeisjes pakten hun bagage uit en er kwam een ober in livrei met een enorm zilveren blad met eten en een perfect gekoelde fles Louis Roederer Cristal-champagne.

Leslie lachte schaapachtig. 'Je raakt een beetje verwend als je op locatie filmt,' fluisterde hij Coco toe.

'Inderdaad,' zei ze. Ze probeerde zichzelf voor te houden dat ze hier maar een week of twee zou blijven, en wanneer ze wegging, zou de vorstelijke koets waarin ze met hem reisde weer in een pompoen veranderen. Ze moest zichzelf er continu op wijzen. Bij Leslie beleefde ze een totale Assepoesterervaring, en hij was onmiskenbaar de knappe prins. Ze kon maar moeilijk geloven dat het glazen muiltje haar uiteindelijk echt zou passen. Dat gebeurde alleen in sprookjes, maar was dit geen sprookje?

Ze gingen op een grote, geelsatijnen bank zitten. De ober schonk thee voor Leslie in, presenteerde een schaal met exquise kleine sandwiches en verliet het vertrek discreet.

Coco keek Leslie verbluft aan. 'Ben ik nou Assepoester of Annie het weesmeisje?' zei ze. 'Ik dacht dat ik in Bolinas zat. Hoe ben ik hier verzeild geraakt?' Dit had ze allemaal niet verwacht. Het enige waar ze aan had gedacht, was dat ze hem weer zou zien. Het was niet in haar opgekomen zich af te vragen hoe zijn leven eruitzag wanneer hij op locatie filmde, of hoe ver producers wilden gaan om het hem naar de zin te maken. Dit was meer dan gerieflijk. Het was het toppunt van luxe.

'Het is geen slecht leven, hè?' zei hij met een ondeugende glimlach. 'Maar het was verschrikkelijk tot jij kwam. Zonder jou is er niets aan.'

Hij gaf haar een rondleiding door zijn appartement. Er was een gigantische, vorstelijke slaapkamer vol schitterend antiek en met een plafondschildering. Dan waren er nog twee zitkamers en een eetkamer die groot genoeg was om vijfentwintig gasten te ontvangen. Verder had hij nog een werkkamer, een bibliotheek en zoveel immense marmeren badkamers dat ze de tel kwijtraakte. Overal stonden verse bloemen, en Leslie had een roze marmeren badkamer met een spectaculair uitzicht over Venetië voor haar uitgekozen.

'Ik geloof dat ik droom,' zei ze terwijl ze achter hem aan liep. Toen trok Leslie haar plompverloren op hun reusachtige hemelbed. Het was een koning waardig, maar Coco vond er de Leslie terug die ze kende en beminde. Hoe elegant hun omgeving ook was, Leslie was net zo speels en liefdevol als hij bij Jane thuis en in Bolinas was geweest. Een van de mooie dingen aan Leslie was dat hij genoot van zijn leven en alles wat erbij hoorde, maar niet vol van zichzelf was. Het enige wat hij nu wilde, was bij haar zijn.

Ze vrijden en sliepen de hele middag en namen toen een bad in de enorme roze marmeren badkamer. Leslie vroeg Coco een spijkerbroek aan te trekken, want hij wilde een wandeling met haar maken om haar een paar van de wonderen van Venetië te laten zien. Ze haastten zich door de lobby van het hotel en Leslies eigen motoscafo zette hen af op het San Marcoplein. Ze dwaalden door smalle achterafstraatjes, bekeken kerken, kochten *gelato* bij een kraampje op straat en wandelden over de bruggetjes over de smallere kanalen. Coco verloor elk gevoel voor richting, maar het gaf niet. Leslie leerde de stad al een beetje kennen, en bovendien was het nooit een ramp om in Venetië te verdwalen. Waar je ook was, het was altijd mooi, en op de een of andere manier vond je je weg altijd wel weer. Ze zagen overal net zulke verliefde paartjes als zijzelf lopen, en in deze tijd van het jaar waren het voornamelijk Venetianen. Het weer was koel en zonnig, en toen de zon verdween, gingen ze terug naar de motoscafo, die hen weer bij het hotel afzette.

Terug in zijn paleisje keek Coco uit over de stad. Toen draaide ze zich naar Leslie om met alle liefde die ze voor hem voelde in haar ogen. 'Dank je dat je me hier hebt uitgenodigd,' zei ze zacht. Het was bijna een huwelijksreis om hier met hem te zijn, op de meest romantische plek waar ze ooit was geweest. 'Ik heb je niet uitgenodigd,' wees hij haar terecht met een blik die de hare weerspiegelde. 'Ik heb je gesméékt te komen. Ik wilde dit met je delen, Coco. Tot jij kwam, was het gewoon werk.' Ze kon een glimlachje niet bedwingen. Hij werkte wel in een ontzettend leuke stad.

Ze praatten over de film en hoe de opnames verliepen. Hij schonk een glas champagne voor haar in en uiteindelijk kleedden ze zich voor het avondeten. Leslie was bang dat Coco te moe zou zijn om nog uit te gaan, maar ze had die middag net genoeg geslapen om weer kwiek te zijn. Ze wilde geen minuut van haar tijd met hem missen, zeker niet wanneer hij vrij had. Toen ze beneden kwamen, was de motoscafo nergens te bekennen, maar er wachtte een grote gondel op hen. De gondelier droeg een gestreept shirt, een kort, donkerblauw jasje tegen de avondkilte en de traditionele platte hoed die alle gondeliers dragen. De gondel zelf was een wondertje van glanzend zwart, afgezet met goud, zoals de gondels er al eeuwen uitzagen. Zoals beloofd gleden ze op weg naar het restaurant onder de Brug der Zuchten door, en de gondelier zong voor hen. Het was als een droom.

'Ogen dicht en adem inhouden,' fluisterde Leslie, en hoewel ze eerst grote ogen opzette, gehoorzaamde ze. Hij kuste haar teder op de mond, ook met ingehouden adem, en toen ze onder de brug door waren, zei hij dat ze weer adem mocht halen. Ze deed haar ogen open en glimlachte naar hem. 'Zo, het is bezegeld,' zei hij voldaan. 'Volgens de legende zullen we nu eeuwig bij elkaar blijven. Ik hoop dat je er geen bezwaar tegen hebt.' Hij kwam weer naast haar zitten en ze lachte. Waar zou ze bezwaar tegen moeten hebben? De meest romantische, liefdevolle man op aarde? Of de mooiste stad die ze ooit had gezien? Ze kon zich moeilijk iets voorstellen om bezwaar tegen te hebben, en ze probeerde het niet eens.

'Als we ooit met huwelijksreis gaan, wil ik hierheen,' fluisterde ze toen ze onder een volgende brug door voeren. Ze was gegrepen door de sfeer, wat ook niet anders kon, zeker niet in zijn gezelschap. 'Als we ooit gaan trouwen, bedoel ik.'

'Zo mag ik het horen,' zei hij opgetogen. Ze stopten bij een kleine stenen trap die uitkwam bij een vrolijk verlicht restaurant. De gondelier hielp hen uitstappen en Leslie sloeg zijn arm om Coco heen en liep met haar naar binnen. 'De receptionist van het hotel zei dat het hier stil en discreet was. Er komen veel Venetianen. Het is niet chic, maar hij zei dat het heel goed was.'

Het kleine restaurant zat maar half vol. De gerant bracht hen naar een knus tafeltje achterin. Niemand lette op hen en ze dineerden net als de anderen, zonder dat ze werden lastiggevallen of onderbroken. Leslie vertelde dat de pers tot nog toe niet hinderlijk was geweest. Madison had commotie veroorzaakt door haar persagent de bladen te laten bellen met absurde verhalen, maar ze waren alleen op de set lastiggevallen en tot ieders opluchting was het met een sisser afgelopen. De Europese pers had de roddels niet opgepikt. Leslie vertelde Coco niet wat de verhalen inhielden, alleen dat ze onbelangrijk, ergerlijk en 'typisch Madison' waren. Hij zei dat ze op de set van elke film die ze maakte de koningin wilde uithangen, waar hij niet mee zat, als ze haar tekst maar kende, op tijd kwam opdagen en geen oponthoud veroorzaakte. Hij genoot van Venetië, maar hij wilde zo snel mogelijk terug naar huis en naar Coco. Tot nog toe lagen ze op schema, vertelde hij. Ze zouden die week opnames maken op het San Marcoplein en in de basiliek, waar ze een eindeloze reeks vergunningen voor hadden moeten aanvragen, maar de Italiaanse productieassistent had alles op briljante wijze geregeld.

Ze praatten tijdens de hele maaltijd, en Coco werd zo nu en dan overmand door vermoeidheid. Haar gevoel voor tijd lag helemaal overhoop, maar ze genoot ten volle van de avond. Na een wandeling over het San Marcoplein gingen ze met hun gondel terug naar het hotel. In hun appartement aangekomen, gaapte Coco onafgebroken. Ze kon haar ogen amper nog openhouden. Het was middernacht in Italië, en ze was al uren op.

Ergens onderweg was ze een volle nacht slaap kwijtgeraakt, maar het was voor een goed doel, en dat was nog zacht uitgedrukt.

Voordat Leslie Coco zelfs maar kon kussen, sliep ze al, en hij keek glimlachend naar haar voordat hij zich tegen haar aan nestelde. Haar aanwezigheid was voor hem een droom die werkelijkheid werd. Ze sliepen samen tot de volgende middag. Ze werden wakker van de zon die hun kamer binnenstroomde, vrijden en stonden op om aan de dag te beginnen.

Leslie ging met Coco lunchen bij Harry's Bar, een van zijn oude favorieten. Coco at risotto Milanese zoals ze het alleen daar konden maken, met veel saffraan, en Leslie nam een kreeftsalade. Onder het eten bespraken ze hun plannen voor die middag. Hij had weer een gondel gehuurd, want dat was romantischer dan de snelle, vooral praktische motoscafo waarmee hij elke dag naar zijn werk ging. Ze hadden geen haast. Die middag bezochten ze het Dogenpaleis en ze bewonderden de Campanile, de klokkentoren van de basiliek. Ze drentelden door de paleistuin en bezochten verschillende mooie oude kerken voordat ze teruggingen naar het hotel. Het was weer een volmaakte dag. Ze besloten in hun appartement te eten, want Leslie moest de volgende ochtend om zes uur op de set zijn om zijn haar en make-up te laten doen. Coco had beloofd met hem mee te gaan, in elk geval die eerste dag. Daarna wilde ze Venetië in haar eentje verkennen. Voor zo'n kleine stad was er veel te zien, en ze wilde Leslie niet in de weg lopen tijdens zijn werk.

Leslie reisde heel sober en nam nooit een heel gevolg mee. Hij zei dat als de receptionist van het hotel goed was, hij geen assistent nodig had, en hotel Gritti Palace was vermaard om het bijzonder goede personeel. Hij gebruikte de kappers en visagisten op de set in plaats van zelf mensen mee te brengen voor zijn haar en make-up. Voor een grote ster had hij bijzonder weinig eisen en pretenties. Hij zei dat hij wel zonder het gedoe en de aandacht kon, in tegenstelling tot Madison, die haar eigen haarstylist, twee visagisten, haar zus, twee assistenten en haar beste vriendin had meegebracht. Ze stond erom bekend dat ze producers lange lijsten gaf met haar persoonlijke wensen en eisen voordat ze een filmcontract tekende. Ze nam ook altijd een lijfwacht en een trainer mee op haar reizen, en ze eiste dat iedereen in hetzelfde hotel werd ondergebracht als zij. Ze maakte zich er niet geliefd mee op de sets waar ze werkte, maar ze was de grootste vrouwelijke kaskraker van het moment, dus niemand zette haar de voet dwars. Iedereen gaf haar gewoon wat ze vroeg om te voorkomen dat ze een scène schopte, iets waar ze nooit voor terugdeinsde.

'Het is een beetje vermoeiend,' bekende Leslie de volgende dag aan Coco toen ze op weg waren naar de set. Coco had een warme schapenleren jas aan, want de zon was nog niet op en het was fris, en ze droeg haar favoriete oude cowboylaarzen. Ze zag er fris, jong en mooi uit zonder make-up, met haar grote groene ogen en koperrode manen. Ze was alles wat hij bewonderde in een vrouw: eerlijk, simpel, natuurlijk, bescheiden en pretentieloos. Haar goedheid en integriteit straalden van haar af, waardoor alles aan haar nog mooier werd. Ze waren een aantrekkelijk stel, zoals ze de set op kwamen en naar zijn trailer onder de bogen van het San Marcoplein liepen. Ze kon zich niet voorstellen hoe ze hem daar hadden gekregen, maar Leslie had in elk geval een plek om zich tussen de opnames door terug te trekken en zijn teksten te leren.

De kapper en visagist wachtten op hem. Ze kwamen uit Venetië, maar spraken goed Engels. Leslie praatte gemoedelijk met hen terwijl hij een kop dampende koffie dronk en Coco zat stilletjes in een hoekje toe te kijken.

Hoewel Leslie heel vroeg op de set moest zijn, begonnen de opnames pas om negen uur. Er was ontbijt voor iedereen gebracht en ten slotte werd er op de deur van de kleedkamer geklopt ten teken dat Leslie werd verwacht. De belichting was intussen geregeld met een stand-in die Leslies plaats innam, een jonge Italiaan die ongeveer zo lang was als Leslie en dezelfde huid- en haarkleur had. Leslie droeg een zwart pak van goede snit, een coltrui en zwarte suède schoenen voor de opnames. Hij zag er zowel sexy als goed verzorgd uit toen hij de trailer uit liep, volledig opgemaakt, waar je amper iets van zag. Hij hield de make-up altijd bescheiden, en zijn haar was nauwgezet gekapt en in de lak gezet.

Coco keek gefascineerd naar de andere acteurs die in de scène speelden. De regisseur liep naar de cameraman en gaf hem instructies. Hij wist precies uit welke hoeken er gefilmd moest worden, en praatte op gedempte toon met de acteurs. Coco was wel eens met haar zus op een set geweest, maar de ernst en gedrevenheid hier waren nieuw voor haar. De acteurs in deze film waren de grootste sterren in het vak. Niemand nam zijn taak licht op, en elke opname moest meteen kloppen. Als de film een succes werd, kon hij een fortuin opbrengen, en wie een bijzondere prestatie leverde, zou een Oscar kunnen winnen. Het was duidelijk dat iedereen dat in gedachten hield. Er werd niet gedold.

Coco bleef stilletjes staan op de plek die haar was aangewezen om niemand te storen, en keek aandachtig naar Leslies eerste opname van de scène. Madison, die er niet in zat, kwam pas een uur later, in een sexy rode cocktailjurk die ze maar half droeg, met een jas eroverheen, met haar fameuze decolleté, spectaculair lange benen en sexy hoge hakken. Ze begon meteen aan haar scène, waarin ze over het plein moest rennen. Iemand wilde haar ontvoeren en Leslie rende achter haar aan om haar te redden, al werd ze geacht geen idee te hebben wie hij was. Het was een gecompliceerde, ingewikkelde plot. Coco had het script gelezen en Leslie geholpen zijn tekst te leren, dus ze kende het verhaal. Ze herinnerde zich de scène, maar dit was anders, met acteurs die grote prestaties leverden en een tastbare spanning. Carabinieri hielpen het deel van het plein dat voor de opnames werd gebruikt vrij te houden, en iemand gaf Coco zonder een woord een klapstoeltje. Ze knikte dankbaar. Een paar minuten later kwam er een blonde vrouw naast haar zitten. Coco wist dat ze deel uitmaakte van Madisons gevolg, maar had geen idee wie ze was.

'Ze is goed, hè?' zei de vrouw tussen twee opnames door tegen Coco. 'Het zou mijn dood worden als ik op zulke hakken probeerde te rennen.' Coco lachte.

De vrouw vroeg haar niet wie ze was of wat ze op de set kwam doen. Er waren zoveel mensen dat niemand de moeite nam naar zulke dingen te vragen. Net als de blonde vrouw en alle anderen op de set had Coco een pasje aan een koord om haar nek ten teken dat ze deel uitmaakte van de ploeg, de rolbezetting of iemands gevolg. 'Het is een mooi stel, hè?' zei de vrouw, die aandachtig naar Leslie en Madison keek. Coco had er niet bij stilgestaan, maar het was waar. In deze scène omhelsde Leslie Madison, die nog buiten adem was van het rennen in de voorafgaande scène. Toen hij haar eindelijk te pakken had, leek ze langzaam tegen hem aan te smelten. Het gaf Coco een onbehaaglijk gevoel dat ze echt een mooi stel waren, maar daarom hadden ze de rollen ook gekregen. 'Heb je het stuk over die twee in de tijdschriften van vorige week gelezen?' vroeg de vrouw langs haar neus weg. 'Ze leken een vurig stel. Zulke verhalen wakkeren de belangstelling voor de film aan, en wie weet wat er gebeurt voordat ze hier klaar zijn?' De vrouw grinnikte. Coco glimlachte zwakjes terug. Tot haar verbazing pakte de vrouw een roddelblad uit haar enorme tas en reikte het haar aan.

Coco snakte naar adem toen ze de omslagfoto zag, waarop Leslie en Madison elkaar kusten. Erboven stond: 'Vuurgevaarlijk. Nieuwe romance voor Leslie en Madison begint in Italië.' Coco wilde het artikel niet lezen, maar ze was zo gefascineerd dat ze het tijdschrift toch op de juiste bladzij opensloeg. Er stonden nog meer foto's van Leslie en Madison bij het stuk. Op twee ervan kusten ze elkaar en op eentje keken ze allebei geschrokken, alsof ze waren gestoord bij iets wat niet gezien mocht worden. Coco's maag draaide zich om toen ze het artikel las, waarin stond dat Leslie in mei zijn relatie had verbroken met zijn vorige vriendin, die hem ervan had beschuldigd homoseksueel te zijn. Vervolgens werd er beweerd dat het tegendeel waar leek, want nu dook hij in een hartstochtelijke romance met Madison Allbright op de set van hun nieuwe film, die op locatie in Italië werd opgenomen. Er stond niets over Coco en haar verschijning met Leslie in Los Angeles. Ze gaf het tijdschrift aan de vrouw terug en bedankte haar. Ze voelde zich misselijk.

Dit had haar zus bedoeld. Zo was het om verliefd te zijn op een grote ster die in elke film met zijn tegenspeelster sliep. Ze waren er pas twee weken. Hij had er geen gras over laten groeien, en wat ze op de foto's in het tijdschrift had gezien, was niet te ontkennen. Het was duidelijk dat hij Madison kuste. Ze zat als versteend te kijken naar Madison en hem, en ze vroeg zich af hoe hij zo smakeloos en wreed had kunnen zijn haar uit te nodigen naar Venetië te komen terwijl hij een verhouding had met zijn tegenspeelster. Toegegeven, hij had haar gevraagd te komen voordat hij uit Amerika vertrok, maar als hij ook maar een greintje gevoel had gehad, zou hij hun afspraak hebben afgezegd. En hij had de afgelopen paar dagen met haar geslapen. Wat voor man deed zoiets? Een filmster, blijkbaar. Coco vond het vreselijk om het toe te geven, maar Jane had gelijk.

Als een robot keek ze de drie uur daarna hoe hij zijn scènes speelde. Ze wilde alleen nog maar terug naar het hotel, haar koffers pakken. Leslie Baxter kon naar de hel lopen. Ze keek met tranen in haar ogen naar hem. Het enige wat ze wilde, was teruggaan naar Bolinas en huilen.

Na zijn opnames haalde Leslie haar op en nam haar mee naar zijn trailer, waar ze een lunch zouden krijgen. Het viel haar op dat hij iets tegen Madison zei waar ze om moest lachen toen ze van de set liepen, en dat hij een arm om haar heen sloeg en haar een zoen gaf. Coco moest bijna overgeven toen ze het zag, maar ze zei niets toen ze met hem mee liep naar de trailer, en ook niet toen ze binnen waren.

'Hoe zag het eruit?' vroeg hij terwijl hij zijn jasje uittrok en op een stoel plofte. Hij glimlachte naar haar. 'In het begin voelde het hopeloos, en ik geloof nog steeds dat die scène waarin we rennen er stom uitziet, maar de regisseur wil er geen afstand van doen. De scène onder de bogen vond ik veel beter. Hij zou er nog beter uitzien als ze haar tieten in bedwang konden houden.' Na wat Coco net had gelezen, vond ze het ongelooflijk dat hij zoiets tegen haar zei. Plotseling leek hij een vreemde voor haar. Leslie, die haar zwijgen opvatte als kritiek op zijn acteerprestaties, vroeg bezorgd: 'Jij vond het zeker ook niets?' Hij was een perfectionist als het op zijn werk aankwam. 'Ik vond de scènes goed,' zei ze zacht terwijl ze tegenover hem ging zitten. Ze wist niet of ze hem nu moest vertellen hoe ze over hem dacht, of beter kon wachten tot ze weer in het hotel waren.

'Wat vond je dan niet goed?' Zijn gezicht werd bleek en tobberig. Hij hechtte veel waarde aan haar mening, net als toen hij haar had gevraagd het script te lezen.

Coco besloot het er nu uit te gooien en niet te wachten, zodat ze terug kon naar het hotel en weg kon zijn voordat hij klaar was met zijn werk. 'Nou, wat mij absoluut niet beviel,' zei ze, 'was het artikel dat iemand me net liet lezen.'

'Wat voor artikel?' Hij keek haar niet-begrijpend aan, wat Coco nog erger vond. Hij was altijd eerlijk tegen haar geweest, of dat had ze tenminste gedacht, en nu hield hij zich van den domme. 'Ik weet de naam van het tijdschrift niet meer, ik lees die onzin anders nooit. Het artikel ging over de verhouding die jij met Madison op de set schijnt te hebben. Had je me dat niet kunnen vertellen voordat ik hierheen kwam? Dat had me de reis bespaard.'

'Aha,' zei hij. Hij boog zijn hoofd, keek naar zijn voeten, stond op en keek haar ernstig aan. 'Ik kan me voorstellen hoe je je voelt. Zou je even met me mee willen komen? Heb ik gelijk als ik denk dat degene die je dat tijdschrift heeft gegeven, een van die fantastische mensen uit Miss Allbrights entourage was?'

'Ik denk het wel. Ze heeft zich niet voorgesteld, maar ik heb gezien dat ze samen met Madison op de set aankwam.'

'Geweldig. Het moet haar zus zijn geweest, een van haar veertien assistenten of haar beste vriendin van de middelbare school. Ze zijn allemaal per privévliegtuig overgekomen uit hun eigen achterbuurt.' Hij had de deur van de trailer opengemaakt en wenkte Coco. Ze aarzelde even, maar hij keek zo dreigend dat ze niet tegenstribbelde. Ze liep de treden af en onder de bogen door naar een andere trailer, die veel groter was dan die van Leslie.

Hij klopte op de deur en duwde hem open zonder een antwoord af te wachten, Coco met zich mee trekkend. De trailer zat vol mensen, en het rook er naar goedkoop parfum en sigaretten. Mensen lachten en telefoneerden, er stonden pruiken op standaards en Coco herkende in het voorbijgaan de vrouw die haar het tijdschrift had gegeven. Leslie ging haar voor naar een ruimte achterin. Hij wist dat Madison zich daar terugtrok als ze alleen wilde zijn. Hij klopte aan, en toen hij haar stem hoorde, rukte hij de deur open en keek Madison kwaad aan. Ze zat op een bank, samen met een man in een hemd en spijkerbroek. Zijn armen en borst waren bedekt met tatoeages. Madison keek verbaasd op toen ze Leslie zag.

'Hallo daar,' zei ze onschuldig. 'Is er iets?' Er was die ochtend geen kwaad woord tussen hen gevallen op de set.

'Dat kun je wel zeggen. Een van je vriendinnetjes heeft Coco dat weerzinwekkende stuk laten zien in dat roddelblad dat je hier vorige week had uitgenodigd om ons leven in de war te sturen.'

'Ik had ze niet uitgenodigd,' zei Madison schijnheilig. 'Dat

226

had mijn persagent gedaan. Ik heb niets te zeggen over wie hij belt.'

'Om de donder wel,' zei Leslie. Hij richtte zich tot Coco. 'Miss Allbright, of haar persagent, heeft het ranzigste blaadje uit de filmindustrie uitgenodigd hier foto's van ons te komen maken. En iemand, we weten natuurlijk niet wie, heeft zich laten ontvallen dat Madison en ik een verhouding hebben, om de reis de moeite waard te maken.' Hij wendde zich van Coco tot zijn medespeelster en keek haar woedend aan. 'Toevallig heb ik geen verhouding met haar. Die heb ik nooit gehad en ik ben niet van plan er een te beginnen, ondanks haar opmerkelijke figuur, fantastische implantaten en uitzonderlijk fraaie benen,' beet hij haar toe. 'Toevallig is ze getrouwd met haar kapper, die man hier...' – hij wees naar de man met de tatoeages – '... die in elke film haar haar doet, want dat staat in haar contract, en die haar scherp en liefdevol in de gaten houdt. Daar komt nog bij dat ze, hoewel het een duister geheim moet blijven om haar sexy imago fris en gezond te houden, ten koste van mij in dit geval, vijf maanden zwanger is. Toevallig is haar huwelijk al net zo'n duister geheim. Nu we dat hebben opgehelderd, en jij mij het leven zuur maakt met die kletspraatjes die je de pers voert, kun je mijn vriendin hier misschien vertellen dat ik de waarheid spreek. En trouwens...' – hij wendde zich weer tot Coco – '... de foto's waarop we elkaar kussen, zijn gemaakt tijdens de opname van een scène vorige week. Ik weet niet wie ze hebben omgekocht om op de set te mogen komen, of het moet een van jouw mensen zijn geweest,' vervolgde hij hatelijk tegen Madison. 'Maar ik heb momenteel geen behoefte aan dat soort publiciteit. Ik ben verliefd op deze vrouw, en we hebben geen van beiden zin in het gedoe dat met zulke roddels gepaard gaat.' De stoom kwam zo ongeveer uit zijn oren. Madison keek ongemakkelijk naar hem op, en haar man de kapper schraapte zijn keel en liep het vertrek uit. Hij leek absoluut niet jaloers op Leslie te zijn, en blijkbaar had hij niets bij te dragen aan het gesprek. Op weg naar de deur glimlachte hij naar Coco, en toen voegde hij zich bij de zwerm volgelingen in de andere kamer. Ruzies tussen sterren waren niets bijzonders, en Madison had vaak ruzie. In plaats van zich erin te mengen hield haar echtgenoot zich liever op de achtergrond, want hun huwelijk was geheim. Madison vocht haar ruzies zelf uit.

'Kom op, Leslie. Je moet toegeven dat zulke dingen de belangstelling voor een film altijd opvijzelen.' Madison glimlachte naar Coco en zag haar verblufte gezicht. Coco had nog nooit zoiets meegemaakt. 'En als je vertelt dat ik zwanger ben, vermoord ik je,' vervolgde ze effen. Daarom had ze een jas over de strakke rode jurk gedragen. De enige die het mocht weten, was de vrouw die haar garderobe verzorgde. Madison had het filmcontract getekend voordat ze zwanger werd, en ze wilde de rol niet kwijtraken. In plaats daarvan was Leslie Coco bijna kwijtgeraakt.

Leslie keek Madison kwaad aan. 'Doe me een lol,' zei hij. 'We moeten de komende maanden samenwerken. We verdienen er allebei aan. Probeer mijn privéleven niet te verwoesten terwijl we ons werk doen. Als jij mijn leven niet in de war schopt, schop ik het jouwe ook niet in de war.'

'Oké, oké,' zei Madison. Ze stond op van de bank en Coco zag een buikje onder haar ochtendjas. Ze droeg een strak korset onder haar jurken, maar in de trailer trok ze het uit. 'Als je maar aan niemand vertelt dat ik getrouwd en in verwachting ben. Het is slecht voor mijn imago. Een sekssymbool hoort niet getrouwd en in verwachting te zijn.'

'Hoe wil je de komst van de baby straks verklaren?' vroeg Leslie, die gefascineerd was door haar leugens. Coco zag dat hij Madison niet mocht. Ze begreep goed waarom.

'De wereld hoeft alleen maar te weten dat het kind van mijn zus is,' zei Madison koeltjes.

'En waar wil je bevallen? Ergens in een ooievaarsnest?'
'Dat is allemaal al geregeld,' zei Madison met een blik op Co-co. Ze was mooi, maar Coco zag nu in dat ze niets aardigs had. Het enige waar ze iets om gaf, was haar carrière. Het maakte haar niet uit over wie ze heen walste, als het maar in het belang was van haar roem. 'Lieverd,' zei ze tegen Coco, 'neem hem mee naar de trailer en pijp hem even. Hij moet relaxen voor de volgende opname.' Voordat Coco iets terug kon zeggen, duwde Leslie haar de kamer uit en langs de meute voor in de trailer naar buiten. Coco liep met hem mee naar zijn trailer en keek hem spijtig aan. Het was voor hen allebei een gênante scène geweest. Madison Allbright geneerde zich nergens voor, en dat had ze ook nooit gedaan.
'Leslie, het spijt me,' zei ze berouwvol. 'Ik dacht gewoon... toen ik dat tijdschrift zag...'
'Ik weet het. Zit er maar niet over in,' zei hij terwijl hij zwaar op een stoel zakte. Zo te zien was hij nog van streek. 'Je had met geen mogelijkheid kunnen weten dat het allemaal verzinsels waren. Dat loeder zou haar eigen moeder nog verkopen, als ze die ooit heeft gehad, om een paar centen te verdienen en een film aan de man te brengen.'
Het was een akelige kant van de filmwereld, en een die Coco nooit met eigen ogen had gezien. 'Maar je moet ook weten,' vervolgde Leslie met een waarschuwende blik, 'dat ik wel zeker weet dat dit niet de laatste keer is geweest. Madison is een achterbaks kreng, en ze zal vaker zo'n stunt uithalen. Het kan bij elke film gebeuren, per ongeluk of expres. Als je maar weet dat ik je zoiets nooit zou aandoen. Daarvoor heb ik te veel respect voor je, en bovendien hou ik van je. Als ik iets met een andere vrouw begin, of dat zou willen, vertel ik het je voordat ik uit je leven verdwijn. Je hoeft het niet via een roddelblad aan de weet te komen. Hoe ik me in het verleden ook heb misdragen, zoiets heb ik nooit iemand aangedaan, en ik ben echt niet van plan er nu mee te beginnen. Het spijt me dat het je

van streek heeft gemaakt,' zei hij. Hij trok Coco, die zich diep leek te schamen, op zijn schoot.

'Het spijt me dat ik me zo druk heb gemaakt. Het was niet mijn bedoeling problemen tussen jullie te veroorzaken.' Het zou het er voor Leslie niet makkelijker op maken met Madison samen te werken, maar ergens was hij blij dat hij haar had gezegd waar het op stond. Als Madison geruchten de wereld in wilde sturen over verhoudingen op de set, zou ze een ander slachtoffer moeten zoeken. Hij was niet van plan zijn relatie met Coco door haar te laten verzieken.

'Ik hou van je. En waarom zou ik in vredesnaam iets met zo'n slet willen?' Madison had opeens haar ware aard laten zien, daar tussen al haar ordinaire assistenten en vrienden. Ze had eruitgezien als een goedkope del. 'Zulke dingen gebeuren in dit wereldje, Coco. De geruchtenmolen draait altijd, en de meeste mensen met wie je werkt zijn bereid over je heen te lopen of een mes in je rug te steken om zelf vooruit te komen. Je werkt maar zelden aan een film met fatsoenlijke mensen die je niet verraden zodra ze de kans krijgen. Je zult eraan moeten wennen.'

'Ik zal mijn best doen.' Het was een openbaring geweest om te zien hoe Leslies tegenspeelster was, en hoe hij de situatie had aangepakt.

Leslie schoot opeens in de lach. 'Ik geloof dat ik me even heb laten gaan.' Coco en hij hadden allebei gezien hoe Madisons man de kamer uit was geslopen. 'Toch vond ik dat idee van het pijpen wel goed. Wat vind jij?' Hij keek van zijn horloge naar haar. 'Hebben we nog tijd?' Hij plaagde haar maar, en ze lachten allebei. Toen werd zijn gezicht ernstig. 'Eerste ronde. Je hebt zojuist de vuurproef doorstaan. Welkom in de showbusiness.'

'Volgens mij ben ik jammerlijk gezakt,' zei Coco, die nog steeds van slag leek te zijn. Ze had bij hem weg willen gaan toen ze dacht dat hij een verhouding had met Madison. Stel dat ze was vertrokken zonder eerst met hem te praten? Ze had een waardevolle les geleerd.

'Integendeel,' zei Leslie, die haar vol trots aankeek. 'Ik vind dat je het verbazend goed hebt gedaan. We hebben het overleefd, en ik denk dat die boze heks zich wel twee keer achter de oren zal krabben voordat ze het ons nog eens moeilijk durft te maken.' Uit Leslies mond klonk het alsof Coco en hij samen de hele wereld aankonden, maar ze wisten allebei dat ze vroeg of laat opnieuw konden worden aangevallen, zo niet door Madison, dan door iemand anders. Coco begon te begrijpen dat de filmwereld zo in elkaar zat. Mensen gebruikten elkaar zodra ze de kans kregen, op alle mogelijke manieren.

Terwijl ze samen lunchten, praatten ze over de film en de dingen die Coco in Venetië wilde zien, en tijdens hun gesprek drong het opeens tot Coco door dat haar zus ongelijk had. Wat er was gebeurd, was precies wat Jane had voorspeld, maar Coco was niet als een kaartenhuis ingestort, en Leslie had achter haar gestaan en was haar trouw gebleven. Het had haar geschokt, maar niet kapotgemaakt. Nog beter: het tijdschrift had er ook naast gezeten. Tot nog toe ging alles goed.

HOOFDSTUK 16

*C*oco keek elke dag een paar uur op de set naar Leslies opnames, en ze had gemerkt dat er soms spanning was tussen Madison en hem. Het kon de geladen sfeer van de film verhogen, maar de liefdesscènes leken er soms bijna pijnlijk door, en ze konden niet makkelijk voor hem zijn. Het was zichtbaar dat hij Madison niet mocht, maar ze moesten hoe dan ook met elkaar samenwerken en ze wilden geen van beiden dat de film eronder leed. Coco besefte weer dat het acteren was, geen liefde. Leslie was verbazend goed in wat hij deed, beter dan zijn tegenspeelster, die continu haar tekst kwijt was.

Wanneer Coco genoeg had van het kijken naar de opnames, dwaalde ze door Venetië. Leslie zei plagerig dat ze alle kerken in de stad had bekeken. Ze bezocht het voormalige klooster San Gregorio, de Santa Maria della Salute basiliek, en de Santa Maria dei Miracoli kathedraal. Ze liep uren door de Galleria dell' Accademia delle Belle Arti, theater La Fenice en het Querini Stampalia Museum. Tegen het eind van de week had ze elke vierkante centimeter van Venetië bezichtigd, en wanneer Leslie 's avonds terugkwam in het hotel, vertelde ze hem erover. Hij was moe na de lange opnamedagen, de onenigheden met de regisseur en de stress van het samenwerken met Madison, maar hoe afgemat hij ook was, hij was altijd blij als hij Coco weer zag. Ze verheugden zich allebei op hun weekend in Florence. Leslie had een auto gehuurd en was van plan er zelf heen te rijden.

De avond voor hun vertrek beklaagde hij zich erover dat er paparazzi op de set waren geweest. Er waren er een paar uit Rome en Milaan gekomen. Hij vermoedde dat Madison of haar persagent de roddelbladen had getipt, al moest hij toegeven dat de fotografen hoe dan ook waren gekomen. Iedereen die die week over het San Marcoplein was gekomen, had gezien dat er een film werd gedraaid. Het was niet verbazend dat de plaatselijke pers kwam kijken naar de grote Amerikaanse sterren die een film opnamen in hun stad.

'Ik ben blij dat je er vandaag niet was. Ik wil niet dat ze jou ook omsingelen,' zei Leslie. Hij vertelde dat de carabinieri de journalisten van de set hadden geweerd, maar dat er een stuk of tien op hem hadden gewacht bij zijn trailer. Als Coco er ook was geweest, zouden ze hen beiden hebben belaagd. Naar Leslies mening waren de Britse en Italiaanse paparazzi het ergst en het hardnekkigst. Wanneer hij in Frankrijk een film opnam, had de pers daar meer respect voor hem.

Die avond pakte hij een kaart en zetten ze hun route naar Florence uit. Hij had ook met Coco naar het Lido gewild, maar daar was nog geen tijd voor geweest, aangezien het twintig minuten per boot was. Hij had het druk gehad met zijn werk, en zij had Venetië te voet verkend.

Ze wilden op weg naar Florence Padua en Bologna aandoen. Coco wilde de Cappella degli Scrovegni zien, want daar hingen de schilderijen van Giotto die ze ooit had bestudeerd en waar ze Leslie over had verteld, en de dertiende- en zéstiende-eeuwse muren rond de stad, en de kathedraal. In Bologna wilde ze de gotische San Petronio-basiliek zien en de Pinacoteca Nazionale, als ze daar tijd voor hadden.

Ze waren van plan om in de namiddag in Florence aan te komen, waar ze allebei heel veel wilden zien. Het Uffizi Museum, het Palazzo Pitti, het Palazzo Vecchio en de Duomo. Ze konden met geen mogelijkheid alles bezichtigen. Toen ze 's ochtends uit Venetië vertrokken, was het een stralende dag. Leslies motoscafo bracht hen naar de reusachtige parkeerplaats waar hun huurauto stond te wachten. Leslie had een Maserati genomen, en hij grinnikte toen hij de krachtige motor startte en ze bulderend wegreden.

De route naar Padua en Bologna was schitterend, en vervolgens namen ze de autostrada naar Florence, waar Leslie een suite had gereserveerd in Hotel Excelsior. Coco stond erop dat ze eerst naar het Uffizi gingen, want ze popelde om het te zien. Ze was er jaren eerder met haar ouders geweest, maar Leslie had het museum nog nooit gezien. Coco opende een nieuwe wereld voor hem. Ze waren blij en ontspannen toen ze bij hun hotel kwamen.

Ze dineerden die avond in een door het hotel aanbevolen restaurant en wandelden daarna over het plein. Ze aten *gelato*, luisterden naar de straatmuzikanten en liepen terug naar het hotel. Het was weer een hele reeks andere wonderen dan Venetië. Coco zei dat ze het jammer vond dat ze niet ook naar Rome konden.

'Blijf tot ik klaar ben met de film,' zei Leslie plagerig. 'Dan kun je alles zien.' Coco wilde ook graag naar Perugia en Assisi, maar ze wisten allebei dat ze terug moest. Ze kon haar cliënten en haar bedrijf niet zomaar in de steek laten, en Erin kon maar twee weken voor haar invallen. Ze werden allebei verdrietig bij de gedachte dat ze elkaar pas weer zouden zien wanneer hij terugkwam naar Los Angeles. Het zou nog minstens een maand duren, en misschien wel twee, als Madison niet snel haar tekst leerde. Het werd steeds moeilijker om met haar samen te werken, en Leslie wilde niet dat ze de film zou verpesten. Ze had de regisseur beloofd het hele weekend op het script te studeren. Leslie hoopte dat ze zich eraan zou houden. Haar decolleté was niet voldoende om de film te dragen.

Coco en Leslie brachten ongestoord de nacht door in hun elegante suite. Net toen ze de volgende ochtend weg wilden gaan, schrokken ze van de bedrijfsleider van het hotel die bij hen aanklopte. Hij bood zijn verontschuldigingen aan en hij had geen idee hoe het kon, maar iemand had de pers verteld dat Leslie in het hotel verbleef. Er stond buiten een horde paparazzi op hen te wachten. De beveiliging had de fotografen uit de lobby kunnen houden, maar Coco en Leslie konden niet ontsnappen zonder belaagd te worden. Dat Leslie Baxter in de stad was, was groot nieuws. Toen Leslie het hoorde, keek hij Coco spijtig aan. Gelukkig had het hotel hun auto in de garage gezet.

De bedrijfsleider wist maar één oplossing: Coco en Leslie konden de dienstingang aan de achterkant van het hotel nemen. Als ze zich vermomden met zonnebrillen, een hoed of wat ze ook maar bij de hand hadden, konden ze zich misschien uit de voeten maken voordat de paparazzi hen in de gaten kregen. De bedrijfsleider maakte zijn verontschuldigingen met een diepe buiging, waar Leslie uit afleidde dat iemand uit het hotel de pers moest hebben getipt.

Een piccolo droeg hun tassen, en Coco zette een zonnebril op en deed een hoofddoek om. De paparazzi hadden het niet op haar gemunt, maar op Leslie, wisten ze allebei, maar als ze hem te pakken kregen, hadden ze haar ook. En als ze hier met hem werd gezien nadat ze ook al samen in Los Angeles waren betrapt, zou iedereen weten dat ze een serieuze relatie hadden. Leslie hoopte hun die drukte nog een tijdje te besparen. En als de paparazzi eenmaal wisten wie Coco was en waar ze vandaan kwam, zouden ze haar in Bolinas ook belegeren. Daar wilde Leslie haar niet aan blootstellen. Het was erg genoeg dat hij ermee moest leven, maar voorlopig wilde hij Coco tegen de pers beschermen.

Ze namen de lift naar het souterrain en vertrokken via de garage. Leslie droeg een zonnebril en een golfpetje dat de bedrijfsleider ergens voor hem had opgeduikeld. Ze stapten snel in de auto en reden door de achteruitgang weg, achter een vrachtwagen van een wasserij en een bestelbusje van een bloemist aan. Tegen de tijd dat de paparazzi erachter kwamen dat ze het hotel hadden verlaten, waren ze allang weg. Ze reden ongehinderd terug naar Venetië, trots dat ze de pers te slim af waren geweest.

'Goed gedaan,' zei Leslie, en hij glimlachte naar Coco. Dankzij de waarschuwing van de bedrijfsleider waren ze moeiteloos weggekomen, tot hun beider opluchting.

Ze waren vroeg genoeg terug in Venetië om de boot naar het Lido te nemen en iets te drinken in het Cipriani, een spectaculair hotel met een adembenemend uitzicht over Venetië. Daarna gingen ze terug naar het Gritti en aten samen in Leslies appartement. Het was een volmaakt weekend geweest. Coco was blij dat ze nog vijf dagen samen hadden. Ze vond het heerlijk om haar leven weer met hem te delen. Het waren gulden dagen voor hen beiden. Voordat ze naar bed gingen, belden ze Chloe, die vertelde wat ze allemaal op school beleefde. Ze had de prijs voor het mooiste halloweenkostuum gewonnen. Ze vroeg wanneer ze haar vader weer zou zien. Leslie beloofde Thanksgiving bij Chloe en haar moeder in New York te vieren als de film op tijd af was. Toen hij had opgehangen, keek hij schuldbewust naar Coco.

'Dat was stom van me, hè? Ik had eerst aan jou moeten vragen wat jij ging doen, maar ik ben gewend Thanksgiving met haar te vieren als het kan.' Coco wist dat Leslie zijn dochter al twee maanden niet had gezien en dat het nog drie weken zou duren voordat het zover was.

'Het geeft niet,' zei ze met een glimlach. 'Ik ga met Thanksgiving altijd naar mijn moeder. Meestal vieren we daar ook Kerstmis, maar dat doen we dit jaar bij Jane. Tegen die tijd is ze zo hoogzwanger dat ze niet meer kan reizen.' Het voelde vreemd om het te zeggen. Ze kon nog steeds niet bevatten dat Jane zwanger was en een kind kreeg.

'Ik kom meteen na Thanksgiving naar je toe,' beloofde Leslie. 'Hopelijk zijn we hier dan klaar. En we hebben even vrij tijdens de voorbereidingen in Los Angeles. We zouden ook een redelijke kerstvakantie moeten krijgen. Ik zal elke vrije minuut bij jou doorbrengen, dat beloof ik.' Coco leunde verzaligd in zijn armen.

Ze probeerden die week zo veel mogelijk samen te zijn. Coco keek uren naar hem op de set, en in haar vrije tijd ging ze terug naar de kerken die ze het mooist vond en ontdekte er nog een paar. Inmiddels kende ze de weg in Venetië als haar broekzak. Leslie was onder de indruk. Ze kende de stad veel beter dan hij, maar hij had dan ook zelden vrij, behalve 's avonds.

Op Coco's laatste dag dineerden ze in een grappig restaurantje in een achterafstraat. Ze werden erheen gebracht door een gondel, een andere dan ze eerder hadden gebruikt. Ze werden afgezet bij een van de eeuwenoude landingsplaatsen en liepen door een steeg naar het restaurant om de hoek. Na al haar omzwervingen door Venetië kon Coco het makkelijk vinden. Het restaurant zag er charmant uit. Het had een tuin, al was het te koud om buiten te zitten, en het eten was verrukkelijk, het beste wat ze tot nog toe hadden geproefd. Ze dronken er een fles chianti bij en voelden zich opgewekt toen ze weggingen, al vonden ze het allebei jammer dat Coco de volgende dag weg moest, maar met een beetje geluk zou Leslie een paar weken later naar huis komen. De opnames waren goed gegaan die week, beter dan de week ervoor. Madison had haar tekst kunnen onthouden. Het weekendje blokken had geholpen.

Leslie bleef voor het restaurant op straat staan en kuste Coco. Haar verblijf in Venetië was voor hen allebei perfect geweest, bijna als een droom die werkelijkheid werd. Nog beter, want dit was echt.

'Heb je enig idee hoeveel ik van je hou?' fluisterde hij voordat hij haar weer kuste.

'Bijna net zoveel als ik van jou,' antwoordde ze toen ze weer op adem was. Net toen ze naar hem glimlachte, zagen ze overal lichtflitsen. Het was alsof ze werden geduwd en voordat ze het goed en wel beseften, waren ze omringd door opdringerige, agressieve paparazzi die op de loer hadden gelegen en hen nu besprongen. Het was een hinderlaag. Iemand had de pers getipt, en dit was geen handjevol mensen, maar een hele meute. Het was nog een flink stuk lopen naar de boot. Leslie wilde Coco uit de menigte trekken en haar beschermen, maar hij had geen idee hoe. Hij wist niet eens welke kant hij op moest, en de gondel was hun enige ontsnappingsmogelijkheid. Ze werden door minstens dertig fotografen van de boot gescheiden.

Coco keek hem ontdaan en verward aan. Hij vroeg haar boven het tumult uit welke kant ze op moesten. Hij was de weg finaal kwijt en die halve fles wijn maakte het er niet beter op. 'Die kant!' riep Coco, en ze wees over de hoofden heen. De paparazzi verdrongen zich om hen heen met hun camera's. Een van de fotografen had een sigaret tussen zijn lippen, en hij stond zo dicht bij Coco dat ze as op haar jas kreeg. Leslie duwde hem achteruit.

'Kom op, jongens,' zei hij gedecideerd. 'Zo is het wel genoeg... *Basta!* ... Nee!' riep hij naar een fotograaf die aan hun jassen trok om hen tegen te houden. De hele massa leek zich als één enkel, kronkelend beest om te draaien en Leslie en Coco tegen een muur te drukken. Coco sloeg er hard tegenaan. Leslie begon in paniek te raken. Hij was vaker op die manier door de paparazzi aangevallen, vooral in Engeland, en er zouden onvermijdelijk slachtoffers vallen. Hij wilde niet dat er iets met Coco gebeurde, maar hij kon haar niet door de menigte loodsen. 'Nee!' riep hij plotseling. Hij duwde een paar fotografen hard aan de kant, pakte Coco bij haar arm en sleurde haar door de massa, die nog steeds foto's nam. Het leek een eeuwigheid te duren voordat ze bij de boot waren. De gondelier, die hen opwachtte, keek angstig. De drie motoscafi waarmee de paparazzi waren gekomen, wachtten ook, en opeens drong het tot Leslie door dat hij Britse, Franse en een paar Duitse stemmen in de massa hoorde. Een groep internationale paparazzi had de krachten gebundeld om hen te belagen. Samen stonden ze sterk. Coco en hij hadden geen schijn van kans. Hij vond het niet erg dat er foto's werden genomen, maar de horde was buiten zinnen geraakt, en dat was gevaarlijk.

Twee paparazzi sprongen voor hen uit in de gondel, die bijna omsloeg. De gondelier reageerde alsof het piraten waren en sloeg ze met zijn roeiriem, zodat ze allebei begeleid door verontwaardigde kreten in het water vielen. Leslie wist dat ze zich er niets van zouden hebben aangetrokken als Coco en hij in het water waren beland. Hij schermde Coco af met zijn lichaam, ze ging in elkaar gedoken op het bankje zitten en de gondelier voer af. De persmuskieten sprongen in hun motoscafi en probeerden de gondel af te snijden. De gondelier schold de bestuurders van de motoscafi uit, maar die haalden hun schouders op en maakten obscene gebaren. Ze kregen betaald om hun werk te doen, en wat er daarna gebeurde, was niet hun probleem. Ze wilden het niet weten.

'Gaat het?' riep Leslie over het rumoer van de paparazzi en de boten uit. De flitsen gingen door, en toen ze het Canal Grande bereikten, sloeg de gondel bijna om. Coco, die het gevoel had dat ze vermoord werden, zag er doodsbang uit. De gondelier en Leslie konden zich amper verdedigen. Leslie hoopte uit alle macht dat ze een politieboot zouden zien, maar er kwam er geen. Ze voeren zo snel als ze konden terug naar het Gritti, omringd door de paparazzi in hun motoscafi. De paparazzi waren eerder bij de aanlegplaats dan Coco en Leslie. Leslie drukte de gondelier driehonderd euro in handen en zette zich schrap om zo hard als hij kon naar het hotel te rennen. Het was niet ver, maar de uitzinnige fotografen zouden het hem niet makkelijk maken. Hij vroeg zich bijna af of het zou helpen als hij voor hen poseerde, maar daarvoor waren ze al te ver heen. De hysterische meute wilde bloed zien. Leslie wilde Coco zo snel mogelijk uit het gedrang bevrijden.

Hij stapte als eerste uit de gondel en wilde haar helpen uitstappen, maar er stond al een muur van fotografen tussen hen en het hotel, en Leslie wist dat hij erdoorheen zou moeten breken om haar in veiligheid te brengen. Net toen Coco uitstapte, pakte een fotograaf vanuit zijn boot haar enkel om haar staande te houden. Ze slaakte een kreet en viel achterover in de gondel, bijna in het water. Leslie zag het radeloos aan, stapte ook weer in de boot, tilde haar op en droeg haar naar het hotel. Zijn jaren als rugbyspeler kwamen hem nu goed van pas. Hij brak door de versperring van lichamen heen en rende het hotel in met de paparazzi op zijn hielen. De portier probeerde samen met een groep bewakers en piccolo's de horde tegen te houden, en er ontstond een gewoel van lichamen en vuisten in de lobby terwijl Leslie zich met Coco in zijn armen de trap op haastte, gevolgd door een bezorgd kijkende bewaker.

'Gaat het, meneer?' vroeg hij. Leslie keek naar Coco en zette haar behoedzaam neer. De bewaker liet hen de suite binnen. Ze waren allebei buiten adem en Coco beefde als een rietje. Ze hadden bloedspatten op hun kleren. Coco had zich gesneden toen de fotograaf haar enkel pakte en ze ruggelings in de gondel was getuimeld.

'Laat een arts komen!' zei Leslie gespannen, en de bewaker ging er meteen een halen. Voordat hij wegging, verzekerde hij hun dat er de hele nacht bewaking bij hun kamerdeur zou blijven, en hij zou een arts en de politie bellen. Hij bood zijn verontschuldigingen aan.

Leslie zette Coco voorzichtig op een stoel en rende naar de badkamer om een handdoek te pakken. Ze had een van pijn vertrokken gezicht en toen hij haar behoedzaam uit haar jas hielp, zag hij dat haar arm er vreemd bij bungelde. Hij zei het niet, maar hij wist zeker dat er iets gebroken was.

'O, god, schat... Het spijt me zo... Ik had nooit gedacht... We hadden ergens anders naartoe moeten gaan... of hier moeten blijven...' Hij was bijna in tranen, en Coco huilde. Hij nam haar in zijn armen en hield haar vast. Ze beefde hevig en zei niets. Hij zag aan haar gezicht dat ze in shock was. Terwijl ze snikte, wiegde hij haar en zei dat hij van haar hield. Toen de arts kwam, vertelde Leslie hem wat er was gebeurd, en de arts onderzocht haar zo voorzichtig mogelijk. Op haar rug ontstond al een lelijke blauwe plek doordat ze bij het restaurant tegen de muur was geslagen. Er moesten zeven hechtingen in de snee in haar hand en ze had een gebroken pols. Toen de arts het aan Leslie vertelde, werd hij misselijk.

De arts gaf Coco een verdoving in haar hand voordat hij de wond hechtte, een kalmerende injectie en een tetanusinjectie. Ze was versuft tegen de tijd dat de orthopedisch chirurg kwam om haar pols te zetten. De medici durfden haar niet in het ziekenhuis op te nemen, want onderweg zou de meute haar weer kunnen belagen. De orthopedist zei dat hij buiten paparazzi op de loer had zien liggen, al was er niemand binnen; de bewaking had ze eruit gegooid. Coco's hand en pols zouden nog een paar dagen pijnlijk blijven, zeiden de artsen, maar ze mocht reizen. Leslie wilde haar meteen weg hebben, want hij was bang dat de paparazzi iemand zouden omkopen om hen in hun hotelkamer te laten. De jacht was geopend. De haaien hadden het bloed in het water geroken en zouden hen niet meer met rust laten. De Venetiaanse idylle was geëindigd in een ramp. Het was tijd dat Coco naar huis ging.

Leslie bleef de hele nacht wakker. Hij keek naar Coco en streelde haar wang en haar terwijl ze sliep. Hij legde een kussen onder haar arm en ze werd een paar keer wakker als hij een ijskompres op haar hand legde, maar de kalmerende middelen werkten en ze was te versuft om meer te kunnen zeggen dan dat ze van hem hield en hem te bedanken voordat ze weer indutte. Om zes uur 's ochtends was ze eindelijk wakker genoeg om met hem te kunnen praten, en toen barstte ze weer in huilen uit.

'Ik was zo bang,' zei ze terwijl ze hem panisch aankeek. 'Ik dacht dat ze ons wilden vermoorden.'

'Ik ook,' zei hij triest. 'Zo gaat het soms. Ze jutten elkaar op.' Hij had zich nog nooit zo machteloos gevoeld. Hij had een laatste romantisch gondeltochtje voor haar gewild, en ze waren volkomen onbeschermd geweest. Ze hadden geen kant op gekund. 'Het spijt me vreselijk, Coco. Dit heb ik nooit gewild. Iemand hier in het hotel of in het restaurant moet de paparazzi hebben getipt. Daar krijgen ze geld voor, en je weet nooit wie je verraadt. Die arme gondelier wist niet wat hem overkwam.' Hij had een enorme fooi gekregen voor de ervaring, maar Leslie betwijfelde of de man het de moeite waard had gevonden. Hij was ook doodsbang geweest, al was zijn fooi waarschijnlijk groter geweest dan die van de verlinker die hen aan de paparazzi had uitgeleverd.

'Wat is er met mijn pols?' vroeg Coco, die zich niet meer herinnerde dat de orthopedisch chirurg hem de vorige avond had gezet, zo verdoofd was ze geweest.

'Hij is gebroken,' zei Leslie schor. Hij had donkere kringen onder zijn ogen en stoppels op zijn gezicht. 'Ze zeiden dat je ernaar moest laten kijken als je weer thuis was. Ze durfden je gisteren niet in het ziekenhuis op te nemen uit angst dat het weer zou gebeuren. En je hebt zeven hechtingen in je hand,' zei hij gepijnigd. 'Je hebt een tetanusinjectie gekregen. Ik wist niet of je was ingeënt.' Hij had heel goed voor haar gezorgd, maar hij had haar niet kunnen beschermen tegen de nachtmerrie van de paparazzi, en daar had hij bittere spijt van. Het was precies dat aspect van zijn leven waar ze bang voor was, en de enige reden waarom ze aarzelde haar leven met hem te delen. Hij had voor dat leven getekend toen hij acteur werd. Zij had haar uiterste best gedaan om het te ontvluchten.

'Dank je,' zei ze zacht. Toen keek ze hem wanhopig aan. 'Hoe kun je zo leven?' Ze was doodsbang geweest.

'Ik heb geen keus. Zelfs al hield ik op met werken, dan zouden ze me nog blijven achtervolgen. Het is een nadeel van mijn werk.' In haar ogen was het bijna onoverkomelijk.

'Hoe moet het als we kinderen krijgen? Stel dat ze die zo belagen?' Alles wat ze dacht, was in haar ogen te zien. Leslie zag haar naakte angst, en hij kon het haar niet kwalijk nemen. Het was een verschrikkelijke avond geweest, een van de ergste die hij had meegemaakt, en hij vond het vreselijk dat zij erbij was geweest, en dat zij degene was die gewond was geraakt. Hij voelde zich een monster omdat hij haar in een situatie had gebracht waarin dit had kunnen gebeuren.

'Ik ben altijd heel voorzichtig met Chloe,' zei hij zacht. Maar hij was ook voorzichtig geweest met haar. Het was stomme pech dat het zo uit de hand was gelopen, en dat ze zo kwetsbaar waren geweest. 'Ik neem Chloe nooit mee naar openbare gelegenheden,' legde hij uit. Dit was alleen maar een etentje geweest in een klein restaurant in een achterafstraat van Venetië. Ze wisten allebei dat het overal kon gebeuren. 'Het spijt me, Coco. Echt waar. Ik weet niet wat ik verder nog kan zeggen.' Ze knikte en bleef een tijdje zwijgend in bed liggen. Het enige waaraan ze kon denken, was het moment dat een van de mannen een ruk aan haar enkel had gegeven en dat ze in de gondel was gevallen en had geprobeerd haar val te breken. Ze wist dat het haar altijd bij zou blijven.

'Ik hou van je. Echt,' zei ze verdrietig. 'Ik hou van alles aan jou. Je bent de liefste, vriendelijkste man van de wereld, maar ik denk niet dat ik zo zou kunnen leven. Ik zou nergens naartoe durven en ik zou me dodelijk ongerust maken om onze kinderen en om jou.'

'Het was een gruwelijke kennismaking,' gaf hij spijtig toe. Als ze ooit een bevestiging had gewild van haar angsten, had ze die de vorige avond gekregen.

Ze barstte weer in tranen uit en hij nam haar in zijn armen. 'Ik hou zielsveel van je, maar ik ben bang,' snikte ze gekweld. Ze bleef die vreselijke, doorgedraaide mannen maar voor zich zien.

'Ik weet het, schatje, ik weet het,' zei hij sussend. 'Ik begrijp het.' Hij wilde het niet, maar het was zo. En hij wilde tegen haar zeggen dat ze niet bang hoefde te zijn, maar dat zou niet eerlijk zijn ten opzichte van haar. Ze was heel moedig geweest, maar het was veel gevraagd. Met de paparazzi omgaan, en het overleven, was een deel van zijn leven, maar het hoefde geen deel van het hare te zijn. Zij kon kiezen, hij niet. En hij kon alleen maar bidden dat ze toch voor een leven met hem zou kiezen wanneer ze was gekalmeerd en hersteld.

'Laten we je eerst maar eens veilig op het vliegtuig naar Parijs zetten. We kunnen er nog eens over praten wanneer ik weer thuis ben.' Hij wilde niet dat ze definitieve beslissingen over hem nam nu ze nog zo van streek was, want hij was bang dat ze hun relatie dan zou verbreken. Misschien zou ze dat uiteindelijk toch wel doen.

Hij belde de regisseur, vertelde hem wat er de vorige avond was gebeurd en vroeg of ze die dag scènes zonder hem konden opnemen. De regisseur betuigde zijn medeleven en vroeg of hij iets kon doen. Leslie vroeg hem een van de kapsters te sturen met een verzameling pruiken in alle kleuren, behalve die van Coco's eigen haar. Daarna belde hij de bedrijfsleider van het hotel en vroeg of Coco door een stel bewakers naar de mótoscafo gebracht kon worden, of desnoods door de politie. De bedrijfsleider dacht dat zijn eigen mensen wel voldoende waren.

Hij hielp Coco onder de douche. Het gips mocht wel nat worden, maar niet doorweekt raken. Hij hield haar in zijn armen om te zorgen dat ze niet kon struikelen, uitglijden of flauwvallen. Toen hielp hij haar zich aan te kleden. Hij had al besloten niet samen met haar het hotel uit te lopen, want hij wilde niets doen wat de aandacht op haar kon vestigen. De paparazzi zouden Coco nu herkennen, maar ze zouden toch vooral naar hem uitkijken, of proberen foto's van hen samen te maken. Dat wilde hij niet uitlokken, dus zou hij in het hotel afscheid van haar nemen en haar alleen met de bewakers uit het Gritti laten vertrekken. Het was een triest besluit van hun tijd samen, en terwijl hij haar in haar kleren hielp, vroeg hij zich onwillekeurig af of hij haar ooit nog zou zien. Ze had de vorige avond haar koffers gepakt, dus ze hoefde alleen nog maar haar spijkerbroek, een trui en haar schapenleren jas aan te trekken.

Net toen Coco zich had aangekleed, kwam de kapster. Coco ging aan de toilettafel zitten en Leslie zag haar ogen in de spiegel. Hij zag dat ze nog steeds in shock was.

De kapster had een paar lange blonde pruiken gebracht en een korte zwarte met een stijlvolle coupe die wijd genoeg zat om al Coco's koperrode haar onder te verbergen. De kapster stak het voor haar op, trok er een kousmutsje overheen, net als voor de film, en zette de pruik op haar hoofd. Het was een schok om haar met zwart haar te zien, en Leslie kon een glimlach niet onderdrukken. Ze zag er ongelooflijk uit, en totaal anders, zoals hij wilde. Ze was onherkenbaar met de zwarte pruik op.

'Je lijkt op een piepjonge Elizabeth Taylor.' Coco knikte alleen maar. Het kon haar niet schelen hoe ze eruitzag. Het brak haar hart dat ze afscheid van hem moest nemen, en ze haatte wat ze over zijn leven had ontdekt. Ze hadden de geruchten in de roddelpers en de zogenaamde verhouding met zijn tegenspeelster overleefd, maar het was veel moeilijker om de nachtmerrie van de vorige avond te vergeten.

Leslie bedankte de kapster toen ze wegging en keek naar Coco. 'Wat kan ik zeggen? Ik hou van je, Coco, maar ik wil je

leven niet kapotmaken. Ik weet hoe je dit allemaal veraf-
schuwt.'

Ze glimlachte triest naar hem. 'We moeten het maar stap voor
stap doen,' herhaalde ze zijn eigen woorden, en hij glimlachte.

'Ik wou dat ik met je mee kon. Alsjeblieft, laat me nu niet in
de steek. We lossen dit samen op.' Hij wist dat ze alle reden
had om hun relatie te verbreken en hij zou het haar niet kwalijk nemen als ze het deed, maar hij hoopte uit alle macht dat
ze het niet zou doen. Hij had haar ticket voor de terugreis laten opwaarderen naar de eerste klas, bij wijze van cadeautje.
Hij wilde dat ze een gerieflijke terugreis had, en het had hem
verbaasd dat ze op de heenreis tweede klas had gevlogen. Nu
kon ze in elk geval de hele weg naar huis slapen. Hij vond het
wel het minste wat hij voor haar kon doen.

'Ik weet alleen dat ik van je hou. Over de rest moet ik nadenken,' zei Coco verdrietig, en hij knikte in het besef dat ze
hem voorlopig niets kon beloven. Ze was nog van streek en
hij wist dat haar arm pijn moest doen. Het was een beangstigende ervaring voor hen beiden geweest, vooral voor haar. Zij
was degene die gewond was geraakt. De gedachte maakte hem
misselijk.

Er werd op de deur geklopt. De bewakers stonden klaar. Het
waren vier grote, potige mannen, en er was een piccolo om
Coco's koffers te dragen. Hij bracht ze naar de motorboot die
bij de dienstingang wachtte. Coco nam de achteruitgang, net
als in Florence. Leslie moest dat vaak doen.

Hij nam haar in zijn armen, hield haar vast en zei niets. Hij
wilde alleen haar warmte aan zijn borst voelen en elk klein detail van haar gezicht in zijn geheugen prenten. 'Als je maar
weet dat ik van je hou. Wat er ook gebeurt, ik begrijp het.'
Hij was bang dat hij haar kwijt was. Hij las het in haar ogen
toen ze hem aankeek en knikte.

'Ik hou ook van jou.' Ze voegde er onbeholpen aan toe: 'Ik zal

Venetië nooit vergeten… Ik weet dat het bespottelijk klinkt, na gisteravond, maar ik ben nog nooit van mijn leven zo gelukkig geweest. Het was volmaakt, tot gisteravond.'

'Hou dat vast,' zei hij. Ondanks zijn angsten durfde hij weer hoop te voelen. 'Pas goed op je pols en vergeet niet ernaar te laten kijken als je weer thuis bent.' Ze knikte en drukte een vlinderlichte kus op zijn lippen.

'Ik hou van je,' zei ze nog een laatste keer, en toen liep ze zijn suite uit en sloot de deur achter zich. Leslie voelde zich alsof iemand zijn hart uit zijn lijf had gescheurd en het in stukken had gebroken.

HOOFDSTUK 17

*C*oco voelde zich de hele vlucht terug naar San Francisco verdoofd en verdwaasd. Ze overwoog Leslie tijdens de tussenstop in Parijs te bellen, maar ze wist dat hij al op de set was, aan het werk, dus zag ze ervan af. Er leek geen eind te komen aan de vlucht naar San Francisco. Haar pols deed pijn en ze had hoofdpijn van de vorige avond. Haar hele lichaam voelde beurs. De bloeduitstorting op haar rug was gevoelig en ze wilde alleen maar slapen. Ze wilde nergens aan denken en met niemand praten. Telkens als ze in slaap viel, had ze nachtmerries. Niet alleen over de paparazzi, maar ook over Leslie. Ze wist dat ze haar leven niet met hem kon delen. Het was te beangstigend en overweldigend. Ze schrok twee keer in tranen wakker. Het voelde alsof ze niet alleen de man van wie ze hield kwijt was, maar ook haar dromen. Het was een verschrikkelijk gevoel.

Ze kwam om twee uur 's middags in San Francisco aan. In Venetië was het elf uur 's avonds, maar haar mobieltje was leeg en ze belde hem niet.

Ze liet zich door een kruier door de douane helpen en liep bijna blindelings de aankomsthal in. Ze zou een taxi naar Bolinas nemen, want ze was te afgemat om de bus te nemen. Toen ze op de stoep naar een taxi stond uit te kijken, zag ze Liz opeens naar haar toe rennen. Haar vlucht was vroeg aangekomen en het was niet in haar opgekomen dat Liz er voor haar zou zijn. Coco was nog te verdwaasd om te kunnen denken.

'Hallo. Waar ga je heen?' Coco keek wezenloos naar Liz, die haar bezorgd opnam.

'Leslie heeft me gebeld. Hij heeft me verteld wat er is gebeurd. Ik vind het heel erg, Coco.'

'Ja, ik ook,' zei Coco. De tranen sprongen haar in de ogen. 'Jane had gelijk. Het is gewoon te beangstigend.'

'Dat zouden de meeste mensen vinden,' zei Liz meelevend. 'Leslie begrijpt het wel. Hij houdt van je en hij wil je leven niet verpesten.' Liz zei er niet bij dat Leslie had gehuild toen hij opbelde. Hij was als de dood dat hij Coco voorgoed kwijt was, en Liz zag in Coco's ogen dat het waar zou kunnen zijn.

'Waarom moest dit gebeuren?' zei Coco verdrietig. 'Alles was zo volmaakt. We hadden het heerlijk samen. Ik was nog nooit zo gelukkig geweest, en hij is zo'n goed mens.'

'Ik weet het, maar dit hoort ook bij zijn leven. Misschien is het goed dat je het hebt gezien. Nu weet je wat je te wachten staat.' Het zou Coco helpen de juiste beslissing te nemen, eentje waarmee ze kon leven.

'Wat een verschrikkelijk bestaan,' zei Coco, die dacht aan het moment waarop ze in de boot was gevallen. Ze kon het niet van zich af zetten en was er diep door geschokt.

Coco ging op een bank zitten terwijl Liz de auto ging halen. Een kruier laadde haar bagage voor haar in. Coco zag er nog steeds verdwaasd uit. 'Wat zei Jane?' vroeg Coco mismoedig toen ze wegreden.

Liz keek even opzij voordat ze haar blik weer op de weg richtte. 'Ik heb het haar niet verteld. Je mag zelf beslissen wat je wilt zeggen. Ze hoeft er niets van te weten als jij het niet wilt.' Coco knikte, dankbaar voor Liz' goedheid en discretie. 'Dat je bang bent voor de paparazzi, maakt je nog geen slecht mens. Ieder normaal mens zou gruwen van zo'n leven. Leslie zelf vast ook. Het is hem gewoon overkomen. Hij heeft er weinig over te zeggen.' Coco knikte. Ze wist dat het waar was.

'Het is een afschuwelijke reden om te breken met degene van wie je houdt,' zei Coco schuldbewust. Ze hield van hem, maar ze haatte alles wat bij zijn succes en zijn leven hoorde. Ze wilde niet de rest van haar leven onderduiken, vluchten en met een pruik op door achterdeuren glippen. Het was een ellendig bestaan. En de razernij in de ogen van de paparazzi de avond tevoren was het griezeligste wat ze ooit had gezien. 'Ik was bang dat ze ons zouden vermoorden,' zei ze, en ze begon weer te huilen. Liz begreep dat Coco was getraumatiseerd door het gebeurde. 'Leslie ook. Hij vindt het vreselijk.'

'Ik weet het,' zei Coco zacht. 'Hij is heel lief voor me geweest, erna.'

'Trouwens, we gaan eerst naar de dokter.'

'Ik wil niet. Ik wil alleen maar naar huis,' zei Coco uitgeput.

'Het moet, zei Leslie. Ze hebben je pols gezet zonder röntgenfoto's te maken, want ze durfden je niet naar het ziekenhuis te brengen omdat de paparazzi nog buiten stonden. Je moet je pols dus laten nakijken.' Coco knikte. Ze was te moe en te overstuur om zich te verzetten. Liz had een afspraak gemaakt bij een orthopedist in Laurel Village die ze kende.

De orthopedist bevestigde dat de pols gebroken was en zei dat ze hem keurig hadden gezet. Hij verving het gips en een uur later waren ze op weg naar het strand.

'Je hoeft me niet naar huis te brengen,' zei Coco zielig. Liz glimlachte naar haar.

'Ik zou je ook kunnen laten lopen, of liften, maar wat maakt het uit? Het is een mooie dag. Het strand zal me goeddoen.' Voor het eerst in uren kon er een glimlachje af bij Coco.

'Dank je wel dat je zo aardig voor me bent,' zei ze zacht. Toen schoot het haar te binnen. 'Hoe is het met de baby?'

'Die groeit als kool. Jane ziet er fantastisch uit, maar zo te zien wordt het een groot kind.' Jane was zes maanden zwanger, maar Coco had geen haast om haar te zien. Jane zou onmiddellijk zien dat er iets ergs was gebeurd, en Coco voelde zich niet in staat een discussie met haar aan te gaan. Ze wilde alleen met Liz praten, die meer leek op de grote zus die ze had willen hebben, maar nooit had gekregen.

Coco viel in de auto in slaap, en Liz maakte haar voorzichtig wakker toen ze bij haar huis waren. Coco schrok op, keek verward om zich heen en wierp toen een droevige blik op haar huis. Ze wilde weer bij Leslie in Venetië zijn, en ze had een andere afloop gewild. Voor het eerst wilde ze niet in Bolinas zijn. Ze was bang dat ze niet bij Leslie kon blijven. Het was een verschrikkelijke situatie voor haar.

'Kom, ik breng je naar binnen.' Liz pakte de bagage en Coco maakte de deur open. Ze hadden Sallie niet opgehaald, maar Liz zei dat ze nog wel een paar dagen voor haar wilde zorgen. Coco had het zwaar genoeg met haar pols. Liz had alleen tegen Jane gezegd dat Coco bij een ongelukje in Italië haar pols had gebroken.

'Dank je wel dat je me hebt afgehaald,' zei Coco toen ze Liz ten afscheid omhelsde. 'Ik was er niet best aan toe. Nog niet, denk ik.'

'Probeer wat te slapen. Morgen voel je je vast beter. En probeer niet het nu allemaal te overdenken. Het antwoord komt vanzelf.' Coco knikte en Liz ging weg.

Coco liep naar haar slaapkamer en trok haar oude, verschoten nachtpon aan. Het was vijf uur in Bolinas en twee uur 's nachts in Venetië. Ze wilde alleen nog maar slapen. Ze wilde niet eens iets eten. Het was te laat om Leslie te bellen, maar daar had ze ook geen behoefte aan. Ze wist niet wat ze tegen hem moest zeggen. Misschien heeft Liz gelijk, dacht ze toen ze onder de dekens kroop. Ze kon er later wel over nadenken. Ze wilde nu alleen maar proberen te vergeten wat er was gebeurd en slapen.

HOOFDSTUK 18

$\mathcal{L}$eslie belde Coco de volgende dag op om te vragen hoe het met haar was en hoe het met haar pols ging. Hij vertelde het haar niet, maar hij had Liz gebeld nadat Coco was teruggekomen, toen het bij hem vier uur 's nachts was. Liz had hem verteld dat ze bij de dokter waren geweest en dat Coco nieuw gips had gekregen. Coco zag er verdwaasd en beurs uit, zei ze, maar het ging wel goed met haar. Ze raadde hem aan de zaak te laten betijen en even af te wachten, maar hij wilde Coco laten weten dat hij aan haar dacht, dus belde hij haar vanuit zijn trailer op de set. Hij zei dat hij haar ontzettend miste en bood weer zijn excuses aan voor wat er was gebeurd.

'Het is niet jouw schuld,' probeerde Coco hem gerust te stellen, maar haar stem klonk anders, alsof ze al afstand van hem had genomen. 'Hoe gaat het met de film?' vroeg ze om van onderwerp te veranderen. Ze voelde zich nog moe van de vlucht, maar was toch opgestaan. Erin kon die dag niet voor haar invallen en ze wilde haar cliënten niet teleurstellen. De dokter had gezegd dat ze wel kon werken als ze zich ertoe in staat voelde, maar dat hij het haar niet aanraadde.

'Vandaag ging het best goed. Gisteren verhaspelde Madison

telkens haar tekst, maar ik ook, dus we waren aan elkaar gewaagd.' Sinds Coco weg was, kon hij niet helder meer denken. Zijn hart en geest waren samen met haar verdwenen. 'Ik hoop nog steeds dat we voor Thanksgiving klaar zijn.' Tegen die tijd zaten ze zeven weken in Italië. Daarna wilde hij naar Coco toe, maar dat durfde hij niet te zeggen. Hij hoorde dat ze nog van slag was, net als hij. In alle Europese bladen stonden foto's van hen beiden. Hij zag eruit als een krankzinnige, zoals hij probeerde haar te beschermen, en zij had grote angstogen. Er was zelfs een foto van haar waarop ze in de boot viel. Hij kon er bijna niet naar kijken, en door de foto's miste hij haar nog erger. Door het praten ook. 'Probeer het een paar dagen kalm aan te doen. Je hebt een flinke opdonder gekregen.' Hij verwachtte dat ze nog een tijdje aangeslagen zou blijven, en dat ze last zou krijgen van posttraumatische stress.

'Ik voel me goed,' zei ze als een robot. Zij vond het ook hartverscheurend om met hem te praten. Na de tijd in Italië hield ze meer van hem dan ooit, maar de aanval door de paparazzi had haar ervan overtuigd dat ze niet sterk genoeg was om daarmee om te gaan. Het was geen leven voor haar. 'Ik ben op weg naar mijn werk,' zei ze terwijl ze over de brug reed. Hun tijd in Venetië leek een eeuwigheid geleden, en dat gevoel had hij ook.

'Bel me maar als je met me wilt praten,' zei hij triest. 'Ik wil je niet onder druk zetten, Coco.' Hij wilde haar een adempauze gunnen. Liz had gezegd dat het een goed idee was. Coco had een ernstig trauma opgelopen.

'Dank je,' zei ze. Ze nam de afslag naar Pacific Heights. Waren ze nog maar bij Jane thuis, zoals in het begin, in plaats van bij het eind. 'Ik hou van je,' fluisterde ze, maar ze zag geen oplossing meer, tenzij zij bereid was net zo'n krankzinnig leven te leiden als hij, en dat was ze niet. Ze kon het alleen niet opbrengen het tegen hem te zeggen. Hij wist het.

'Ik hou ook van jou,' zei Leslie alleen maar.

Ze haalde Sallie op voordat ze de andere honden oppikte. Jane deed de deur open en zei dat ze het erg vond van haar pols. Coco glimlachte toen ze Jane zag, die gigantisch was.

'Je wordt dikker,' merkte ze op, en Jane wreef over haar ronde buik. Ze had een legging en een trui aan en zag er mooier uit dan ooit. Haar gezicht leek op de een of andere manier zachter.

'Nog drie maanden,' zei Jane zorgelijk. 'Ongelooflijk.' Inmiddels waren Liz en zij in Los Angeles bezig met de postproductie van de film. Liz had gezegd dat ze voor Thanksgiving klaar zouden zijn, en dat was maar goed ook. Jane zou twee maanden de tijd hebben om het rustig aan te doen en zich voor te bereiden op het moederschap. 'Gaan Leslie en jij met Thanksgiving naar mam?' vroeg ze langs haar neus weg. Coco schudde haar hoofd.

'Ik wel, maar Leslie gaat naar zijn dochter in New York.' Coco wilde er niet op ingaan en veranderde snel van onderwerp. 'Hoe vond je Gabriel, trouwens?' Ze herinnerde zich dat Jane hem in Los Angeles zou zien en ze had haar daarna niet meer gesproken. Jane lachte om de vraag.

'Jong. Jemig, wat is hij jong. En mam ziet eruit alsof ze zich zestien voelt. Het is op zijn zachtst gezegd om de zenuwen van te krijgen. Het is wel een fatsoenlijke vent, geloof ik. Ik weet niet wat hij met een vrouw van die leeftijd wil. Het kan niet eeuwig duren, maar ze heeft het nu in elk geval leuk.' Coco vond het verbijsterend dat Jane zich er niet meer druk om maakte. Ze had verwacht dat ze de relatie zou willen verwoesten, maar het leek haar niets meer te kunnen schelen. 'Als ze maar gelukkig zijn. We zullen allemaal wel onze bevliegingen hebben, en iedereen heeft het recht over zijn eigen leven te beslissen, wat anderen er ook van vinden. Hoe was het eigenlijk in Italië?' De vraag bezorgde Coco de rillingen, maar ze had zich erop voorbereid.

'Fantastisch,' zei ze met een brede glimlach. Ze hoopte maar dat haar alziende zus er niet doorheen keek. 'Behalve mijn pols dan.'

'Dat is balen, maar het is gelukkig je linkerpols.' Jane zei niets over Leslie, en toen Coco een paar minuten later met Sallie naar haar busje liep, vroeg ze zich af of Jane zich ook niet meer druk maakte om hem. Tijdens hun hele gesprek had Jane over haar buik gewreven, zoals zwangere vrouwen doen. Coco vroeg zich af of er iets was veranderd. Liz en Jane zouden tot Thanksgiving in Los Angeles blijven, en Coco hoopte tegen die tijd niet meer het gevoel te hebben dat haar leven was afgelopen. Ze had Ians dood verwerkt, en ze had het overleefd. Ze kon het nu weer, na Leslie, en ze wist dat ze het deze keer ook zou overleven.

Ze haalde eerst de grote honden op en toen die in Cow Hollow. Ze volgde haar gebruikelijke route en deed wat ze moest doen. Ze deed alles op de automatische piloot en elke middag ging ze na haar werk terug naar Bolinas, maar vanbinnen voelde ze zich dood. De eerste drie weken belde Leslie haar niet, en zij hem evenmin. Hij wilde haar niet onder druk zetten, en ze probeerde over hem heen te komen en de beste manier om dat te doen, wist ze, was helemaal niet met hem praten. Ze wilde niet weer van voren af aan verliefd op hem worden bij het horen van zijn stem, en ze wist dat dat zou gebeuren. En dan begon alles weer opnieuw. Ze kon het niet. Het was te beangstigend.

Coco sprak geen mens tot ze met Thanksgiving naar Los Angeles ging, drie weken na Venetië. Ze bracht Sallie naar Erin, en ze zou maar twee dagen weggaan. Liz had haar uitgenodigd in hun huurhuis te logeren, en Gabriel zou met Thanksgiving mee-eten. Het zou de eerste keer zijn dat ze hem ontmoette, al had ze die avond in de tuin van het Bel-Air een glimp van hem opgevangen toen ze hem met haar moeder samen zag. Liz haalde haar op het vliegveld in Los Angeles af en bracht haar naar hun huis, waar Jane wachtte. Het was de avond voor

Thanksgiving en ze zouden met zijn drieën thuis eten. Liz vroeg niet naar Leslie en Coco begon niet over hem. Ze vroeg zich af of hij Thanksgiving bij Chloe en haar moeder in New York vierde. Hij had haar niet gebeld, dus ze had geen idee of hij al uit Venetië weg was. Het leek haar het beste alles maar zo te laten, om afstand te scheppen. Die laatste avond in Venetië was beslissend geweest, en ze bleef bij haar besluit. Hij maakte het uit haar zwijgen op, en ze wist dat hij het begreep. Ze hielden nog steeds van elkaar, maar ze wist nu heel zeker dat ze nooit samen zouden kunnen zijn.

Toen Liz en Coco binnenkwamen, lag Jane languit op de bank. Ze wuifde naar Coco. Ze was net een strandbal met armen, benen en een hoofd, en Coco liep glimlachend naar haar toe om haar een zoen te geven.

'Allemachtig, je bent enorm!' Janes buik leek de afgelopen drie weken twee keer zo groot te zijn geworden.

'Als dat als compliment bedoeld is, dank je wel.' Jane grinnikte. 'En anders kun je de pot op. Probeer zelf maar eens met zo'n buik te lopen.' Coco kromp in elkaar. Ze had het idee van trouwen en kinderen krijgen achter zich gelaten, en door Janes woorden moest ze meteen aan Leslie denken. 'Ik moet er niet aan denken hoe groot dat kind over twee maanden is. Ik doe het in mijn broek van angst.'

Tijdens het eten praatten en lachten ze. Liz en Jane waren klaar met de film, en de volgende week zouden ze definitief teruggaan naar San Francisco. Halverwege het eten en een fles goede wijn vroeg Jane opeens aan Coco hoe het met Leslie was. Het was haar plotseling opgevallen dat Coco nog niets over hem had gezegd.

'Goed, denk ik,' zei Coco, die probeerde zich schrap te zetten voor wat komen zou. Ze wierp een snelle blik op Liz, die kennelijk niets had gezegd, waar Coco dankbaar voor was. Ze had de afgelopen drie weken nodig gehad om tot zichzelf te komen voordat ze het aan Jane vertelde.

Jane fronste haar voorhoofd. 'Zit het wel goed tussen jullie?' vroeg ze.

'Nee, eigenlijk niet,' zei Coco zacht. 'Het is uit. Je had gelijk. We hebben een paar kleine aanvaringen gehad met de paparazzi, en op mijn laatste avond in Venetië hebben ze ons belaagd. Zoals je had voorspeld,' zei ze laconiek. 'Ik stortte finaal in. Ze maakten me doodsbang. Het kwam me op zeven hechtingen en een gebroken pols te staan, en dat vond ik genoeg. Zo kan ik niet leven. Dus hier ben ik dan, weer alleen. In mijn uppie.' Het bleef lang stil na die korte toespraak, en Coco verwachtte een spervuur van opmerkingen als 'had ik het niet gezegd' van Jane, maar in plaats daarvan leunde die naar haar over en legde haar hand op het gips. De hechtingen waren al uit haar hand, en de wond was geheeld. Er zat alleen nog maar een littekentje, wat niets was in vergelijking met de toestand van haar hart, dat voelde alsof het in duizend stukken was gebroken.

'Hebben de paparazzi je pols gebroken?' zei Jane ongelovig. Haar gezicht stond meelevend en verbijsterd tegelijk.

'Niet opzettelijk. Ik stapte bij het Gritti uit een gondel, en een van de fotografen pakte mijn enkel en probeerde me terug te trekken, waardoor ik achterover in de boot viel, en toen ik probeerde mijn val te breken, brak ik mijn pols en verwondde mijn hand. Daarvoor hadden ze ons belaagd toen we uit een restaurant kwamen en me met mijn rug tegen een muur gesmeten. Toen we de gondel eindelijk hadden bereikt, sprongen zij er ook in en sloeg de boot bijna om. Het waren er een stuk of dertig en ze volgden ons met drie motoscafi, en toen we uit de gondel wilden stappen, probeerden ze ons tegen te houden. Het was akelig.'

'Maak je een grapje?' zei Jane verbluft. 'Wat ik bedoelde, was dat ze je overal zouden volgen en inbreuk zouden maken op je privacy, en jij bent zo op jezelf dat ik wist dat je het vreselijk zou vinden. Ik bedoelde niet dat ze je in elkaar zouden slaan, je tegen muren zouden smijten, je uit boten zouden willen gooien, je snijden en je botten breken. Waar was Leslie al die tijd?' Jane wilde weten of Leslie haar voor de wolven had gegooid, want in dat geval zou ze hem opbellen en hem de wind van voren geven.

'Hij was erbij. Hij heeft zijn best gedaan, maar we konden allebei maar weinig beginnen. We waren in een achterafstraat in Venetië, en eerst konden we niet eens bij de gondel komen. Zij waren met een man of dertig, en wij maar met zijn tweeën. Het ging er ruig aan toe.'

'God, als dat mij was overkomen, was ik ook ingestort. Heb je het toen uitgemaakt?'

'Min of meer. Hij weet hoe ik erover denk. Zo wil ik niet leven.' Ze probeerde het nuchter te zeggen, maar er klonk een hapering in haar stem die haar zus begreep, evenals Liz. Ze hield nog van hem, maar ze had haar besluit genomen en was vast van plan erbij te blijven, hoe moeilijk het ook was. Ze dacht dat bij hem blijven en zo'n leven leiden nog erger zou zijn, maar ze vond het verschrikkelijk dat ze hem kwijt was. Leslie opgeven was het moeilijkste wat ze ooit had gedaan.

'Niemand zou zo willen leven. Wat zal hij het erg hebben gevonden.' Jane was ontdaan door alles wat ze had gehoord, en de blik in Coco's ogen brak haar hart. Ze leunde naar Coco over om haar een zoen te geven.

'Ja. Daarna heeft hij fantastisch voor me gezorgd. Toen ik in de boot was gevallen, tilde hij me gewoon op en droeg me door de menigte heen. Ik ben de volgende ochtend vertrokken via de dienstingang, met een zwarte pruik op en vier bewakers om me heen.'

'God, wat vreselijk. Ik heb in de loop der jaren wel eens iets over zulke aanvallen gehoord, maar niet vaak. Meestal blijft het bij opdringerig duwen en trekken. Het verbaast me dat Leslie niemand heeft vermoord.'

'Hij was te ongerust om mij. Ik bloedde als een rund.'

'Waarom heb je me dat niet verteld zodra je terug was?' vroeg Jane bezorgd. Ze keek even naar Liz, die niets zei.

'Ik was te overstuur.' Coco zuchtte en keek haar zus recht in de ogen. 'En ik was bang voor je reactie. Je had me van tevoren gewaarschuwd, en je had gelijk.'

'Nee, niet waar,' zei Jane gegeneerd. 'Ik had weer eens een grote mond en Leslie heeft me erom uitgefoeterd, en hij had gelijk. Liz was ook boos. Ik weet niet, ik was gewoon bang dat je smoorverliefd was en dat hij je als een flirt voor de zomer zag. Ik zie je nog altijd als een klein meisje. Hij leidt zo'n groots Hollywoodleven, en ik kon me niet voorstellen hoe jij daarin paste, maar jullie houden van elkaar, Coco. Wat jou in Italië is overkomen, is extreem. Hij kan desnoods lijfwachten voor je huren. Ik weet zeker dat hij dat zou doen. Je kunt iemand van wie je houdt niet opgeven als het moeilijk wordt.' Ze voelde zich vreselijk schuldig over alles wat ze eerder had gezegd, en ze hoopte dat zij Coco er niet toe had aangezet het bijltje erbij neer te gooien. Ze was onder de indruk van Leslie geweest toen hij haar telefonisch de les las. Ze twijfelde er niet meer aan dat hij heel veel van Coco hield, en ze zag dat Coco ook nog van hem hield.

'Ik ben niet geschikt voor zo'n leven,' zei Coco. 'Ik zou er krankzinnig van worden. Ik zou nergens meer naartoe durven en ik zou bang zijn om met mijn kinderen de deur uit te gaan, als we een gezin kregen. Stel dat een van onze kinderen door zo'n gek werd aangevallen? Hoe zou je het vinden als jouw zoontje elke dag dat risico liep?'

'Ik zou een manier verzinnen om hem te beschermen, maar ik zou Liz nooit opgeven,' zei Jane zacht. 'Je houdt van hem, Coco. Ik weet het zeker. Je geeft heel veel op.'

'Ik wil mijn leven niet opgeven. Ze hadden ons kunnen vermoorden, die avond, en daarna moest ik telkens denken aan paps horrorverhalen over zijn cliënten. Zo wilde ik als kind al niet worden, en ik wil het nog steeds niet.' De tranen rolden over haar wangen, en ze veegde ze weg. 'Leslie heeft geen keus. Hij moet ermee leven. Ik kan het niet.' Terwijl ze het zei, werden haar ogen dof.

'Na wat er is gebeurd, weet ik zeker dat Leslie ervoor zal zorgen dat het de laatste keer was,' probeerde Jane haar gerust te stellen. Coco zei niets terug. Ze keek van haar bord naar haar zus en schudde haar hoofd.

'Ik ben te bang,' zei ze verdrietig. Jane legde een hand op de hare. Liz was er trots op dat Jane dat deed, en op alles wat ze had gezegd. Ze had veel goed te maken, en nu was ze er eindelijk mee begonnen. Het naderende moederschap had haar scherpe kantjes verzacht.

'Waarom geef je het niet wat tijd?' zei Jane, die Coco's hand bleef vasthouden. 'Wanneer komt hij terug?'

'Ik weet het niet. Ik heb hem de afgelopen drie weken niet gesproken. Ergens rond deze tijd, denk ik, als ze geen achterstand hebben opgelopen.'

'Je mag je niet door die rotzakken laten verjagen. Dat mag je ze niet ook nog eens gunnen.' Maar Coco had het al gedaan, en ze had het gevoel dat er geen weg terug was. Zo had ze het niet gewild, maar na de aanval door de paparazzi was Coco bang dat ze haar leven niet meer zeker was als ze bij Leslie bleef. Omdat Leslie dat wist, had hij geen moeite meer gedaan haar van het tegendeel te overtuigen. Hij hield zoveel van haar dat hij bereid was haar los te laten als dat beter voor haar was.

Coco hielp Liz met afruimen en Jane ging op de bank zitten om tv te kijken. 'Wat heb je met haar gedaan?' vroeg Coco in de keuken fluisterend aan Liz. 'Ze is zo áárdig.'

Liz lachte. 'Ik denk dat de hormonen eindelijk hun werk doen. Die baby zou haar nog menselijk kunnen maken.'

'Ik ben onder de indruk,' zei Coco toen ze de laatste borden in de afwasmachine zetten. Ze gingen terug naar Jane. Er werd niet meer over de aanval door de paparazzi gepraat en ze gingen vroeg naar bed. Ze moesten de volgende dag bij de lunch van hun moeder aanwezig zijn, en dat was altijd een vormelijke, traditionele gelegenheid. En, zoals Jane grinnikend zei, deze keer zou het wonderkind er ook bij zijn.

Ze sliepen de volgende ochtend uit, en om één uur reden ze naar de villa van Florence in Bel-Air. Jane droeg de enige fatsoenlijke jurk waar ze nog in kon, een lichtblauwe zijden tentjurk die goed stond bij haar lange blonde haar. Coco had een witte wollen jurk aan die ze ook in Italië had gedragen, en Liz droeg een zwart broekpak van goede snit. Florence deed open in een roze Chanel-pakje dat haar fantastisch stond. Toen ze elkaar begroetten en zoenden in de hal, kwam er een knappe man in een grijs pak met een Hermès-stropdas naar hen toe. Coco wist meteen wie hij was.

'Hallo Gabriel,' zei ze met een warme glimlach, en ze gaf hem een hand. Hij maakte een nerveuze indruk, maar toen ze eenmaal in Florence' woonkamer onder een enorm portret van haar in baljurk en behangen met sieraden zaten, ontspanden ze zich allemaal en werd het gezellig.

Liz en Gabriel praatten over films. Gabriel begon binnenkort aan een nieuwe, en hij zei dat Florence hem enorm had geholpen met het script. Zelf had ze net een boek af. Jane was enthousiast over de film die Liz en zij net hadden opgenomen. Het herinnerde Coco aan vroeger, toen haar vader nog leefde en ze allemaal over boeken, films, nieuwe cliënten en oude hadden gepraat en continu beroemde filmsterren en schrijvers over de vloer hadden. Het was dezelfde vertrouwde sfeer waarin ze was opgegroeid. Tijdens de lunch verraste ze iedereen door te zeggen dat ze overwoog weer te gaan studeren.

'Rechten?' vroeg haar moeder verbouwereerd.

'Nee, mam.' Coco glimlachte naar haar. 'Iets waar je niets aan hebt, kunstgeschiedenis bijvoorbeeld. Misschien wil ik restaurateur worden. Ik ben er nog niet uit.' Het idee had wortel geschoten sinds ze het met Leslie had besproken, twee maanden eerder, en wat ze in Venetië en Florence had gezien, had haar nog meer aangespoord. 'Ik kan niet de rest van mijn leven honden uitlaten,' zei ze zacht. Haar moeder en zus glimlachten. 'Je wilde altijd al kunstgeschiedenis studeren,' zei haar moeder vriendelijk. Tot Coco's verbazing was er eens niemand die kritiek op haar had, tegen haar zei wat er allemaal aan haar mankeerde of haar plannen afkraakte. Het was de vorige avond bij Jane begonnen. Coco wist niet goed wie er was veranderd: zijzelf of haar familie. Ze hadden in elk geval allemaal een andere weg gekozen. Liz en Jane verwachtten een kind. Haar moeder was verliefd op een man die maar half zo oud was als zij, en Coco had zojuist de liefde van haar leven de rug toegekeerd. Ze keek naar de anderen en werd getroffen door het idee dat die wel een leven hadden en zij niet. Ze hield zich nu bijna vier jaar afzijdig. Misschien was het tijd om weer eens vooruit te kijken. Het voelde alsof ze eraan toe was, ook zonder Leslie in haar leven. Ze had behoefte aan een rijker gevuld bestaan, met of zonder hem. Het zwarte schaap keerde terug naar de kudde, en deze ene keer hadden de anderen het fatsoen er niets over te zeggen.

Coco, die naast Gabriel aan tafel zat, voerde een boeiend gesprek met hem over kunst, politiek en literatuur. Hij was niet het soort man tot wie ze zich aangetrokken voelde. Hij was iets te Hollywoods, in tegenstelling tot Leslie. Gabriel was gelikter, en hij maakte deel uit van het filmwereldje, maar hij was intelligent en attent ten opzichte van haar moeder, die zichtbaar genoot van zijn aandacht en er stralend en jong uitzag. Gabriel zou het weekend daarop met haar naar Art Basel in Miami Beach gaan, en na Kerstmis gingen ze skiën in Aspen. Ze hadden alle tentoonstellingen en toneelstukken van de afgelopen tijd gezien. Hij bezocht concerten en balletuitvoeringen met haar. Ze waren het afgelopen halfjaar twee keer in New York geweest, waar ze geen stuk op Broadway hadden gemist. Het was duidelijk dat hun moeder zich vermaakte, en hoewel Gabriels leeftijd hen schokte, waren Jane en Coco het er op weg naar huis over eens dat hij geen slechte vent was.

'Het is een beetje alsof we er een broer bij krijgen,' merkte Coco op, en Jane lachte. Gabriel had met haar over kinderen gepraat, want hij had een dochtertje van twee. Hij was nu ruim een jaar gescheiden en hij zei dat het huwelijk een grote vergissing was geweest, maar dat hij blij was met zijn dochter, vooral nu. Florence en hij zouden natuurlijk geen kinderen krijgen. 'Zou ze met hem trouwen?' vroeg Coco zich hardop af.

'Er zijn wel gekkere dingen gebeurd, zeker in onze familie,' merkte Jane op. Ze klonk weer als haar oude zelf, maar dan met meer humor. Ze was beslist iets milder geworden, of veel zelfs. 'Maar eerlijk gezegd hoop ik het niet. Ze hoeft niet te trouwen op haar leeftijd. Waarom zouden ze verpesten wat ze nu hebben? En als het niets wordt, kan ze wel zonder al het gedoe en verdriet van een scheiding.'

'Misschien wil ze wel trouwen,' zei Coco peinzend, 'maar wat moet ze met een kind van twee?' Gabriel had geklonken alsof hij erg aan zijn dochter gehecht was.

'Hetzelfde als met ons,' zei Jane grinnikend. 'Een kinderjuf nemen.' Ze lachten alle drie, en ze praatten de rest van de avond gemoedelijk. De volgende dag ging Coco terug naar San Francisco. Ze mocht het hele weekend blijven, maar ze wilde naar huis. Ze voelde zich nog kwetsbaar.

Voordat ze vertrok, nam Jane haar apart en begon weer over Leslie. 'Geef de moed nog niet op,' zei ze zacht terwijl Coco haar spullen inpakte. Ze had haar oude sweatshirt en spijkerbroek aangetrokken voor de vlucht. Ze zag er weer uit als een kind, maar het begon eindelijk tot Jane door te dringen dat ze dat niet was. 'Hij houdt van je en hij is een goed mens. Het was niet zijn schuld wat er is gebeurd, en hij moet het ook verschrikkelijk hebben gevonden. Het laatste wat hij zou willen, is dat jou iets overkomt. Het moet voor jullie allebei een nacht-merrie zijn geweest.'

'Ja. Hoe kan iemand zo leven?'

'Hij verzint wel iets zodat het nooit meer kan gebeuren. Het moet hem wreed wakker hebben geschud. Iedereen in Los Angeles is een beetje gek. Ik ben dolblij dat ik terugga naar San Francisco. Hier gebeurt meer, maar het lijkt me moeilijk om hier kinderen groot te brengen. Alles draait hier om de schijn. De normen en waarden deugen niet. Het lijkt me gewoon niet goed om hier een kind op te voeden.'

'Ja, en je weet wat ervan komt,' zei Coco plagerig. 'Ik ben een hippie en jij bent lesbisch.' Jane lachte en gaf Coco een zoen. 'Zo'n hippie ben je niet meer. Misschien ben je het nooit ge-weest en dacht ik het alleen maar. En ik ben blij dat je over-weegt weer te gaan studeren. Als je hier met Leslie gaat wo-nen, zou je naar de universiteit van Los Angeles kunnen gaan,' zei ze praktisch, maar toen ze Coco's panische gezicht zag, hield ze erover op. Ze hoopte alleen maar dat Coco hem nog niet definitief had afgeschreven. Het maakte haar verdrietig voor hen beiden. Ze vond het ook echt jammer dat Coco wegging. Het was een heerlijke Thanksgiving geweest, en Gabriel was een aanwinst. Hij had beloofd de kerstdagen samen met Flor-ence in San Francisco door te brengen. Ze konden in het Ritz Carlton logeren, en hij zou zijn dochter meebrengen.

Tijdens de vlucht terug naar San Francisco dacht Coco over al die dingen na. Ze had haar busje bij het vliegveld gepar-keerd en was opgelucht dat ze weer naar Bolinas terugging. Het was leuk geweest twee dagen met haar familie door te brengen, maar ze had tijd voor zichzelf nodig. Ze treurde nog te veel om Leslie om de hele tijd onder de mensen te zijn. Ze had tijd nodig om te rouwen. Ze waardeerde wat Jane over hem had gezegd, maar na wat er in Venetië was gebeurd, wist ze beter dan wie ook dat zij niet zo'n leven kon leiden. De vriendin van een filmster zijn was één ding, door dertig mannen aangevallen worden en bijna doodgaan was iets heel anders. Ze herinnerde zich de angst nog toen ze in de achterafstraat waren omsingeld en later, toen ze in de boot was gevallen. Als van hem houden inhield dat ze zo moest leven, kon ze het niet.

Ze stapte haar huis in en keek om zich heen. Het zag er vertrouwd en knus uit, alsof ze terug in de baarmoeder kroop. Het was nog koud, dus sloeg ze een deken om zich heen voordat ze op het terras ging zitten. Ze hield van het strand in de winter, en er stonden wel een miljoen sterren aan de hemel. Ze keek er vanaf haar ligstoel naar en dacht terug aan haar tijd met Leslie hier. Een traan rolde langzaam over haar wang.

Haar mobieltje ging en ze diepte het uit haar zak op. Het nummer was afgeschermd, en Coco vroeg zich af wie haar belde.

'Hallo?'

'Hallo,' zei een stemmetje aan de andere kant. 'Met Chloe Baxter. Ben jij het, Coco?'

'Ja, ik ben het,' zei ze met een glimlach. 'Hoe is het met je?' Ze was benieuwd of Leslie bij haar was, en of hij op tijd was teruggekomen voor Thanksgiving. Misschien was dit een list om haar aan de lijn te krijgen, maar als dat zo was, vond ze het niet erg. Ze vond het enig om met Chloe te praten. 'Hoe is het met de beren?'

'Goed. Met mij ook. Hoe was je kalkoen?'

'Lekker. Ik heb met mijn zus bij mijn moeder in Los Angeles gegeten.'

'Ben je daar nu ook?' Chloe klonk heel belangstellend en, zoals gewoonlijk, heel volwassen.

'Nee, ik ben aan het strand. Ik kijk naar de sterren. Wat ben je nog laat op. Als je hier was, konden we crackers met gesmolten chocola en geroosterde marshmallows maken.'

'Jummie,' zei Chloe, en ze giechelde.

'Heb je Thanksgiving met je pappie gevierd?' Coco moest het wel vragen, al wilde ze Chloe geen informatie ontfutselen. Ze vroeg zich af of Leslie bij Chloe was, of misschien zelfs wist dat ze belde. Chloe had de neiging haar eigen gang te gaan, los van wat anderen zeiden.

'Ja,' zei Chloe met een zucht. 'Hij had een jurk uit Italië voor me meegebracht. Heel mooi. Vanavond is hij weer naar Los Angeles gegaan.'

'O.' Coco wist niet wat ze moest zeggen.

Het bleef even stil en toen vervolgde Chloe: 'Hij zei dat hij je heel erg miste.'

'Ik mis hem ook. Heeft hij je gevraagd mij te bellen?'

'Nee. Ik was je nummer kwijt. Ik heb het op zijn laptop opgezocht, maar dat weet hij niet.' Coco glimlachte erom. Het was net iets voor Chloe. 'Hij zei dat je boos op hem was omdat jullie door slechte mannen waren aangevallen en jij gewond was geraakt. Hij zei dat ze je hadden geduwd en dat je toen je pols had gebroken. Dat zal wel veel pijn hebben gedaan.'

'Ja,' beaamde Coco. 'Het was best griezelig.'

'Dat zei hij ook. Hij zei dat hij ze tegen had moeten houden, maar dat hij het niet kon. En nu is hij heel verdrietig omdat je zo boos op hem bent. Ik mis je ook, Coco,' zei Chloe droevig, en de tranen sprongen Coco weer in de ogen. Dit was moeilijk. Ze dacht terug aan de heerlijke tijd die ze in augustus met Chloe hadden gehad.

'Ik mis jou ook, Chloe. En ik ben ook heel verdrietig.'

'Blijf alsjeblieft niet boos op hem,' zei Chloe. 'Ik wil je zien als ik overkom. Ik ga in de kerstvakantie naar pappie in Los Angeles. Kom jij dan ook?'

'Mijn moeder en ik gaan met Kerstmis naar mijn zus in San Francisco. Mijn zus krijgt binnenkort een baby, dus we moeten hier blijven.'

'Misschien kunnen we naar jou toe komen,' zei Chloe praktisch. 'Als je ons uitnodigt. We kunnen naar het strand komen, dat lijkt me leuk.'

'Mij ook, maar het is nu een beetje ingewikkeld omdat ik je vader al een tijdje niet meer heb gezien.'

'Misschien belt hij je wel,' zei Chloe hoopvol. 'Hij gaat aan zijn film werken. Hij gaat weer in zijn huis in Los Angeles wonen.'

'Leuk,' zei Coco vrijblijvend, maar ze vond het ontroerend dat Chloe haar had gebeld. Ze had haar ook gemist.

'Ik hoop je gauw te zien. Mijn moeder zegt dat ik nu naar bed moet,' zei Chloe gapend, en Coco glimlachte.

'Dank je wel voor het bellen,' zei Coco, en ze meende het. Het was bijna net zo fijn als Leslies stem horen.

'Mijn vader zegt dat hij jou niet mag bellen omdat je boos op hem bent. Daarom heb ik het zelf maar gedaan.'

'Daar ben ik blij om. Je bent een lieverd, Chloe. Fijne Thanksgiving.'

Chloe maakte smakgeluiden en Coco lachte. Chloe was echt de ideale combinatie van kind en volwassene. Ze was net zeven geworden. 'Jij ook een fijne kalkoen. Welterusten,' zei Chloe, en toen hing ze op. Coco keek met haar mobieltje in haar hand naar de sterren en vroeg zich af of Chloe's telefoontje een teken of boodschap voor haar was geweest. Waarschijnlijk niet, maar het was heel lief van Chloe. Ze dacht er nog lang over na.

HOOFDSTUK 19

$\mathcal{L}$eslie belde Coco niet toen hij terug was in Los Angeles. Hij voelde zich net als Coco nog getraumatiseerd door wat er in Venetië was gebeurd, en hij hield te veel van Coco om haar te vragen haar leven voor hem op het spel te zetten. Hij wist hoe erg ze het had gevonden toen haar vader was bedreigd, jaren geleden, en dat ze er nachtmerries van had gehad. Hij kon haar niet vragen altijd zo te leven, voor hem, maar de pijn in zijn hart was er altijd. Hij kon alleen maar aan haar denken.

Coco belde Leslie evenmin. Ze maakte zichzelf dagelijks het verwijt dat ze een lafaard was. Ze had een gebroken hart dat pijn deed wanneer ze aan een leven zonder Leslie dacht, maar leven met de risico's die daarbij kwamen, leek nu nog erger. Ze wilde een gewoon leven met hem, niet aanhoudend die krankzinnigheid die ze in Venetië hadden doorstaan.

De stilte tussen hen was dus oorverdovend, maar er viel niets meer te zeggen. Dat ze van elkaar hielden, was niet meer genoeg. Het kon hen niet beschermen tegen de gevaren van zijn manier van leven en zijn roem. Hun levens waren niet met elkaar te rijmen, dus waarom zouden ze elkaar nog langer kwellen door contact te houden? Coco wist dat ze het hem niet

268

meer hoefde uit te leggen. Ze hadden allebei alles gezegd tijdens hun laatste gesprek, de dag nadat ze thuis was gekomen, en ze wist dat hij haar angsten begreep en respecteerde. Coco probeerde afstand te nemen, maar de gevoelens waren er nog en dat kon nog heel lang duren. Met de pijn om het verlies, die misschien wel altijd zou blijven.

Toen ze Jeff op een dag bij de vuilnisbakken tegenkwam, zei hij tegen haar dat hij Leslie zo'n leuke vent vond, dat hij zo gewoon was gebleven en helemaal geen sterallures had. Hij had Leslie gemist, zei hij. Coco knikte en probeerde niet te huilen. Ze had een slechte dag, maar alle dagen waren slecht. Ze zag als een berg tegen de kerstdagen op. Het zou zo eenzaam zijn zonder hem. Ze waren van plan geweest de kerstdagen samen door te brengen, maar nu zou hij met Chloe in Los Angeles zijn, en zij zou Kerstmis vieren met haar moeder, haar zus en hun wederhelften.

Zelfs het huis in Bolinas vond ze er triest uitzien. Alles zag er sleets en verschoten uit. Ze deed Ians duikuitrusting eindelijk weg, want daar kon ze niet meer naar kijken zonder neerslachtig te worden. Alle foto's die ze van Leslie had, stopte ze in een la, behalve eentje die ze van Chloe en hem had gemaakt op de dag dat ze hun eerste zandkasteel bouwden. Chloe stond er snoezig op, en ze had het hart niet die foto ook te verstoppen.

Chloe had niet meer gebeld. Coco had overwogen een kerstcadeautje voor haar te kopen, maar het leek haar niet eerlijk zich aan Chloe te blijven vastklampen. Ze moest hen beiden loslaten, hoe leuk ze Chloe ook vond en hoeveel ze ook van Leslie hield.

Op kerstavond had Coco Leslie al zeven weken niet gesproken. Ze wilde de tijd niet bijhouden, maar ze wist het altijd. Hun laatste gesprek was nu precies vijftig dagen geleden. Ze nam het zichzelf kwalijk dat ze het onthield. Op een dag zou ze de dagen niet meer tellen, alleen de jaren.

Ze zou op kerstavond naar Jane gaan. Liz en Jane hadden de grote logeerkamer al ingericht als kinderkamer, en Coco zou een kleinere logeerkamer beneden krijgen. Ze wist dat het moeilijk zou zijn om het huis weer te zien. Alles daar herinnerde haar aan Leslie en de maanden die ze er met hem had samengewoond.

Haar moeder, Gabriel en zijn dochtertje waren die middag in San Francisco aangekomen en meteen doorgegaan naar het Ritz Carlton om zich daar in te richten. Ze hadden geen kindermeisje bij zich, want Gabriel wilde zelf voor Alyson zorgen. Florence zat een beetje in de rats, had ze Jane toevertrouwd, want ze had al heel lang niet meer zo'n klein kind om zich heen gehad.

'Tja, dat krijg je ervan als je zo'n jong vriendje uitzoekt, mam,' had Jane plagerig gezegd. Ze had het aan Coco verteld en er samen met haar om gelachen.

Ze zouden de avond voor Kerstmis gezamenlijk doorbrengen, zoals altijd, en op de avond van eerste kerstdag zou iedereen weer naar huis gaan. Florence en Gabriel gingen terug naar Los Angeles, want de dag na Kerstmis zouden ze naar Aspen gaan, en Coco ging terug naar haar huis aan het strand, maar een etmaal lang zouden ze een familie zijn, hoe onconventioneel dan ook, en het leek elk jaar gekker te worden. Nu kregen Liz en Jane een kind, en had Florence een vriendje dat haar zoon kon zijn, met een kind van twee dat haar kleindochter had kunnen wezen. 'We zijn niet bepaald een doorsneefamilie meer,' merkte Jane op toen ze Coco naar haar kamer beneden bracht. 'Misschien zijn we dat wel nooit geweest ook.' Ze keek Coco vreemd aan, alsof ze terugdacht aan hun jeugd, toen hun vader nog leefde. 'Ik was altijd jaloers op je,' vervolgde ze zacht. 'Pap was zo dol op je. Toen jij er eenmaal was, had ik het gevoel dat al mijn kansen verkeken waren. Je was zo klein en schattig. Zelfs mam was een tijdje in de wolken met je. Ze had zo weinig tijd voor ons, er was gewoon niet genoeg voor ons allebei. Ik hoop dat mijn kinderen dat later niet over mij zullen zeggen.'

'Ik dacht altijd dat jij de ster was, en dat er geen ruimte over was voor mij,' bekende Coco. Ze had het twee jaar eerder tegen haar therapeut gezegd, maar het was bijna nog fijner om het tegen Jane zelf te zeggen.

'Misschien deed ik daarom zo lelijk tegen je,' zei Jane, die Coco berouwvol aankeek. 'Er was amper plaats voor mij in dat huis, en toen kwam jij ook nog eens. Er was nooit genoeg liefde voor iedereen.'

'Het waren allebei zulke drukbezette, belangrijke mensen,' zei Coco bedachtzaam. 'Ze hadden nooit tijd om ouders te zijn.'

'En wij hebben nooit de kans gekregen om kinderen te zijn. We moesten allebei uitblinken. Ik ging erin mee, jij niet. Zoek het maar uit, zei jij, en je gooide de handdoek in de ring. Ik ben mijn leven lang blijven proberen indruk op ze te maken, en wie geeft er uiteindelijk iets om? Wat maakt het uit hoeveel films ik produceer? Dit kind is veel belangrijker.' Ze wreef over haar buik, die met de dag dikker werd. Ze leek nu bijna een cartoon van een zwangere vrouw.

'Zo te horen ben je op de goede weg,' zei Coco vriendelijk, en ze omhelsde haar zus. Van zichzelf kon ze dat niet zeggen. De anderen hadden een partner, zij niet. Zij had haar grote liefde de rug toegekeerd. 'Willen jullie meer kinderen?' vroeg ze. Jane had het woord 'kinderen' gebruikt, meervoud.

'Wie weet,' zei Jane met een glimlach. 'Het hangt ervan af hoe het met dit kind gaat, en hoe lief het is. Als het net zo'n ettertje is als ik vroeger, moet ik hem misschien terugsturen. Maar jij was een engeltje. Daardoor kreeg ik een nog grotere hekel aan je.' Leslie had gelijk. Jane was jaloers op haar, en nu liet ze die ballon eindelijk leeglopen. Veel lucht zat er niet meer in. Ze wedijverden niet meer om de aandacht van hun moeder, en hun vader was er niet meer.

Hun moeder had tegenwoordig ook meer oog voor Gabriel

dan voor hen. Ze had al tegen Jane gezegd dat Gabriel en zij op de Bahama's zouden zitten wanneer het kind werd geboren. Als ze weer thuis waren, zouden ze komen kijken. Zo was hun moeder altijd geweest. Ze had een nieuwe man in haar leven, maar zij was altijd dezelfde gebleven, en gezien haar leeftijd was de kans dat ze nog zou veranderen nihil. Jane en Coco hadden zich ermee verzoend.

'Liz en ik hebben het over nog een kind gehad,' vertrouwde Jane Coco toe. 'De volgende keer nemen we misschien een eitje van mij, als ik nog vruchtbaar ben, en dan mag Liz zwanger zijn. Ik ben blij dat ik het eens meemaak, maar eerlijk gezegd vind ik het vreselijk om dik te zijn. Over twee maanden word ik veertig, en dan ook nog eens een dikzak zijn is gewoon te veel van het goede. Misschien lijk ik toch wel op mam,' zei ze met een lach. Hun moeder was de ijdelste vrouw op aarde. Toen keek Jane aarzelend naar Coco en ging op het logeerbed zitten. Het kind was zo zwaar dat ze niet lang meer kon staan. Ze kon amper lopen. 'Zou je het heel misschien leuk vinden om erbij te zijn als de baby wordt geboren? Ik wilde het je al eerder vragen, maar ik wist niet hoe je zou reageren. Liz is erbij, maar ik zou het heel fijn vinden als jij ook kwam.' Jane vroeg het met tranen in haar ogen, en Coco, die ook ontroerd was, ging naast haar op het bed zitten en sloeg haar armen om haar zus heen.

'Heel graag,' zei ze. Ze vond het een eer dat Jane haar bij de bevalling wilde hebben. Ze veegde de tranen van haar wangen en lachte. 'Misschien is het wel mijn enige kans om een kind geboren te zien worden, nu ik hoogstwaarschijnlijk een oude vrijster word.'

'Daar hoef je je nog geen zorgen om te maken,' zei Jane met een glimlach. 'Je hebt zeker nog niets van Leslie gehoord?' vervolgde ze. Coco schudde haar hoofd.

'Ik heb hem ook niet gebeld. Chloe, zijn dochter, heeft me met Thanksgiving gebeld. Ze zei dat hij me miste. Ik mis hem ook.'

'Bel hem dan op, verdorie. Dit is zonde van de tijd.'

'Misschien doe ik dat nog wel,' zei Coco met een zucht, maar Jane wist dat ze het niet zou doen. Coco was te bang en te koppig. Jane had hem het liefst zelf gebeld, maar Liz vond dat ze zich er beter niet mee kon bemoeien. Die twee moesten het samen oplossen, al popelde Jane om een handje te helpen.

Ze gingen weer naar boven, en Coco schoot in de lach toen ze Jane de trap op zag waggelen. Ze verheugde zich erop bij de bevalling te zijn. Zodra ze in de keuken waren, vertelde Jane het aan Liz, die de laatste hand legde aan het eten voor die avond.

'Goddank dat je er ook bij bent,' zei Liz opgelucht. 'Ik heb geen idee wat ik moet doen. We hebben een zwangerschaps-cursus gevolgd, maar ik ben alles alweer vergeten. Het is zoiets enorms.' Ze glimlachte naar Coco.

'Ja,' beaamde die vol ontzag voor het hele proces. Ze was ook onder de indruk van de manier waarop haar zus was veranderd. De afgelopen twee maanden was de lucht tussen hen helemaal opgeklaard. Na jaren een hekel aan elkaar te hebben gehad en zich allebei gekwetst te hebben gevoeld, waren ze nu eindelijk vriendinnen, iets waar Coco haar hele leven op had gehoopt.

Ze ging aan de keukentafel zitten om te kletsen, en Coco vertelde over het ongelukje met de stroop op de dag dat ze Leslie voor het eerst had gezien. Liz kreeg de slappe lach, maar Jane bestierf het.

'Wees maar blij dat ik er niet bij was, want ik had je vermoord!'

'Ik weet het. Daarom heb ik het je nooit verteld. Het was een stroopballet tot Leslie de boel opruimde.'

'Herinner me eraan dat ik je nooit meer vraag op mijn huis te passen.'

Liz en Jane gingen naar boven om zich om te kleden, en Coco ging naar haar kamer beneden, blij dat ze de slaapkamer die ze met Leslie had gedeeld niet hoefde te zien. Ze zou de kinderkamer later nog te zien krijgen, maar ze was vastbesloten geen voet over de drempel van de grote slaapkamer te zetten. Het zou te pijnlijk zijn. Ze had het er moeilijk mee, zoals Liz en Jane allebei wisten. Hun moeder wist nog steeds niet wat er was gebeurd en vroeg ook nooit iets.

Gabriel en Florence kwamen stipt om zeven uur, samen met Gabriels schattige dochtertje van twee, dat een roodfluwelen kerstjurkje aanhad met bijpassende strikken in haar haar en zwarte lakleren bandschoentjes. Gabriel had haar kleren zelf uitgezocht. Ze hadden een inklapbare box bij zich waarin Alyson kon slapen als ze moe werd. Het leek een heel beleefd meisje. Florence praatte tegen haar alsof ze een kleine volwassene was, wat Coco aan Chloe deed denken.

Florence droeg een bijzonder chique zwarte cocktailjurk, en Gabriel een donkerblauw pak. Ze waren een fantastisch stel om te zien. Coco speelde met Alyson en Liz ging naar de keuken om cocktails te mixen voor haar moeder en Gabriel. Op een rare manier leek het alsof Florence en Gabriel voor ouders speelden, en Coco voelde zich altijd weer een kind als ze bij haar moeder was. Dat gevoel had ze bij Jane ook gehad, maar dat was nu voorbij.

Jane fluisterde Coco in de keuken toe dat Gabriel zich kleedde als een man van vijftig.

'Gelukkig maar, anders zouden ze er bespottelijk uitzien bij elkaar,' fluisterde Coco terug. 'Mam kleedt zich namelijk als iemand van vijfentwintig.'

'Shit,' zei Jane hardop. 'De hele wereld is een zootje.'

'Wij in elk geval wel,' zei Coco met een lach. 'Jij houdt het met een vrouw en mam is verliefd op een kind.' Toen kwamen Florence en Gabriel ook naar de keuken, en Coco wilde met plezier op Alyson passen. Het was een snoesje, en ze was gefascineerd door de kerstboom die Liz in de woonkamer had gezet. Jane had dit jaar alleen vanaf de bank kunnen toekijken hoe Liz de boom versierde.

'Ongelooflijk dat ik nog vijf weken moet. Ik heb het gevoel dat het kind vanavond al komt. Was het maar waar. Vandaag of morgen plof ik gewoon,' zei Jane, die met Coco mee liep naar de woonkamer en zich zwaar op de bank liet zakken.

'Vergeet niet me te waarschuwen zodra de weeën beginnen,' waarschuwde Coco, die zich een lid van het team voelde. Zij kon ook bijna niet wachten tot het zover was.

Liz had een magnifieke maaltijd bereid. Ze begonnen met kaviaar, gevolgd door rosbief, Yorkshire pudding, aardappelpuree, erwtjes met munt, een salade en brood. Het was een verfijnd diner, en als klap op de vuurpijl had ze ook nog eens een traditionele plumpudding met whiskyboter voor het dessert gemaakt. Tegen de tijd dat ze aan tafel gingen, lag Alyson als een roosje te slapen in haar box. Ze zou die nacht bij Gabriel en Florence op de kamer in het Ritz Carlton slapen. Florence zei dat ze oordopjes bij zich had voor het geval Alyson moest huilen, en Gabriel lachte alleen maar. Hij leek een eindeloos geduld te hebben met Florence' nukken, en hij keek vol aanbidding naar haar.

Om tien uur gingen Florence en Gabriel terug naar het hotel. Alyson, die nog steeds sliep, werd door haar vader gedragen. Er stond buiten een limousine te wachten. Florence trok haar bontjas aan, en Gabriel zijn mooie zwarte kasjmieren jas, en toen bedankten ze voor de maaltijd en beloofden de volgende dag om twaalf uur terug te komen. Na hun vertrek gingen de drie vrouwen naar de keuken om op te ruimen. Liz zou de volgende avond kalkoen serveren. Jane had die avond bijna geen hap door haar keel kunnen krijgen. Het eten was zalig, maar ze had er gewoon geen plaats meer voor, zei ze. De baby nam alle ruimte in beslag, en ze had de hele tijd last van brandend maagzuur.

'Het is niet zo makkelijk als het lijkt,' zei Jane klaaglijk terwijl ze over haar rug wreef. Ze kreeg steeds meer last van haar dikke buik.

'Ik zal je rug straks in bed masseren,' beloofde Liz. Ze was echt de ideale partner, en Coco zei tegen haar zus dat ze van geluk mocht spreken. Ze had het nooit gek gevonden dat haar zus lesbisch was. Ze had haar nooit anders gekend, en het bracht haar totaal niet in verlegenheid. Vroeger op school had ze al aan iedereen verteld dat Jane lesbisch was, en ze zag er niets vreemds aan.

'Ja, dat was grappig,' mijmerde Jane terwijl de andere twee in de keuken redderden. Ze grinnikte. 'Je zei een keer tegen iemand dat ik een hobo was, en toen ik je verbeterde, zei je dat je dacht dat het hetzelfde was.'

Rond middernacht gingen ze naar hun kamers. Coco lag in haar bed beneden te denken aan de maanden die ze met Leslie in het huis had doorgebracht. Ze vond het jammer dat Chloe en hij er nu niet waren, want dan was haar kerstfeest volmaakt geweest. Nu was ze de vreemde eend in de bijt, zoals gewoonlijk. Ze vroeg zich af wat Leslie die avond had gedaan. Ze wist dat Chloe bij hem was, en ze was benieuwd of ze een boom hadden opgetuigd, of ze bij vrienden waren en hoe ze Kerstmis gingen vieren, traditioneel of modern. Ze was dolgraag bij hen geweest, maar het kon niet. De paparazzi die deel uitmaakten van zijn leven hadden alles veranderd. Ze wees zichzelf erop dat haar leven nu eenvoudiger was, maar ze voelde zich ook ongelooflijk verdrietig. De volgende dag zou zij teruggaan naar haar huis aan het strand. Jane en Liz hadden elkaar, en haar moeder en Gabriel zouden eerst samen naar Los Angeles en dan naar Aspen vliegen. Haar besluit had destijds het juiste geleken, en nu moest ze ermee leven. Het alternatief was te zwaar. Het ging er niet om of ze van Leslie hield of niet. Waar het om ging, was de vraag of ze haar leven met hem kon delen, in voor- en tegenspoed, en het antwoord was nee.

De volgende ochtend was Coco al heel vroeg op. Toen ze in de keuken kwam om thee te zetten, zag ze dat Liz al aan de kalkoen was begonnen. Ze was om zes uur opgestaan om hem in de oven te zetten en toen weer in bed gekropen.

Terwijl ze op Jane en Liz wachtte, doolde Coco door het huis. Het voelde vreemd om er weer te zijn. Ze zag Sallie en Jack naast elkaar in de keuken liggen, en zelfs dat herinnerde haar aan Leslie. Ze wist niet wat ze nog kon doen om hem uit haar hoofd te zetten. Misschien kon alleen de tijd de wonden helen.

'Wat ben je vroeg op,' zei Liz toen ze om negen uur beneden kwam om naar de kalkoen te kijken. Coco, die al uren op was, zat zielig bij de kerstboom. Liz zei niets, maar ze kon zien wat er in Coco omging. Het gemis van Leslie straalde van haar af, en Liz had met haar te doen.

Ze gingen in de keuken zitten en praatten wat, maar niet over hem. Om tien uur kwam Jane erbij zitten. Ze zei dat ze nu al brandend maagzuur had.

'Jij krijgt de volgende,' zei ze nadrukkelijk tegen Liz.

'Dolgraag,' zei die. Coco bood aan ontbijt te maken.

'Jij bent een gevaar in de keuken,' bromde Jane, en Coco lachte.

'Ja, dat heb ik van mam.'

'Nee hoor,' sprak Jane haar tegen. 'Pap kon totaal niet koken. Mam wist de keuken niet eens te vinden.'

'Ik geloof dat Gabriel graag kookt,' zei Coco. 'We weten dus in elk geval dat ze niet hoeft te verhongeren op haar oude dag, mocht ze de kok ooit ontslaan.'

'Geloof je dan echt dat ze bij elkaar blijven?' vroeg Jane sceptisch. Ze kon het zich moeilijk voorstellen. Ze wist zeker dat het een bevlieging was, dat Gabriel uiteindelijk bij zinnen zou komen en een vrouw van zijn eigen leeftijd zou zoeken. Toch moest ze toegeven dat hij gelukkig leek te zijn met haar moeder en zich niets leek aan te trekken van het enorme leeftijdsverschil.

'Als ze een man was, zou je het niet eens vragen,' antwoordde

Coco. 'Mannen van mams leeftijd trouwen continu met vrouwen die jonger zijn dan Gabriel, en geen mens kijkt ervan op. Tweeënzestig en negenendertig zou helemaal niet gek zijn als mam de man was geweest.'

'Misschien heb je wel gelijk,' zei Jane. 'Het rare is dat ze goed bij elkaar lijken te passen. Hij is best saai voor zo'n jonge vent.'

'Ik hoef hem niet,' zei Coco, en ze lachten alle drie. Gabriel was twee jaar jonger dan Leslie, maar leek een stuk ouder.

'Tja, wij ook niet, zoals je weet,' zei Jane, en ze lachten nog harder. 'Maar ik begrijp wat je bedoelt. Hij is een beetje ouderwets. Niemand loopt tegenwoordig nog zo strak in het pak, maar hij wel. Mam vindt het prachtig. Hij zag er al zo uit toen ik hem voor het eerst ontmoette, lang voordat hij iets met mam kreeg. Hij zal wel op oudere vrouwen vallen.'

'Kennelijk,' zei Coco. 'Of alleen op mam. Hij kust de grond onder haar voeten. En als hij blijft, hebben wij het over een paar jaar een stuk makkelijker. Dan is ze gelukkig.' Jane knikte peinzend. Daar zei Coco iets.

'Hoe moet dat als ze oud wordt? Echt oud, bedoel ik?'

'Hetzelfde als bij iedereen die oud wordt,' zei Liz. 'Je hoopt maar dat je partner niet doodgaat of je in de steek laat. Op een gegeven moment kan dat gebeuren,' zei ze met een tedere blik naar Jane.

'Ik laat je nooit in de steek,' fluisterde Jane. 'Erewoord.'

'Als je het maar laat.' Liz leunde naar haar over en gaf haar een kus.

'Zo, ik laat jullie met rust,' zei Coco, die gapend opstond. 'Ik moet me aankleden. We hebben geen uur meer voordat mam terugkomt,' zei ze waarschuwend. Ze gingen allemaal naar hun kamers en kwamen kort voor het middaguur in hun mooie kleren terug.

Hun moeder was zoals altijd stipt op tijd. Ze droeg een wit Chanel-pakje, zwarte alligatorleren pumps en de sabelbontjas die ze de vorige avond ook had gedragen. Ze had een parelcollier om en was perfect opgemaakt. Gabriel droeg een grijze broek met een blazer en een andere Hermès-das op zijn licht-blauwe overhemd. Ze zagen eruit alsof ze zo uit een tijdschrift kwamen. Coco en Liz hadden zich iets informeler gekleed, in een mooie broek en trui, en Jane droeg een knalrode tentjurk en zat er de hele lunch bij alsof ze zich belabberd voelde.

Voor de lunch gaven ze elkaar cadeautjes, en ze waren allemaal heel blij met wat ze kregen. Florence gaf haar dochters geld, zoals elk jaar, en Liz kreeg ook geld, maar dan iets minder. Ze zei dat ze altijd bang was het verkeerde te kopen en dus liever had dat ze zelf gingen winkelen. Gabriel had het Cartier-hor-loge dat hij omhad van haar gekregen, en ze had zelf een schit-terende broche met diamanten op haar pakje die hij haar had gegeven. Florence gaf Alyson een pop in een roze jurk die bij-na net zo groot was als het kind zelf.

Om twee uur gingen ze aan tafel, en ze bleven tot vier uur zit-ten. Daarna gingen ze naar de woonkamer om koffie te drin-ken en te praten, en toen vertrokken Florence, Gabriel en Aly-son met hun cadeaus. Florence en Gabriel zouden Alyson eerst terugbrengen naar haar moeder in Los Angeles, en de volgen-de ochtend zouden ze naar Aspen gaan.

Coco hielp met opruimen en nam om zes uur afscheid. Liz en Jane zeiden dat ze best nog een nachtje mocht blijven, maar Coco dacht dat ze na twee dagen familie liever alleen zouden willen zijn, en ze wilde zelf ook naar huis. Ze reed dus samen met Sallie terug naar Bolinas. Het huis leek leeg en kil toen ze binnenkwam. Ze maakte vuur in de open haard, ging op de bank zitten, staarde in de vlammen en dacht aan de afgelopen paar dagen. Ze stond zichzelf niet toe aan Leslie te denken, of zelfs maar aan Chloe. Ze moest dankbaar zijn voor het leven dat ze had, en het waren fijne kerstdagen geweest. De verzoe-ning tussen Jane en haar was een zegen voor hen beiden die te lang op zich had laten wachten.

Coco ging vroeg naar bed en stond om zeven uur op. Ze keek

vanaf haar terras naar de zonsopkomst. Het was een nieuwe dag, een nieuw begin, en net toen ze zichzelf er nog eens op wees hoe goed ze het had getroffen, hoorde ze de bel bij het hek. Geen mens belde ooit. De meeste mensen liepen gewoon naar de voordeur en klopten aan. Ze liep nog in haar nachtpon met de hartjes, en ze sloeg de deken waaronder ze had gelegen om zich heen en liep naar de voorkant van het huis om te zien wie er was.

Haar lange, kastanjebruine haar, dat ze nog niet had gekamd, wapperde in de wind. Het was fris, maar de lucht was wolkeloos blauw. Ze keek naar het hek, en daar stonden ze. Leslies ogen vingen de hare. Hij wist niet of hij er goed aan had gedaan hier te komen. Chloe stond naast hem in een knalblauwe jas, met lange vlechten en een brede glimlach. Ze had een pakje bij zich. Zodra ze Coco zag, wuifde ze en stormde door het hek.

'Ze wilde naar je toe,' zei Leslie terwijl Coco Chloe knuffelde en naar hem opkeek alsof ze een visioen had.

'Ik wilde haar ook graag zien,' zei Coco, 'en jou ook. Ik mis je.' Voordat ze nog iets kon zeggen, nam hij haar in zijn armen. Hij wilde niets meer horen, hij wilde haar alleen maar vasthouden, de geur van haar haar opsnuiven en haar weer in zijn armen voelen.

'Het is koud buiten,' zei Chloe, die naar hen opkeek. 'Zullen we naar binnen gaan?'

'Ja, goed,' zei Coco, die Chloe een hand gaf en glimlachend naar Leslie keek. Hij had er goed aan gedaan te komen.

Het huis zag er nog hetzelfde uit, vond hij. Toen hij de foto van hemzelf en Chloe zag, glimlachte hij traag naar Coco, die over Chloe's hoofd heen geluidloos 'ik hou van je' zei.

'Ik hou ook van jou,' zei hij goed verstaanbaar.

'Wat krijgen we voor het ontbijt?' onderbrak Chloe hen, en toen gaf ze Coco haar cadeautje. Ze ging op de bank zitten om het uit te pakken. Het was een bruin teddybeertje, en Coco glimlachte, gaf Chloe een dikke zoen en zei dat ze er heel blij mee was.

'Wat dacht je van wafels?' antwoordde ze op Chloe's vraag. 'En crackers met gesmolten chocola en geroosterde marshmallows?'

'Joepie!' Chloe klapte uitgelaten in haar handen. Coco liep naar de keuken en zette theewater op. Ze keek telkens naar Leslie, alsof ze bang was dat hij elk moment weer kon verdwijnen. Het waren twee lange maanden geweest zonder hem, en ze wist nog niet wat zijn bezoek inhield. Ze was gewoon blij dat hij er was.

Ze ontbeten samen en Chloe vertelde alles over de kerstdagen. Ze hadden een boom opgetuigd en in een restaurant gegeten, en 's avonds hadden ze besloten naar Coco toe te gaan. Ze waren meteen op het vliegtuig naar San Francisco gestapt en hadden daar in een hotel geslapen, want haar vader had gezegd dat het te laat was om nog naar Bolinas te gaan. Dat was onbeleefd, had hij gezegd, al dacht Chloe er anders over. Daarom waren ze dus vanochtend gekomen. En daar waren ze dan. Chloe keek haar vader en Coco stralend aan terwijl ze het zei, en Coco keek glimlachend van haar naar Leslie.

'Wat een ontzettend goed idee,' zei Coco.

Chloe keek haar vader aan. 'Zie je wel, ik had toch gezegd dat ze ons graag wilde zien?' De twee volwassenen keken elkaar stralend aan over het hoofd van het meisje.

Na het ontbijt kleedde Coco zich aan en gingen ze een strandwandeling maken. Het was de dag na Kerstmis, en er liepen meer mensen.

'Ik heb je verschrikkelijk gemist,' zei Leslie tegen Coco toen Chloe voor hen uit rende om schelpen te zoeken.

'Ik jou ook.'

'Ik wist niet hoe je zou reageren als we zomaar voor je neus stonden. Ik was bang dat je me niet wilde zien. Chloe zei dat het goed was.'

'Ze had me met Thanksgiving gebeld. Het was bijna net zo fijn als met jou praten.' Ze keek weer naar hem op alsof ze droomde.

'Coco, over Venetië…'

Ze schudde haar hoofd en drukte haar wijsvinger tegen zijn lippen. Ze bleven staan en keken elkaar in de ogen. 'Je hoeft niets te zeggen… Ik besef nu dat de roddelbladen, de paparazzi en alles me niets kunnen schelen, al maken ze me doodsbang… Ik wil gewoon bij je zijn. Ik hou te veel van je om me daardoor van je te laten scheiden.' Ze had het geweten zodra ze hem zag. Hij was gekomen om die woorden te horen, maar had niet durven hopen dat ze ze zou uitspreken. Toen ze hem bij haar hek zag staan, had ze het zeker geweten, en Janes opmerking op kerstavond dat ze hem nog niet mocht opgeven, had haar niet losgelaten.

'Ik hou van je. Ik zweer je dat ik nooit meer zoiets zal laten gebeuren. Desnoods vermoord ik die lui.'

'Het geeft niet… We slaan ons er samen doorheen, en als ze ons gek maken, verhuizen we. We gaan ergens anders wonen. We kunnen altijd hier onderduiken.' Ze glimlachte naar hem, en hij omhelsde haar.

'Ik ga dood zonder jou,' zei hij met een lage, hese stem.

'Ik ook.'

'Waar wil je wonen?' Voor haar wilde hij naar de verste uithoek van de aarde.

'Bij jou.'

Ze liepen langzaam achter Chloe aan over het strand, en toen de wind opstak en het te koud werd, gingen ze terug naar huis en staken een haardvuur aan.

Coco bereidde een lunch, en daarna bracht Leslie de uitpuilende vuilnisbakken voor haar naar buiten. Daar kwam hij Jeff de brandweerman tegen, die breed naar hem grijnsde en hem een klap op zijn schouder gaf.

'Fijn je weer te zien,' zei Jeff, en hij gaf Leslie een hand. 'Ik hoorde dat je in Venetië was voor opnames. We hebben je ge-mist. Die rotauto van me heeft het weer begeven. Ik denk dat het de versnellingsbak is.'

'Ik kom straks wel even kijken,' beloofde Leslie.

'We hebben je gemist,' zei Jeff, die veelbetekenend naar Les-lie keek om aan te geven dat hij het over Coco had, al had hij Leslie zelf ook gemist.

'Dank je. Ik heb jullie ook gemist.' Leslie ging weer naar bin-nen, waar Coco en Chloe zaten te kaarten. Daarna keken ze naar een film op tv. Leslie keek naar Jeffs auto en zei dat hij hem misschien beter kon verkopen. Coco maakte pizza voor het avondeten. Ze stopten Chloe in Coco's bed en praatten nog uren op de bank over hun plannen. Leslie moest de ko-mende drie maanden in Los Angeles aan de film werken. Zijn huurders waren weg en hij woonde weer in zijn eigen huis.

'De komende maand kan ik nog niet weg, maar daarna zou ik bij jou kunnen intrekken. We kunnen zien hoe het gaat, en of ze ons gek maken. In dat geval verzinnen we iets anders, maar we kunnen het net zo goed eerst in Los Angeles probe-ren. Daar woon je,' zei Coco, die zich met het idee had ver-zoend zodra ze Leslie zag. Het ging om de persoon, niet om de plek, en Jane had weer gelijk. Als je van iemand hield, ren-de je niet weg zodra het moeilijk werd. Ze wist het zelf ook wel. Ze was gewoon heel erg geschrokken in Venetië, en daar-na was ze verstrikt geraakt in haar eigen angsten.

'Hoe is het met je pols?' vroeg hij bezorgd. Toen hij het litte-ken op haar hand zag, kon hij wel huilen. Hij drukte er een kus op, en toen kuste Coco hem.

'Met mijn pols gaat het goed. Mijn hart, dat was gebroken. Je hebt het net weer gelijmd. Ik ben helemaal beter.' Leslie glim-lachte en trok haar in zijn armen.

'Chloe is veel slimmer dan wij. Ze zei dat ik hierheen moest gaan om het bij te leggen. Ik wilde het wel, maar ik durfde niet. Het was zo uit de hand gelopen in Venetië, dat ik vond dat ik het recht niet had je dat nog eens aan te doen, of je te vragen dat risico te lopen.'

'Je bent het waard,' zei Coco zacht. 'Het spijt me dat ik er zo lang over heb gedaan om tot dat inzicht te komen.' Leslie knikte. Het maakte niet uit hoe lang het had geduurd, hij was weer bij haar. Toen schoot hem iets te binnen.

'Waarom kun je pas over een maand weg?'

'Vanwege Janes kind,' zei ze met een glimlach. 'Ik heb beloofd bij de bevalling te zijn. Ze is over vijf weken uitgerekend. En ik moet hier alles afronden.'

'Wat ga je met je bedrijf doen?'

'Aan Erin overdragen, denk ik. Ik moet het nog met haar bespreken, maar ik denk dat ze het graag wil. Ze baalt van haar andere baan en ze zou er redelijk van moeten kunnen rondkomen. Net als ik.' Ze glimlachte breed naar hem. 'Ik wil weer gaan studeren. Ik zou me bij de universiteit van Los Angeles kunnen inschrijven.'

'Kunstgeschiedenis?' vroeg Leslie.

Ze knikte. 'Ik hoop het zo te regelen dat ik ook met jou mee kan reizen.'

'Dat zou ik heel fijn vinden,' zei hij opgelucht. 'Mijn twee volgende films worden in Los Angeles opgenomen.' Dit hield in dat hij het komende jaar thuis zou blijven. Ze hoopten allebei dat de paparazzi hen niet tot waanzin zouden drijven. Hij had al een beveiligingsbedrijf in de arm genomen en er stond een onopvallende auto voor zijn huis met een bewaker erin. Hij wilde niet het risico lopen dat er weer zoiets zou gebeuren als in Venetië, met wie dan ook. Wanneer ze eenmaal samenwoonden, zou het nieuwtje er hopelijk snel af zijn.

Ze bleven uren op de bank liggen, tot Leslie uiteindelijk naar Coco's kamer ging om bij Chloe te slapen. Hij vond het akelig om Coco alleen op de bank te laten slapen, maar ze vond dat het moest. Ze wilde niet dat Chloe alleen in een vreemd huis wakker werd.

'Ze zou kunnen denken dat we weer dat vieze doen waarover ze ons ooit heeft verteld,' zei ze plagerig, en hij lachte.

'Je zult me moeten uitleggen hoe dat ook alweer ging. Ik ben bang dat ik het verleerd ben.'

'Als ik bij je in Los Angeles ben, zal ik je geheugen opfrissen.'

'Wanneer wordt dat?' vroeg hij angstig. Hij wilde haar niet nog een maand missen.

'Wat dacht je van komend weekend? Jij mag ook hierheen komen.' Alle puzzelstukjes vielen op hun plaats.

'Het is allebei goed,' zei hij. Hij gaf haar nog een kus en ging naar bed. Ze hadden nog een heel leven om de details te regelen.

HOOFDSTUK 20

*D*e vier weekends daarna logeerden Leslie en Coco afwisselend bij elkaar, in Los Angeles en aan het strand. Haar bezoekjes aan Los Angeles verliepen rustig. Ze werden buiten restaurants opgewacht door paparazzi en soms stonden ze bij zijn hek om foto's te maken wanneer ze wegreden. Ze werden een keer door een fotograaf achtervolgd in de supermarkt, maar het stelde zo weinig voor in vergelijking met wat ze in Venetië hadden beleefd dat ze zich er niets van aantrokken.

Ze gingen samen naar de universiteit om een inschrijfformulier te halen. Nadat Chloe terug was gegaan naar New York, kwam Leslie twee keer naar Bolinas. Hij had nog vakantie, en toen hij naar San Francisco kwam, aten ze daar bij Jane en Liz. Leslie schrok toen hij zag hoe dik Jane was geworden. Ze kon zich amper nog bewegen.

'Lach me niet uit,' vermaande Jane hem. 'Het is niet grappig. Probeer het zelf maar eens. Als mannen zwanger moesten zijn, zou niemand nog een kind krijgen. Ik vraag me af of ik het zelf een tweede keer zou kunnen.'

'De volgende keer is het mijn beurt,' zei Liz verlangend. Ze was verliefd geworden op het idee dat ze een kind zou dragen dat uit Janes eitje groeide. Ze wilden er binnen een halfjaar aan beginnen. Liz popelde, maar eerst moest Jane bevallen. Ze had al een paar keer aan Coco bekend dat ze bang was, vooral omdat het kind zo groot was, en de hele gang van zaken kwam haar angstwekkend voor.

Liz en Jane vonden het leuk om Leslie weer te zien, en ze waren blij dat Coco er zo gelukkig uitzag. Het was vreselijk geweest om haar verdriet te zien na Venetië. Ze had het verlies van Leslie nog moeilijker kunnen verwerken dan dat van Ian. Leslie vertelde Jane over de film waaraan hij werkte. Hij klaagde over Madison, en Jane schoot in de lach. Zij had ook met haar gewerkt en wist wat Leslie te verduren had. Madison was inmiddels acht maanden zwanger en ze moesten vaak om haar heen filmen en stuntmensen gebruiken voor opnames waarin haar lichaam te zien was. De regisseur was woest op haar omdat ze niet had verteld dat ze zwanger was voordat ze aan de film begon, maar ze losten het op, hoe moeilijk het ook was. In het laatste weekend in Bolinas voordat hij weer aan het werk ging, hielp Leslie Coco een deel van haar spullen in te pakken. Er ging een bestelauto naar Los Angeles. Ze hield haar huis aan het strand. Ze wisten nog steeds niet waar ze uiteindelijk zouden gaan wonen, maar het was niet belangrijk. Ze waren weer bij elkaar, en hun relatie was beter dan ooit.

Coco had haar bedrijf overgedaan aan Erin, zodat ze veel tijd aan Jane kon besteden. Het kind kon nu elke dag komen. Jane verveelde zich, en op een avond namen Coco en Liz haar mee uit eten. Ze bestelden gekruid Mexicaans eten, want iemand had tegen Jane gezegd dat het weeën opwekte, en ze wilde alles proberen. Het leverde haar alleen brandend maagzuur op. Coco maakte ook lange wandelingen met haar in Krissy Field. Op een middag, toen ze na zo'n wandeling in de keuken stonden te kletsen, keek Jane opeens verbijsterd op.

'Gaat het wel?' vroeg Coco. Ze begonnen alle drie het idee te krijgen dat het kind nooit meer zou komen. Florence was met vakantie naar de Bahama's, en ze hadden beloofd haar te bellen wanneer het kind kwam.

'Ik geloof dat mijn vliezen zijn gebroken,' zei Jane nerveus. Waar ooit een zee van stroop had gelegen, ontstond nu een plas water.

'Nou, dat is goed nieuws,' zei Coco, en ze glimlachte naar haar zus. 'Daar gaan we dan.' Ze legde een handdoek op een stoel en hielp Jane erin, waarna ze de vloer dweilde.

'Waarom ben je zo vrolijk?' zei Jane bits. 'Ik moet het allemaal doorstaan. Liz en jij hoeven alleen maar te kijken.'

'We zijn vlak bij je,' zei Coco geruststellend. Ze hielp Jane naar haar badkamer boven. Haar kleren waren doorweekt. 'Moeten we het ziekenhuis al bellen?'

'Nog niet. Ik heb nog niet eens weeën.' Ze trok een badstoffen ochtendjas aan, wikkelde zich in handdoeken en ging liggen. 'Ik vraag me af hoe lang dit gaat duren.'

'Hopelijk niet al te lang,' zei Coco zo optimistisch mogelijk. 'Waarom probeer je niet even te slapen voordat het begint?' Jane knikte en sloot haar ogen, en Coco trok de gordijnen dicht en deed het licht uit. Toen ging ze terug naar de keuken om Liz te bellen, die boodschappen aan het doen was in de stad. Ze was opgetogen toen ze het nieuws hoorde en zei dat ze binnen een halfuur thuis zou zijn. Coco zei dat er geen haast bij was, want de weeën waren nog niet eens begonnen.

'Maar de vliezen zijn gebroken,' zei Liz, die alle boeken over zwangerschap en bevallen nog eens had gelezen en goed op de hoogte was. 'Hou een oogje op haar. Ze kan elk moment weeën krijgen.'

Coco zette thee voor zichzelf en liep stilletjes naar boven. Tot haar verbijstering lag haar zus daar te krimpen van de pijn, midden in een wee waar geen eind aan leek te komen. Jane kon geen woord uitbrengen tot de wee voorbij was.

'Wanneer is dat begonnen?' vroeg Coco ongerust. Ze wilde

niet dat Jane het kind thuis zou krijgen, maar zover waren ze nog lang niet.

'Een minuut of vijf geleden. Dit was de derde. Ze zijn echt hevig, en ze duren lang, en ze komen vlak achter elkaar.' Even later kwam er weer een, en Coco nam de tijd op. De wee duurde een volle minuut, en hij was drie minuten na de vorige gekomen.

'Zal ik het ziekenhuis bellen?' vroeg Coco. Jane knikte en gaf haar het nummer. Coco vertelde aan de verpleegkundige die opnam wat er aan de hand was. De verpleegkundige vroeg of de weeën regelmatig kwamen, wat niet zo was, want de laatste was al vijf minuten geleden, dus de tussentijd werd langer. De weeën zouden weer een tijdje kunnen ophouden, zei de verpleegkundige, maar als ze aanhielden en de tussentijd was telkens vijf minuten of minder, dan moest Jane naar het ziekenhuis komen. Ze zou aan de verloskundige doorgeven dat ze binnen een paar uur kwamen.

Er gebeurde een minuut of tien niets, maar net toen Liz binnenkwam, kreeg Jane weer een wee. Liz haastte zich naar het bed en pakte Janes hand. Haar vrije hand legde ze op Janes buik, die keihard was.

'Het doet echt pijn,' zei Jane tegen Liz.

'Ik weet het, lieverd,' zei Liz sussend. 'Het duurt niet lang meer, en dan hebben we ons zoontje.'

Coco liep de kamer uit om Leslie te bellen. Toen hij het nieuws hoorde, zweeg hij even en zei toen: 'Was het ons kind maar.' Coco had hetzelfde gedacht. 'Hoe is het met Jane?' vroeg Leslie bezorgd.

'Zo te zien heeft ze veel pijn.'

'Ja.' Leslie was bij Chloe's geboorte geweest, en hij had gevonden dat het er vreselijk uitzag, maar Monica hield vol dat Chloe het waard was. 'Wens haar sterkte van me.' Coco ging terug naar de slaapkamer om het door te geven. Liz hielp Jane overeind. Ze moest om de paar minuten naar de wc, en dan klapte ze onderweg dubbel van de pijn. Ze kon bijna niet lopen.

Liz keek bezorgd, maar ook opgewonden naar Coco. Ze hadden er lang op gewacht en nu was het eindelijk zover, maar Liz vond het vreselijk om Jane pijn te zien lijden. 'De weeën zijn nog steeds niet regelmatig,' vertelde Liz aan Coco, 'maar het zijn er veel en ze zijn heel hevig, ik denk omdat haar vliezen al zijn gebroken. Volgens de boeken kan het daarna in galop gaan. Misschien moeten we haar naar het ziekenhuis brengen.'

'Ik ga niet in galop,' zei Jane tandenknarsend tegen Liz, die haar ondersteunde. 'Ik wil een pijnstiller.' Ze zou in het ziekenhuis een ruggenprik krijgen, maar thuis konden ze haar niets geven.

Ze wachtten nog een halfuur, en toen volgden de weeën elkaar met tussenpozen van vier minuten op. Het was tijd om te gaan. Liz hielp Jane in een joggingpak en pantoffels en bracht haar samen met Coco naar de auto. Coco was blij dat het ziekenhuis vlakbij was. Toen ze er waren, konden ze Jane, die huilde van de pijn, bijna niet uit de auto krijgen.

'Het is veel erger dan ik had gedacht,' zei ze met schorre stem tegen Liz.

'Ik weet het. Misschien kun je meteen een ruggenprik krijgen.'

'Vraag maar of ze me willen afschieten zodra ik binnenkom.' Ze kreeg weer een wee en steunde op Liz terwijl Coco naar binnen rende om een rolstoel te halen. Ze waarschuwde een verpleegkundige dat ze eraan kwamen. Ze hielpen Jane in de rolstoel en duwden haar naar binnen, waar de verpleegkundige naar haar glimlachte.

'Hoe gaat het?' zei de verpleegkundige, die de rolstoel overnam en Jane naar de lift duwde, gevolgd door Coco en Liz, die een beetje panisch leek. Het was sneller menens geworden dan ze hadden gedacht.

'Niet zo goed,' antwoordde Jane. 'Ik voel me belabberd.'

'We helpen je zo,' zei de verpleegkundige sussend. Een paar minuten nadat ze binnen waren gekomen, waren ze op de kraamafdeling, en de verpleegkundige droeg Jane over aan de verpleegkundigen daar.

'Er zit nog maar drie minuten tussen de weeën,' zei Liz. Jane kreeg weer een wee en kneep in Liz' hand.

'Nou, laat maar eens zien,' zei de verpleegkundige opgewekt. 'Als we weten hoe het ermee staat, bellen we je verloskundige.' Ze zei het niet, maar soms zat er weinig schot in een bevalling, hoe hevig de weeën ook waren. Ze vroeg wie er bij de bevalling aanwezig zouden zijn, en zowel Liz als Coco meldde zich. 'Wachten we op de pappie?' vroeg de verpleegkundige monter.

'Nee,' zei Liz bedaard. 'Dat ben ik.' De verpleegkundige vertrok geen spier en begeleidde hen naar de kamer. Ze had vaker lesbische stellen gezien, en de laatste jaren kwam het steeds meer voor. Ouders waren ouders, ongeacht hun sekse. Ze glimlachte naar Coco en Liz en hielp Jane uit haar kleren. Ze kreeg een ziekenhuispon aan en ging op het bed liggen waarin ze zou bevallen. De verpleegkundige trok latex handschoenen aan, verontschuldigde zich voor het ongemak en onderzocht Jane, die midden onder het onderzoek een wee kreeg en naar Liz' arm greep. Voordat het voorbij was, begon ze te huilen. Het duurde lang, en de verpleegkundige bood nog een keer haar excuses aan.

'Het spijt me, ik weet dat het pijnlijk is, maar we moeten weten hoe ver je bent. Je hebt vijf centimeter ontsluiting. Ik zal je verloskundige waarschuwen en de anesthesist laten komen om je een ruggenprik te geven.'

'Doet dat pijn?' vroeg Jane, die zielig van de verpleegkundige naar Liz en Coco keek. Ze had nog veel pijn van het onderzoek. Geen mens had haar verteld dat dit haar te wachten stond. Ze had nog nooit zoveel pijn gehad.

'Na je prik voel je niets meer.' De verpleegkundige zette de monitor van de echoscoop aan, zodat ze de hartslag van het kindje en de weeën konden controleren. Het was nu officieel: Jane was aan het bevallen. Liz glimlachte warm naar haar. 'Weten we wat het wordt?' vroeg de verpleegkundige voordat ze wegging.

'Een jongetje,' zei Liz trots. Jane deed haar ogen dicht. Coco vond het afschuwelijk om haar zus pijn te zien lijden, maar ze was ook blij voor haar. Het was een beetje beangstigend om het allemaal te zien gebeuren. Ze had nog nooit een bevalling gezien, niet eens in een film. Ze had alleen puppy's geboren zien worden, en dat ging veel makkelijker dan dit.

'Nou, het ziet ernaar uit dat je je zoontje vanavond in je armen hebt,' verzekerde de verpleegkundige Jane. 'Het schiet lekker op.' Met die woorden vertrok ze. Jane kreeg weer een zware wee. De verpleegkundige kwam terug met een formulier op een klembord dat Liz moest invullen en Jane moest ondertekenen. Jane had zich twee weken eerder al ingeschreven, dus haar gegevens zaten in de computer. Ze moest alleen haar handtekening nog zetten voor het geval er zware noodingrepen nodig waren. Officieel mocht Liz het formulier niet tekenen, maar ze deed het toch, en Jane zette haar handtekening ook. Ze deden dit samen.

De verpleegkundige kwam terug toen de volgende wee begon, en ze had de anesthesist bij zich. Terwijl de verpleegkundige Jane weer onderzocht, legde hij uit hoe de ruggenprik in zijn werk zou gaan. Jane barstte in tranen uit.

'Dit is te erg,' zei ze hijgend van de pijn tegen Liz. 'Ik kan het niet!'

Liz probeerde Janes blik vast te houden. 'O, jawel,' zei ze.

'Zes centimeter,' zei de verpleegkundige tegen de anesthesist, die een zorgelijk gezicht trok.

'Als het te snel gaat, kunnen we misschien geen ruggenprik meer geven,' zei hij tegen Jane, die lag te snikken.

'Het moet. Ik kan dit niet zonder verdoving.' De anesthesist keek naar de verpleegkundige en knikte.

'Eens zien of we erin kunnen komen.' Hij zei tegen Jane dat ze op haar zij moest gaan liggen, met gekromde rug. Ze kreeg weer een wee, en het lukte niet. Het voelde alsof haar hele lichaam op hol was geslagen en er vreselijke dingen met haar werden gedaan en er dingen van haar werden verlangd die ze niet kon. Het was de verschrikkelijkste ervaring van haar leven.

Het lukte de anesthesist een lange katheter in haar ruggengraat aan te brengen, en toen diende hij haar de verdoving toe. Jane moest weer op haar rug gaan liggen, en de volgende wee overspoelde haar als een vloedgolf. De volgende kwam er meteen achteraan, en de verdoving werkte nog niet. De anesthesist legde uit dat de ontsluiting misschien al te ver was en dat de medicatie dan niet meer werkte, maar plotseling hield de pijn op. Er gebeurde vijf minuten helemaal niets, tot Janes opluchting.

'De ruggenprik kan het proces vertragen,' zei de anesthesist. Toen begonnen de weeën weer, net zo snel als ze waren opgehouden. Jane zei dat ze nu erger waren. Dat ging zo tien minuten door. Toen onderzocht de verpleegkundige haar weer, en Jane schreeuwde het uit van de pijn.

'Hou op!' gilde ze naar de verpleegkundige. 'Je doet me pijn!' Daarna snikte ze alleen nog maar. De ruggenprik hielp tot nog toe niet de pijn te verlichten.

'Ik geef je nog iets, misschien gaat het dan beter,' zei de anesthesist kalm.

'We zitten nu op tien,' zei de verpleegkundige. 'Ik laat de verloskundige komen.'

'Hoor je dat?' zei Liz tegen Jane. 'Tien centimeter ontsluiting. Dan mag je persen. Nog even, dan is het kindje er.' Jane knikte verdwaasd. Op de monitor was te zien dat ze weer een wee had, maar ze reageerde er niet op. De verdoving werkte. Het ging allemaal heel snel. Ze waren er nog maar een uur, al voelde het voor Jane als een heel leven.

Vijf minuten later kwam de verloskundige de kamer in. Ze glimlachte en begroette Jane en Liz, die haar aan Coco voorstelde.

'Gezellige boel hier,' zei ze vrolijk. 'Ik heb goed nieuws voor je, Jane.' Ze bracht haar gezicht vlak bij dat van Jane om zeker te weten dat ze luisterde en zei: 'Bij de volgende wee mag je beginnen met persen. We willen dat jochie zo snel mogelijk in je armen leggen.'

'Ik voel de weeën niet meer,' zei Jane opgelucht. Haar ogen stonden glazig, en Coco en Liz keken elkaar bezorgd aan.

'Misschien moeten we je iets minder medicatie geven, dan kun je helpen persen,' zei de verloskundige. Jane reageerde panisch. 'Nee, niet doen,' riep ze, en ze barstte weer in tranen uit. Coco keek ontdaan naar haar grote zus, die voor haar ogen in een hoopje ellende veranderde.

'Het gaat prima met haar.' De verloskundige glimlachte naar Liz en Coco. De verpleegkundige gaf Jane een zuurstofmasker en de anesthesist ging weg. Hij moest een vrouw een ruggenprik geven voor een keizersnede, maar hij beloofde terug te komen. Het was een drukke dag in het ziekenhuis. De verpleegkundige vertelde dat ze veel bevallingen hadden.

Op de monitor was te zien dat Jane weer een wee had. Haar lange benen werden in de beugels gelegd en ze moest beginnen met persen. Er kwam nog een verpleegkundige assisteren, zodat Jane aan elke kant van het bed een verpleegkundige had. De verloskundige stond aan het voeteneind op het hoofdje te wachten, en Liz praatte van dichtbij tegen Jane, die zich omsingeld voelde door mensen die allemaal zeiden dat ze moest puffen en persen, maar er gebeurde niets.

Coco zag Jane een uur persen zonder dat er iets gebeurde. Iedereen volgde de bevalling gespannen, en een derde verpleegkundige kwam de overvolle kamer in met een plastic wiegje. 'Ik kan het niet,' zei Jane uitgeput. 'Ik kan niet meer persen. Haal hem er maar uit.'

'Nee,' zei de verloskundige vrolijk vanaf het voeteneind, 'dat is jouw taak. Je zult ons een beetje moeten helpen.' Jane moest harder persen, en Liz moest haar schouders vasthouden, terwijl de verpleegkundigen elk een voet pakten. De anesthesist kwam terug. De verloskundige vroeg hem minder medicatie te geven en Jane smeekte hem het niet te doen. Het ging nog een uur zo door. Toen had Jane twee uur geperst zonder dat er iets gebeurde. De verloskundige zei dat ze het kruintje van de baby zag, maar meer ook niet.

Jane werd ingeknipt en de verlostang kwam eraan te pas. Jane lag weer een uur te gillen, met Coco aan de ene kant van het bed en Liz aan de andere. Ze moest persen, tot ze zei dat ze doodging. Ze slaakte een ijselijke kreet die Coco altijd bij zou blijven, dacht ze, en toen kwam het hoofdje van de baby heel langzaam tevoorschijn, tot er een gezichtje met grote ogen naar hen opkeek. Liz en Coco huilden, en Jane keek naar beneden en perste zo hard dat ze paars aanliep. Ze pakten de schoudertjes en de rest van het kind kwam eruit, en toen klonk er een gebrul in de kamer. Deze keer niet van Jane, maar van de baby. De navelstreng werd doorgeknipt en het kindje werd in een dekentje gewikkeld bij Jane gelegd, die snikte en gekweld, maar ook opgetogen naar Liz keek. Het was het moeilijkste wat ze ooit had gedaan, en ze hoopte het nooit meer mee te maken.

'O, wat is hij mooi,' zeiden ze allemaal toen ze hem zagen. Toen werd het kindje meegenomen, want het moest gewassen en gewogen worden, en intussen werd de placenta gehaald en Jane gehecht.

'Hij weegt vier kilo en vijfhonderdzeven gram,' zei de verpleegkundige trots toen ze het kind aan Liz gaf. 'Je hebt een kind van negen pond gebaard,' zei die tegen Jane. Ze had er drie uur over gedaan om hem eruit te persen, en nu was goed te zien hoe dat kwam. De baby was gigantisch, en Coco keek er verbluft naar. Ze mocht hem even vasthouden en gaf hem toen aan Jane, die hem aan haar borst legde. Terwijl hij dronk, keek hij met grote blauwe ogen naar zijn moeder op. Hij had mooie handen en lange benen, net als Jane. Liz kuste Jane en lachte en praatte tegen hun kindje, dat van Jane naar haar keek en hun stemmen al leek te herkennen.

Coco bleef nog een uurtje, tot Jane naar een kamer werd gebracht. Ze was uitgeput. Liz bleef in het ziekenhuis slapen, dus ging Coco alleen terug, nog diep onder de indruk van wat ze had gezien. Voordat ze wegging, kuste ze Liz en Jane en feliciteerde beiden. Liz pakte de telefoon om Janes moeder te vertellen dat Bernard Buzz Barrington II eindelijk zijn opwachting had gemaakt en dat ze allemaal in de wolken waren.

Zodra Coco terug was, belde ze Leslie om hem er alles over te vertellen, ook hoeveel pijn haar zus had geleden, en hoe gelukkig ze eruit had gezien toen het kind er eenmaal was.

'De volgende is van ons,' zei Leslie teder. 'Feliciteer Jane en Liz namens mij.' Hij beloofde dat weekend te komen kijken, en daarna zou Coco met hem mee teruggaan naar Los Angeles. Het kind was twee dagen te vroeg geboren, en nu was het Coco's beurt om aan een nieuw leven te beginnen. Het was op de kop af acht maanden geleden dat ze Leslie had ontmoet. Ze hadden er bijna net zo lang over gedaan als Janes baby.

HOOFDSTUK 21

*D*ie zaterdag kwam Leslie naar San Francisco, zoals hij had beloofd. Jane was alweer thuis. Ze was zwak, beurs en extatisch. Liz en zij waren de hele tijd met de baby in de weer. Ze hadden een kraamverzorgster die hun alles leerde over de verzorging. Jane gaf borstvoeding. Het was het ideale moment voor Coco om weg te gaan.

Die avond aten Leslie en Coco bij Jane en Liz. Leslie hield de baby vast en leek zich helemaal met hem op zijn gemak te voelen. Coco nam met tranen in haar ogen afscheid van haar zus, met wie ze na de bevalling een nog hechtere band voelde.

De dag daarop vlogen Leslie en Coco naar Los Angeles. Voordat Leslie was weggegaan, had hij het hele huis vol bloemen gezet. Alles zag er smetteloos en volmaakt uit. Hij had twee grote kasten voor haar uitgeruimd, en er hadden geen paparazzi op de loer gelegen toen ze thuiskwamen. Het beveiligingsbedrijf bewaakte het huis.

Hij kookte die avond zelfs voor haar.

'Waar heb ik dit aan te danken?' zei ze blij, en ze gaf hem een kus.

'Nee, waar heb ík dit aan te danken?' kaatste hij terug. Hij kon nog steeds niet geloven dat ze echt bij hem was. Ze hadden de test in Venetië en de twee martelende maanden daarna allebei doorstaan. Ze twijfelden geen van beiden meer. Ze wisten zeker dat ze bij elkaar hoorden.

Die avond belden ze Chloe om te vertellen dat Coco bij Leslie was ingetrokken. Ze hadden haar al verteld dat het zou gebeuren voordat Chloe met oud en nieuw terugging naar New York, en ze was in de zevende hemel. Ze wilde zo snel mogelijk op bezoek komen.

'Ga je nu een baby nemen?' vroeg Chloe nadrukkelijk. Coco vroeg zich af of ze erover inzat, net zoals Jane toen zijzelf was geboren. Dat wilde ze Chloe niet aandoen. Er was genoeg liefde voor iedereen, en dat moest Chloe weten.

'Nog niet,' antwoordde haar vader ernstig, maar hij hoopte dat het nog eens zou gebeuren.

'Gaan jullie trouwen?' vroeg Chloe met een glimlach in haar stem.

'We hebben nog geen plannen, maar als we gaan trouwen, moet jij erbij zijn,' zei Leslie.

'Mag ik bruidsmeisje zijn?'

'Absoluut. Nu zoeken we alleen nog een bruid en bruidegom.'

'Dat zijn Coco en jij, pappie,' zei Chloe met een lach. 'Gekkie.'

'Jij bent ook een gekkie. Daarom hou ik van je,' zei Leslie plagerig. Hij hing op en keek naar Coco, die via het andere toestel had meegeluisterd. 'Daar zegt ze iets, weet je, over dat trouwen. Ik ben een fatsoenlijk mens. Je kunt niet van me verwachten dat ik met je in zonde ga leven. Dat zou schaamteloos zijn. En vraag je eens af wat de roddelpers zou zeggen! "Beroemde filmster hokt met hondenuitlater." Schandalig,' zei hij, en hij kuste haar.

'Wees maar niet bang, ik laat geen honden meer uit,' zei ze terwijl ze zich voldaan omrolde op hun bed. Ze voelde zich nog steeds Assepoester. Nu nog sterker. Het glazen muiltje was van haar en het zat als gegoten.

'Nou, maar al laat je geen honden uit, ik moet toch om mijn reputatie denken. Wat vind je? Zullen we het doen? Gewoon, om Chloe de kans te geven bruidsmeisje te zijn? Ik vind het een uitstekende reden. De andere reden is natuurlijk dat ik waanzinnig veel van je hou en graag wil vastleggen dat je van mij bent voordat je er weer vandoor gaat. Coco, wil je met me trouwen?' Hij was van het bed gegleden, knielde voor haar en keek ernstig naar haar op. Hij zag eruit alsof zijn emoties hem overweldigden, en Coco was tot tranen toe bewogen.

'Ja,' zei ze zacht. Hun leven samen zou beginnen. Assepoester had haar knappe prins gevonden, en ze zouden nog lang en gelukkig leven. 'Wil jij ook met mij trouwen?' vroeg ze met dezelfde tederheid.

'Met alle plezier.' Hij glimlachte en kroop bij haar in bed. Het was de eerste nacht in hun nieuwe huis, het huis dat ze in voor- en tegenspoed zouden delen, of totdat de paparazzi het hun onmogelijk maakten.

HOOFDSTUK 22

*J*ane en Liz waren de hele ochtend bezig geweest met het plaatsen van de bloemen. De cateraars waren sinds de vorige avond laat in de keuken bezig. Het huis zag er schitterend uit, met overal witte rozen en gesnoeide struiken met rozen erin. Jane moest de mannen die alles op hun plaats zetten even alleen laten om de baby de borst te geven, en toen ze terugkwam, wilde ze alles weer op een andere plek hebben. Om zes uur zouden er honderd mensen komen, en alles moest tot in de puntjes verzorgd zijn. Het kindermeisje zette witte linten aan de bloemslingers die de bloemist langs de trap hing. De baby was nu vier maanden, maar zo groot dat hij wel een jaar leek.

De drukte in huis was overweldigend. Om vier uur gingen Liz en Jane naar boven om zich om te kleden, en het kindermeisje stopte de baby in zijn wiegje. Het was een makkelijk kind, en het meisje werkte graag bij Jane en Liz. Ze zei dat ze het leukste stel waren dat ze ooit had gezien. Jane was nog steeds niet aan het werk, en Liz was van plan zich in juli te laten bevruchten met een donoreitje van Jane. Jane was net veertig geworden, maar uit haar FSH-test was gebleken dat ze nog vruchtbaar was, en Liz wilde haar kind dragen. Buzz was een fantastische verrijking van hun leven. Ze hoopten dat het volgende kind een meisje zou zijn.

'Misschien moeten we naar Canada gaan om te trouwen,' zei Liz toen ze in de badkamer waren.

'Als jij dat wilt, doe ik het, maar in mijn hart ben ik al jaren met je getrouwd,' zei Jane met een glimlach.

'Zo voel ik het ook,' zei Liz, die Janes jurk dichtritste. Jane had een lichtblauwe cocktailjurk aan en Liz droeg grijs satijn. Ze hadden alles piekfijn geregeld en waren trots op het resultaat. Het voelde voor hen allebei goed dat het hier gebeurde, waar het allemaal was begonnen.

Toen ze om halfzes beneden kwamen, waren ze net op tijd om Janes moeder en Gabriel te begroeten. Florence droeg een champagnekleurig, bijna wit satijnen pakje, wat niemand verbaasde. Jane had met Liz gewed dat ze iets wits of bijna wits zou aantrekken voor de bruiloft van haar dochter. Het was net iets voor haar, en dus voorspelbaar.

'Dat durft ze niet,' had Liz gezegd. 'Dat zou ze Coco niet aandoen.'

'Ik wed om tien dollar van wel,' had Jane resoluut gezegd, en Liz had de weddenschap aangenomen. Toen Florence binnenkwam, keek Jane breed grijnzend naar Liz. 'Ik krijg tien dollar van je.' Ze lachten samen, waarna ze Gabriel begroetten, die een keurig blauw pak aanhad en Alyson, die net drie was geworden, in zijn armen droeg. Florence en hij hadden kortgeleden gevierd dat ze twee jaar bij elkaar waren, en in juli zouden ze naar Parijs en Zuid-Frankrijk gaan. Ze zouden in Hotel du Cap logeren, en daarna zouden ze met een door Florence voor twee weken gecharterd jacht naar Sardinië gaan en vrienden bezoeken. Gabriel had het hele jaar nog geen film gemaakt, zo druk had hij het met zijn reizen met Florence. Liz merkte op dat Florence er elke keer dat ze haar zagen gelukkiger uitzag. Wat ze niet zei, was dat ze Florence nooit zo gelukkig had gezien toen ze nog met Janes vader getrouwd was. Gabriel deed haar goed, en hij leek zich prettig en ontspannen te voelen. Hun leven samen was één lange vakantie. Hij was net bij Florence ingetrokken.

Leslies ouders, die uit Engeland waren overgekomen, praatten met Jane en Liz. Om halfzeven waren alle gasten present. Coco wachtte beneden, want niemand mocht de bruid zien. Leslie kwam met Chloe, die net een prinsesje was in haar roze organza jurk tot op de grond. Toen Liz het tegen haar zei, straalde ze. Ze wilde met de baby spelen, maar Jane was bang dat hij op haar jurk zou spugen, dus ze zou tot na de plechtigheid moeten wachten.

Om halfzeven zette de muziek in en gonsde er een helikopter boven het dak. Het huis werd buiten door de politie bewaakt, en er surveilleerden motoragenten in de straat. Ze keken omhoog en zagen dat de helikopter van de pers was. Er hing een fotograaf met een telelens uit een van de ramen. De politiemensen haalden hun schouders op. Veel zouden de paparazzi niet te zien krijgen, want iedereen was binnen.

Toen Coco een seintje kreeg, ging ze naar boven. Ze kwam binnen door de eetkamer, statig en spectaculair in een wit satijnen jurk met sleep die haar lichaam strak omsloot. Ze had een lange sluier voor haar gezicht, en het enige wat ze zag toen ze tussen de stoelen in Liz en Janes woonkamer doorliep, was Leslie, voorin, met Chloe naast zich. Meer hoefde ze ook niet te zien en meer had ze niet nodig. Er vloog een helikopter langs het huis, maar ze trok zich er niets van aan. Ze wist wat het betekende, en ze wist dat het haar in de toekomst waarschijnlijk nog veel vaker zou overkomen. Het enige wat ertoe deed, was Leslie, en Chloe, en het leven dat ze gingen delen.

Toen ze in aanwezigheid van alle gasten hun huwelijksgeloften aflegden, schoot Coco's moeder vol. Ze pakte Gabriels hand en gaf er een kneepje in toen de bruidegom het jawoord gaf. Leslie mocht Coco kussen en hun leven begon.

Het was een perfecte bruiloft, precies zoals Coco het had gewild. Haar familie en al haar dierbaren waren erbij. Leslies vrienden waren overgekomen uit Los Angeles. Zijn ouders waren uit Engeland gekomen, en Jeff uit Bolinas was er ook. Zijn vrouw en hij vonden het heel vleiend dat ze waren uitgenodigd. De bruiloft was niet aan het strand gehouden vanwege de pers. Het was veiliger hier, achter gesloten deuren, bij Jane thuis.

Leslie en Coco zouden samen met Chloe in een gecharterd vliegtuig naar de bestemming van hun huwelijksreis vliegen, die ze geheim hadden gehouden. Coco had erop gestaan dat Chloe mee zou gaan, en Leslie hoopte dat ze gauw een broertje of zusje zou krijgen.

Er kon gedanst worden in de eetkamer en er drentelden mensen in de tuin, want het was een zachte avond. Op het zwembad was een perspex dansvloer gelegd, en er werd discomuziek gedraaid. Het was het mooiste feest dat ooit was gegeven in San Francisco.

Om middernacht, nadat de bruidstaart was aangesneden, ging Coco halverwege de trap staan om haar boeket te gooien. Ze mikte zorgvuldig op de borst, want haar moeder mocht er niet naast grijpen. Florence ving het en drukte het aan haar hart. Gabriel zag het glimlachend aan. Hij wist waar ze aan dacht, en hij vond het prima. Ze dansten een laatste keer nadat bruid en bruidegom waren vertrokken, en hij kuste haar. Jane en Liz waren beneden met Leslies vrienden uit Los Angeles de samba aan het dansen in de disco.

Leslie, Coco en Chloe vertrokken per limousine. De politie hield de toeschouwers in bedwang en de helikopter gonsde boven hun hoofd. Er reden twee motoragenten voor de limousine uit, en zo zoefden ze met Chloe tussen zich in naar het vliegveld. Coco glimlachte en Leslie zag eruit alsof hij de gelukkigste man op aarde was. Ze zaten hand in hand.

'Het is gelukt,' fluisterde Coco triomfantelijk. De paparazzi hadden hen niet te pakken gekregen. Er was niemand gewond geraakt. Niemand had Chloe of hun de stuipen op het lijf gejaagd. Ze waren veilig en samen, precies zoals Leslie had gezegd.

'Gaan jullie het nu doen?' vroeg Chloe aan haar vader.

'Wat?' vroeg Leslie, die alleen maar oog had voor Coco, afwezig.

'Dat vieze.' Chloe giechelde.

'Chloe!' zei Leslie vermanend. Toen grinnikte hij. 'Waar heb je het over?'

'Je weet wel. Wat mam zei over…'

'Laat maar,' kapte hij haar snel af.

'Oké,' zei ze met een glimlach naar Coco. 'Ik hou van jullie,' vervolgde ze blij. Ze was dol op haar vader, en Coco was haar liefste vriendin.

'Wij houden ook van jou,' zeiden Leslie en Coco als uit één mond. Leslie gaf eerst zijn vrouw een zoen en toen Chloe. Coco glimlachte naar Leslie. Hij had gelijk gekregen. Alles was precies gegaan zoals het moest gaan. Stap voor stap.